JN066391

1917-1944年の独裁

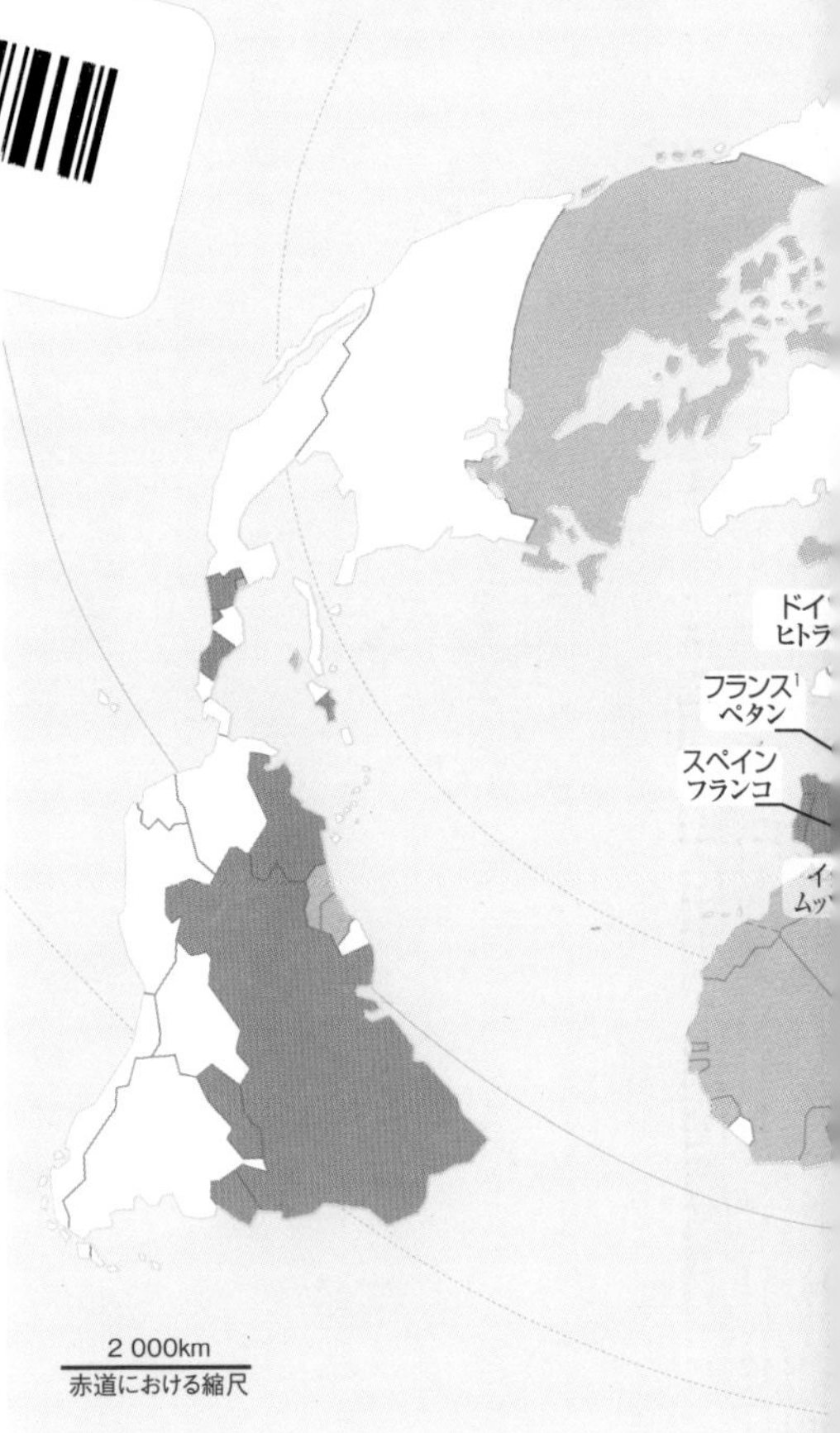

—— 1938年時点の国境

1　フランス：1942年11月までは部分的にドイツによって占領された。
ンス国」は1940年7月から1944年8月まで存続した。
2　ユーゴスラヴィア：クロアチアは枢軸側の同盟国となり、セルビアと
ネグロは占領された。
3　中国：日本によって部分的に占領された。

独裁者が変えた世界史 上

LE SIÈCLE DES DICTATEURS

オリヴィエ・ゲズ 編
Olivier Guez
神田順子／清水珠代／
Junko Kanda　Tamayo Shimizu
松尾真奈美／濱田英作 訳
Manami Matsuo　Eisaku Hamada

原書房

独裁者が変えた世界史◆上

独裁者が変えた世界史◆下・目次

まえがき

オリヴィエ・ゲズ

独裁とのはじめての出会いのとき、わたしは鉄道列車のなかにいた。一九八四年一一月のある夜のことだ。犬の吠え声で、わたしは飛び起きた。車室のカーテンを少し開けてみた。ほんのわずかな隙間《すきま》だけ。蒸気で曇った窓の向こうでは、がっちりしたブーツを履いた足があわただしげに動きまわり、緑青《ろくしょう》色の制服を来た男たちがリードをつけた犬をつれてプラットフォームをパトロールしていた。彼らは手にした懐中電灯で、闇に沈む列車をくまなくチェックしていた。かがみこんで車軸のあたりを調べている者もいれば、車両と車両のあいだを探っている者もいた。翌日、わたしは姉や妹に「スパイを探していたんだよ」と言った。わたしは一〇歳だった。西ベルリンに向かっていたわたしたちの列車は、DDR［ドイツ民主共和国、いわゆる東ドイツ］に入ったところだった。以上が、わたしと独裁との最初の出会いだった。白髪を後ろになでつけ、冷徹な顔に大きくて厳《いか》つい鼈甲縁《べっこうぶち》眼鏡をかけた独裁者との出会いでもあった。エーリヒ・ホーネッカーの大きな写真が、あの名も知らぬ駅のプラットフォームに掲げられていたのだ。

二回目は、四年後のプラハにおいてだった。冷戦時代の終盤であった。共産党第一書記ミロシュ・ヤケシュの写真がこの町の多くの壁に貼られていたのかどうかは覚えていないが、息苦しい雰囲気と、わたしたちがなんでもないことをたずねようとすると人々が逃げ腰となり、不安そうな表情を浮かべたことは覚えている。プラハ城のあたりは、警察官と民兵がいたるところで警備にあたっていた。

三回目のとき、わたしは熱帯にいた。二〇〇二年の春だった。キューバは食糧不足に苦しみ、女衒《ぜげん》たちが数ドルで欧州から来た観光客に売春を斡旋《あっせん》していたが、政府は体制のプロパガンダに膨大な予算をつぎこんでいた。島のいたるところにチェ・ゲバラの肖像、革命の栄光を称えるスローガンが掲げられ、村々にはフィデルとシエラ《山塊》のバルブドス《髭づら男たち》［カストロと山中にこもったゲリラたち］の英雄譚をふりかえる記念館があった——なかには、ちっぽけな記念館もあったが。革命前の過去は存在していなかった。キューバが一九五九年一月一日——バティスタが追いはらわれた日だ——に突然、波間から出現したかのように。この年の四月一一日に、キューバ政権と同盟を組むベネズエラ大統領、ウゴ・チャベスに対するクーデター未遂事件が起こると、フィデル・カストロは例によって何時間も続く演説をぶち、キューバのテレビとラジオは、これを実況中継した。翌日、キューバ共産党が発行する新聞、「グランマ」は八ページをついやし、この演説を一字一句もらさず掲載した。

チェコを訪ねたのち、そしてキューバに行く前、わたしはロンドンで学んでいた。一九九七年二月一九日に鄧小平が亡くなると、寮の七階に住んでいたわたしは同じ廊下の反対の端に住む友人のところに駆けつけた。「リベラシオン」［フランスの日刊紙］の一面を飾る、小さな指導者（身長一五二センチの鄧小平はその意味で小さかった）の白黒のポートレートがじつに印象的であったので、わたしたちの頭に一つの（悪趣味な）アイディアが閃《ひらめ》いた。廊下に独裁者のポートレートをずらりとならべる、というものだ。かくして数か月間、わたしの部屋の扉にはサッダーム・フセインの写真が貼られていた。わたしたちの廊下を飾った暴君たちの一覧は、本著の目次に似ていたが、褐色や黒の肌をもつ独裁者が欠けていた。われわれの「政治的に正しくない《ポリティカル・コレクトでない》アイディア」（というよりも、われわれの愚かさ）の限界といえよう。鄧小平の死は、ヒトラー、毛沢東、スターリンはもとより、五大陸すべてに君臨した独裁者たちの犯罪によって多くの人が殺された血まみれの二〇世紀に幕を引いた。

古代ギリシア初の専制君主ペイシストラトス以来、多くの君主が、なんの制限も受けず、法に縛られることなく、自分が専有する権力を同族に対して残忍にふるってきた。そのうちには、血に飢えたカリグラやネロをはじめとするローマ皇帝もいれば、中国をはじめて統一した秦の始皇帝のような虐殺をためらわない暴君もいた（なお、知識人を弾圧した毛沢東は悪びれもせず、自分を焚書坑儒を実行した秦の始皇帝になぞらえた）。遷都を強行して住民全員を移住させて苦しめたデリーのスルタン、ムハンマド・ビン・トゥグルクのような者もいた。しかし、二〇世紀ほど独裁者が花盛りとなったことはない。二〇世紀文明の母体である進歩とテクノロジーが歯を剥《む》いたかのように。この世紀の中ごろ、近代国家は、きわめて精巧に構築された官僚主義タイプの中央集権型ピラミッド組織を統治の手段とし、「合法的な」暴力装置、金がかかる複雑な諸機構、電気通信、軍事産業複合体を独占した。こうした蛸足《たこあし》のように四方八方に広がる国家装置が独裁者の手にわたると、暴力が前例のない激しさで炸裂するのだ。

全員が男であった。不眠症の者もいれば、禁欲的な者もセックス依存症患者もいれば、無表情な者がいるかと思えば感情をむき出しにする者もいる。多くの場合は背が低い（金正日《キム・ジョンイル》、レーニン、スターリン、フランコ、ムッソリーニは一七〇センチ以下である）が、ユニフォームを着てもったいつけて歩きまわるのが大好きで、勲章やたいそうな肩書きをたくさんもち、いかにも武張《ぶば》った態度をとり、陰険で、つねに人に恐怖をあたえていた。フューラー、ドゥーチェ、人民の父、偉大な指導者、リデル、カウディーリョ、導き手、庇護者、コンドゥカトール［リーダーを意味するルーマニア語］などとよばれた彼らは、二〇世紀の歴史に続々と登場した。二〇世紀は独裁者の世紀であった。

もとをただせば、彼らは何者でもなかった。もしくは小者であった。自分には特別な使命が託されていると思いこんだ者、社会の辺縁に生きる者、壁ぬけ男さながらにいつのまにか姿を消す者、アジテーター、都を離れた赴任地で「ここは本来自分のいる場所ではない」と臍《ほぞ》をかむ軍人。こうした虚言症患者たち、恨みをつのらせている者たちは、運命が親指でひと突きしてくれなかったら（もしくは蹴ってくれなかったら）、権力に近よることはできなかったことだろう。独裁者たちはつねに混沌――紛争、革命、経済危機――のなかから姿を現わす。第一次世界大戦は、二〇世紀における欧州の野蛮の原型となった。この戦争がはじまったとき、レーニンもヒトラーもムッソリーニも天に感謝した。終戦後、負けた側にしろ勝った側にしろ、塹壕でたえまない砲火、空爆、毒ガス攻撃に耐える四年間を生きのび、絶望の前線から戻ってきた兵士たちは、自分たちはだまされた、と確信した。貴族階級のマナーが何世紀かをかけてコード化され、浸透した旧《ふる》い世界――ノルベルト・エリアスがよぶところの「良きエチケットの文明」――が瓦解したのだ。崩壊はロシアにおいて即時に起こり、イタリアがそのあとですぐに続いた。そして数年後にはドイツと、欧州中央のほぼすべての国で起こった。大恐慌が何百万もの人々を破産に追いこみ、不安定だった共和政をつきくずしたあとの出来事《できごと》は、どの国でもほぼ同じ筋書きをたどった（大戦に参加しなかったスペインもこの運命をまぬがれなかったし、状況は異なるが中国でさえも同じくゆさぶられた）。失業、インフレ、政界の混乱、無政府状態、報復（ときとしては内戦も）、これまでの権威の無力化。カリスマ的な救世主としてふるまう者が頭角を現わした。怒りに燃える者、苦々しい思いをかかえる者の集まりである大衆は、社会の大変動を受け入れる用意ができていた。「つねに変化する理解不能な世の中にあって、大衆は、すべてを信じると同時になにも信じず、すべてが可能であり、なにもかも嘘だと考えるにいたった」とハンナ・アーレントは「全体主義の起源」のなかで述べている。一九三〇年代なかば、欧州国家の半分以上が独裁者によって統治されていた。総力戦が独裁者の支配圏を広げたのだ。

二〇世紀後半は、ナチ・ドイツの廃墟のなかではじまった。ソ連は、自分たちが征服した国々に全体主義的な社会主義を押しつけ、政権にはモスクワの意のままになる傀儡《かいらい》をすえた（例外は、ユーゴスラヴィアとアルバニア）。その後、ハンガリー、チェコスロヴァキア、ポーランドが解放をつかのま夢見たが、ソ連に押しつぶされた。これらの国々では、ベルリンの壁が崩壊するまで独裁者たちが長きにわたって政権を担った。

アジア、アフリカ、南米では、冷戦と植民地帝国の瓦解が、黒よりも赤のほうがめだつ第二の波をまきおこした。革命とクーデターがあいつぎ、脱植民地化の廃墟から「豪腕」の持ち主が登場して自国の独立を国民からとりあげてわがものとし、二つの超大国のどちらかの庇護を受けた。アメリカはピノチェト、ストロエスネル、モブツ、デュヴァリエ父子を、ソ連はアサド父、サッダーム・フセイン、カストロ、カダフィを支援した。彼らは、ゴッドファーザー二人が勝負するチェス盤の駒であり、国連安全保障会議ではそれぞれの親分の言い分を支持した。こうした奉仕の見返りとして、彼らの政権の安定は担保され、彼らは安心して自国民を苦しめ、なんのお咎《とが》めもなく蓄財することができた。

本書の各章は、権力をにぎった独裁者のありかたを解剖している。最初の数週間が肝心だ。有無をいわせず権力行使の意思を受け入れさせ、秩序を回復させ、社会を、独裁者ただ一人が調教師となって命令をくだす兵営国家に変えねばならない。反対勢力は一掃され、メディアと知識人の言論は検閲され、政敵は国外追放もしくは投獄、拷問、殺害の対象となる。社会を監視するために密偵を数多く放ち、密告を奨励する。最高指導者となった独裁者は、自分のために社会を監視する者を監視する。もれなくすべての情報が彼の耳にとどかねばならない。ほんのわずかな違反でも厳しく罰せられることを、国民は敏感に察する。ひたすらおとなしくしていれば(なによりも、政治に関与しないことだ)、体制が建設を準備している画一的な住居を割りあてられ、家庭内、スタジアム、海辺で細切《こまぎ》れの小さな自由を享受することができるだろう。

並行して、独裁者の子分たちは、警察、軍隊、シークレットサービスを掌握し、高位につくことができる。彼らは権力奪取の運動のはじめから独裁者と行動をともにしていて、彼を中心にして一派を作っている。だが、だれひとりとして永遠に安泰ということはない。独裁者は、手下たちが仲違《なかたが》いするように裏で糸を引き、忠臣らが権力争いをするよう仕向けるのが上手《じょうず》だ。独裁者はしばしば、配下の者の役職を増やし、昇進させたかと思うと降格させ、ふたたび引き立てる。いつの日か排斥するまで。数年たつと、すべての要人が、自分がいまの地位にあるのは独裁者のおかげだと思い知る。彼らはつねにびくびくしている。独裁者が自分たちの生殺与奪の権をにぎっている、と知っているからだ。

しかし、「指導者」は怖がらせ、弾圧するだけで満足してはいられない。社会を作り替え、町、橋、高速道路（とくに、空港と自分が住む御殿を結ぶ道路）を建設しなければならない。平民にはパンをあたえるだけでなく、彼らの覇気《はき》を高め、喜びと希望を育《はぐく》んでやらなければならない。そのためには、堂々たるすばらしい未来――至福の第三帝国、偉大なる夕べのあとに訪れる共産主義の明け方、統一されたアフリカ、近代の宿痾《しゅくあ》をとりのぞいた純粋なイスラム世界――を描いてみせる必要がある。いずれもエリアス・カネッティが『群衆と権力』のなかでよぶところの、多くの努力と服従に対する褒美《ほうび》としてあたえられる未来、近づこうとしてもつねに遠ざかる地平線のような未来である。独裁者は現実とかけ離れた統計の数字に陶酔をおぼえ、罰せられることなくつねに嘘をつくことができる。「平和」は戦争を、「連帯」はエゴイズムを、「愛」は憎しみを意味する。独裁者は言葉から中身を抜きとる、というよりはむしろ反対の意味で使う。彼は、困窮者たちに被害妄想を植えつけ、あおる。そのためには、おぞましき敵、二重の脅威を、すなわち「壁の下まで来ている敵」（外敵）と「地下にひそんでいる敵」（反政権派、裏切り者、甘い汁を吸っている者、祖国に対する陰謀を練っている破壊工作員）を名ざしする（エリアス・カネッティ）。独裁者は、生きている者と死んだ者を一緒にした巨大なコミュニティーの名において戦いをはじめる。過去と現在と未来が一つになって敵に向かうのだ。先祖と子孫をふくめた共同体を一致団結させるため、独裁者は建国神話――古代ローマ、レコンキスタ、原初のゲルマン民族、農民戦争、サムライ――をもちだす。ロジェ・カイヨワがよぶところの「コミュニオン［集団の感情的融合］の約束」としての神話だ。

独裁者はフィクションの作り手であるだけでなく、すぐれた役者および演出家でもある。独裁支配政党の党大会は独裁者にとって檜舞台であり、バルコニーやスタジアムの演壇の高みから臣民に演説をぶつ。彼の声は低くささやいたかと思うと甲高くなり、激しい感情をぶつける。彼は言葉を巧みにあやつる。彼が大衆の前に姿を見せるときには、諸々《もろもろ》の演出がこらされる。彼がよみがえらせた神話、彼が予言者をもって任じる宗教には、壮麗な式典、祝祭、新たな儀式が必要だ。キッチュで、目をみはらせるショーが欠かせない。だから、独裁者は大々的な演出をこらし、筋骨隆々の男たち、清らかな乙女たち、大勢の兵士や体操選手やミサイルを行進させる。全員がこうした場にふさわしい制服や衣装を身につけ、手には花やエンブレムや旗をもっている。それぞれの独裁者はアイコニックなアクセサリーやユニフォーム（黒シャツ、人民服、豹の毛皮のトーク帽…）をもっているだけでなく、自分の軍団兵を実際よりも強く、大きく見せるための工夫をこらす。かつてアフリカや中米の王国の専制君主たちが自分たちの戦士を羽根や入れ墨や戦闘用の仮面で変装させたように。新体制に移行した以上、すべてを変えねばならない。革命は、人間を作り変えることができる、普遍的真理を示してみせる、と主張すればするほど強い印象をあたえることができる。物事をごくごく単純化してみせようとする独裁者は、自分の象徴（旗、標章、聖地、敬礼、賛歌）を押しつけ、切手にはだれもが認識できて簡単に複製できる自分の印（もしくは顔）を描かせる。こうした象徴は刺激と恐怖をあたえずにはおかない。

横暴な独裁者はその本質からして、個々の存在としての人間に対する猜疑心が強い。ゆりかごから墓場にいたるまで、独裁者は人々を管理しようとし、彼らを一塊《ひとかたまり》の規律正しい集団に変えることを夢見る。カネッティが指摘するように、独裁者はわかっている。スタジアムの観客のごとく、規律正しい集団にとりこまれた人間はタブーや他人との接触に対する嫌悪感から解放され、だれもが平等で、自分たちは「巨大な鎧《よろい》をまとったごとくに」鉄壁だと感じることを。塊となった集団は個々人を無害化するのだ。彼らは個人としての限界をのりこえることが可能となり、もし巧みにあやつられたのなら、ためらいもなく殺すこともできる。システムのおかげで、彼らは責任を負わなくてすむのだ。このように人々を塊に変えるため、独裁者はプロパガンダを多用、濫用する。進歩の世紀とよばれた二〇世紀において、新聞雑誌、映画、ラジオ、テレビは独裁者に、大衆を心理的に強姦するためのすばらしい手段をあたえた。熱狂させることに重きを置く独裁者もいれば、対立や恐怖をあおる独裁者もいるが、すべてのプロパガンダ戦略は決して止まってはならない。反復が人の心を条件づけるからだ。プロパガンダは、支配されている国民のみならず、外国のオブザーバーたち（そして有益な愚者である賛美者たち）にも向けられている。

独裁者は、偏執狂的なサバイバーである。カネッティは「彼［独裁者］はすべての人間のなかで、いちばん死ぬことを嫌がっている…　危険がそこにあるという感情は彼にまとわりついて決して離れない」と書いている。ゆえに、独裁者はつねに用心し、自分の背後で陰謀や謀反が練られているのではと疑っている。「彼の目はいたるところに向けられ、どのような音でも聞き逃すまいとしている。敵意がふくまれているかもしれないからだ」。彼は、忠義面《ちゅうぎづら》をした敵の顔から、無邪気をよそおった仮面をはぎとる。彼らをすぐには罰しないのは、後でもっと苦しめるためだ。ここぞと思うときが来たら、あばいた不実行為をつきつけ、完全な服従、仲間を裏切ること、転向を求めることができるのだ。もっとも親しい顧問もふくめ、だれひとりとして、独裁者が何を考えているのかを知ってはならない。彼は「多くの秘密が隠されたシステム全体の鍵をにぎっているの唯一の人間」なのだ（カネッティ）。彼は、自分が支配する者たちの身体、家庭、魂に入りこむことができるが、自分の内側に入りこむことをだれにも許さない。内心をだれにも悟られないことは急襲を担保し、恐怖を維持する。

孤独と自由は人々にめまいと恐怖をあたえる。何千年ものあいだ宗教の支配下にあった人類は、現代になってもあいかわらず、自分たちの限界を超えるなにかの存在を求め、信じる必要がある。ニーチェが神の死を告げてからほんの数十年たった時点で、独裁政治は、神なき空虚をおそれる気持ちに乗《じょう》じて拡散し、神秘的で宗教的な側面を発展させた。もっとも残忍な独裁者たちの何人かは、神の代用物であるかのように、生存中に崇めまつられた。とくに熱心な信者となったのは知識人たちだった。教会や寺院に代わり、独裁者の栄光を称える巨大な像が建造された。

本書の執筆者たちが健筆をふるう各章で描かれ、分析されている独裁者は、わたしに鮫《さめ》を連想させるが、全員が人食い鮫のように残忍だったわけではない。弾圧をくわえたことは事実にしてもフランコとホーネッカーを、何千万人もの死と筆舌につくしがたい苦しみに責任を負うヒトラー、毛沢東、ポル・ポト、スターリンと同一視することはできない。ヒトラーらは、殺人を統治手段とした。彼らは常軌を逸した狂信者であると同時に、冷笑的で打算的であり、シリアルキラーのように人を殺し、嗜虐的《しぎゃくてき》な喜びを感じながら社会を恐怖で押しつぶした。彼らは、日和見主義で覇気がなく冷酷な何百万もの共犯者たち——よい例は、ナチの強制収容所職員のお手本ともよぶべきヨーゼフ・メンゲレである——の力を借りることができた。

ハンナ・アーレントは「全体主義の起源」のなかで、権威主義的な専制政治と全体主義的独裁の違いについて述べている。前者は相対的に少ない人口とリソースをやりくりしなければならないのに対して、後者はとてつもない「人的原料」を手にしている。「全体主義的支配の機械装置をまわすには、ほぼ無尽蔵の原材料が必要だ」と彼女は書いている。ヒトラーのドイツが全体主義国家になったのは、戦争中に東欧で広大な領土を獲得してからであった。こうした征服のあと、ドイツは前線の後方と絶滅収容所で何百万もの民間人を殺した。全体主義独裁者の思考の単位は、大陸や世紀（ときとしては千年単位で）である。彼らは地球規模の帝国を夢見て、歴史を作り替えようとする。そのためには自己破壊もいとわない。彼らの全員が、自分個人の権力のためなら、体制や自国の利益を犠牲にしてもよいと思っている。毛沢東の「大躍進」や「文化大革命」は中国を混沌におとしいれた。スターリンの粛清は、ドイツによるバルバロッサ作戦の前夜に、赤軍の力を大きくそいでしまった。ナチの強制収容所運用は、輸送やロジスティックスのために、敗戦へと向かっている第三帝国のリソースを大量に動員した。たくらみ、まわり道、豹変。空想的な思いつきによる唐突な行動、狂気の沙汰。国家の道理は軽視され、全体主義独裁者は自分の衝動、非実用的な政策、虚構の現実（自然の法則、人種、歴史の法則、唯物主義）にしたがい、人やものや環境にあたえる影響など考慮せずに無茶な目標を定める。彼らは、絶対的権力の絶対主義を最悪のレベルまで高める。

「全体主義の統治者はどのような犠牲をはらってでも、正常化の結果として新たな生活スタイルが出現することを避けねばならない」とハンナ・アーレントは指摘している。ヒトラーのドイツ、スターリンのソ連、毛沢東の中国においては、平穏な時期があっても、いつも短期間で終わった。不安にさいなまれ、唐突な行動に出ることが多い独裁者は、つねに排除すべき新たな障碍《しょうがい》を見つけ、犠牲者選択の基準は過激になった。独裁は、つねに純化、浄化を求めて満足することのない機械装置だ。ライバルや反対派を一掃したあと、独裁者は、時々の状況に応じて名ざしされる「客観的な敵」の退治にのりだし、多くの場合はやがて、偶然選ばれる無害な民間人にも危険がおよぶ。何人逮捕しなくてはならないという数字が決まっているので、自分は完全に無実だと安心していられる者は一人もいない。「国民全員が疑わしい者の範疇に入る…　罰はもはや罪に応じてくだされるものではなくなる…　模範的な行動を示しても安全とはいえない」。明け方に秘密警察が汚い仕事を実行し、恐怖が国を支配する。

ソ連の矯正収容所《グラーグ》、中国の労働改造所、アウシュヴィッツ、トレブリンカ……――全体主義独裁者にとっての必殺武器は収容所である（労働収容所、再教育収容所、強制収容所、絶滅収容所）。収容者は髪を剃《そ》られ、番号を入れ墨され、最終的な隔離生活へと投げこまれる。彼らは力つきて死ぬか、首筋に銃弾を撃ちこまれて、もしくはガス室で大量に手ぎわよく殺される。収容所は冷酷かつシステマティックに、物理的な人間と人間の尊厳を破壊する。死体は穴のなかに重なるように投げこまれ、墓は作られない。ナチの焼却炉は死体を灰にして消しさった。史上のどのような戦争と比べても、虐殺人数では、二〇世紀の全体主義独裁が上まわる。

この本がとりあげた独裁者のうち、二人はまだ権力の座にある。バッシャール・アル＝アサドと金正恩《キム・ジョンウン》だ。どちらの父親もやはり独裁者だった。共産主義者たちはときとして、マルキシズムと神権授受絶対王制をかけあわせた王朝を築く。キューバでは、ラウル・カストロが兄の跡を継いで支配者となった。イランでは、三〇年前にシーア派神権政治体制をうちたてたホメイニーが死去して以降、ハーメネイーがこれを継承している。その他の国でも、二〇世紀末の民主化の波が「歴史の終わり」の儚《はかな》い幻想をかきたてたのち、プーチン、エルドアン、アッ＝シーシーといった独裁者が帰ってきた。というよりも、ペルシア湾岸の石油君主たちがよい例だが、独裁者たちは一度も舞台から去っていなかったのだ。レヴァントでは、全体主義のイスラム国を建国する試みが潰《つい》えた。この国の独裁者であった「カリフ」のアル＝バグダーディーは逃走中だ［二〇一九年一〇月に米軍に追いつめられて自爆により死亡］。ヨーロッパでは、権力を自分に集中させる、もしくは表面的には民主主義を標榜しながらも自分への権力集中を可能とするシステムを構築する「非リベラルな民主主義」指導者が台頭している。こうした国の多くでは、選挙は行なわれているものの、国家指導者は投票日の前にもっとも危険なライバルたちを失格にするよう画策し、開票結果が自分にとって不利な場合は口実を見つけて選挙を無効とする。

フランソワ・フュレは『幻想の過去』の終わりに、次のように記している。「われわれはこうして、いま生きている世界で生きることを余儀なくされている。これはあまりにも厳しく、近代社会の精神にあまりにも反している条件なので、これが続くことはありえない」。もっとも歴史ある民主主義国家をふくめ、世界のあらゆるところで、権威主義的な傾向や、ファシズムへのノスタルジーのちょっとした盛り上がりがみられる。グローバリゼーション——ターボ資本主義、大人数の移民の流入、地球温暖化、新テクノロジー——に人々は不安をいだいている。二つの産業革命のそれぞれの後に起こった危機を思わせる「現代の危機」に世界がゆさぶられているいま、人々は確かなこと、手がかり、頼れる指導者を探している。過去の残念な前例と同じく、現代の「強い」男たち、もしくは「強い」と自称している者たちは、複雑さを増している問題に対して、シンプルな解決策を提案している。治安、国のアイデンティティー、消費の三つを軸とする提案だ。ブラジルからアメリカにいたるまで、日本からハンガリーにいたるまで、いたるところでこの三つの組みあわせがさかんに唱えられている。この序文のはじめのほうですでに引用したハンナ・アーレントの言葉をここであらためて思い出してみようではないか。「つねに変化する理解不能な世の中にあって、大衆は、すべてを信じると同時になにも信じず、すべてが可能であり、なにもかも嘘だと考えるにいたった」

ここ数年のあいだに、これまでとは異なるタイプの独裁が登場した。その王国には首都もなければ国境もないが、じつに二〇億以上の人々の上に君臨している。政治的見解、性的嗜好、友人のつながり。職業生活、購買力、趣味。ちょっとした秘密、長期休暇。フェイスブック、ワッツアップ、インスタグラム等々を通じてウェブ帝国が把握している臣民たちの情報は、大粛清の時代にスターリンが把握していた情報よりも多い。ウェブ帝国のアルゴリズムは、第三ミレニアム時代の秘密警察だ。この帝国はきわめて富裕であり、納税をのがれ、ユーザーにかんするデータを怪しげな買手に売り、独自の通貨を発行する準備を進めている。この帝国の膨張をはばもうと立ち上がる勢力は一つもない。この帝国は、その美学、ピューリタン的理念——人質を斬首するイスラム原理主義テロリストの動画よりも、女性の裸の胸のビジュアルのほうが問題らしい——を全世界に強要している。ウェブは世界の均衡をあやうくし、人間の本質をおそろしい速度で変えつつある。男、女、子どもをとわず、わたしたちはウェブがかきたてるバーチャルな感動にひたりこむ依存症患者となってしまった。

二〇一八年秋の北京。毛沢東の巨大な肖像が紫禁城の入り口と天安門広場を睥睨《へいげい》している。広場の街灯には何十もの監視カメラがとりつけられている。空港を出て高速道路に入ったあと、自動車は定期的に写真撮影される。中国の検索エンジン、百度（バイドゥ）上では、一九八九年の事件は跡形《あとかた》もなく、そういったことは一度も起こらなかったことになっている。外国の新聞雑誌にアクセスする事も不可能だ。例外は、フランスのスポーツ新聞「レキップ」のみ。国外に連絡しようとすると、中国のIT企業が提供するメッセンジャーアプリ、微信（ウィーチャット）をとおす必要がある。一〇億人の中国人が微信に昼も夜もアクセスして、連絡をとりあったり、電子決済をしたり、鉄道の切符を予約したり、給料を口座に入れたりしている。中国では微信は生活に不可欠だが、微信は政府に協力している。中国の当局は微信が集めたすべてのデータを好きなように利用することができる。たとえてみれば、ザッカーバーグがトランプとホワイトハウスの大統領執務室を共有しているようなものだ。当局が中国全土に張りめぐらせた監視カメラ網の何億ものカメラには、顔認証ソフトが搭載されていて、一秒で一三億七〇〇〇万の中国人の顔をスキャンして、彼らの行動をチェックできるスーパーコンピュータにつながっている。なお、中国国民の一人一人には、一八桁の番号がふりあてられている。中国を七〇年前から一党支配している共産党の総書記である習近平は、任期無期限の国家主席となり、彼の「思想」は毛沢東の思想と同じく憲法に明記された。中国は、自壊せずに経済・社会を改革することができた唯一の全体主義国家である。

すばらしい新世界、ビッグ・ブラザー、ザミャーチンが描いた「単一国家」。こうした小説世界がいまや現実となった。テクノロジーは二一世紀の独裁者たちに、かれらの先輩たちが夢にもみたことがない手段を提供している。

「かつては自由に伝染力があったが、今では独裁に伝染力があるとは驚くべきことだ」とポール・ヴァレリーは『現代世界の考察』のなかで述べている。類書のない本書は過去のみならず、現代を理解するうえでも示唆に富んでいる。チームを組み、数年をかけて取り組んだ成果である。執筆者たち――それぞれの分野で第一人者である歴史研究家、すぐれた知識人やジャーナリスト――は、その見事な文体と厳密な執筆姿勢によって刮目《かつもく》すべき貢献を果たしてくれた。ここに篤く感謝を申し上げる。

1 レーニン

全体主義の予言者

ステファン・クルトワ

一八八六年の寒い一月。ここは、首都であるサンクトペテルブルクから一五〇〇キロも離れた、広大なロシアの奥地だ。ヴォルガ川にのぞむ小さな町、シンビルスク［現ウリヤノフスク］では、葬列がロシア正教会の聖堂へと向かっていた。町の名士たちと若い教師たちがイリヤ・ウリヤノフの棺につきそっていた。この地方の視学官であり、皇帝によって貴族に列せられた故人の死因は脳内出血。彼が倒れるところに居あわせた妻子はたいへんな衝撃を受けた。享年五三歳。慣習にしたがい、首都で勉学中だった長男に替わり、次男ウラジーミル・イリッチが棺をかついだ。厳格な教育の産物である無表情という仮面の下で、一五歳半の少年は激しく動揺していた。

大黒柱の死はたいへんな痛手であり、残された家族はわずかな年金で暮さねばならず、住んで大きな家の何部屋かを転貸するほかなかった。親しい者からはヴォロージャとよばれていたウラジーミルは家長の務めを果たしつつ、毎学年を首席で通してきた学業を終えねばならなかった。こうしてウラジーミルの上にすでにたれこめていた暗雲を、突然の雷が引き裂いた。化学専攻の学生だった兄のアレクサンドルが秘密警察オフラーナ（ロシア帝国内務省警察部警備局）に逮捕されたのだ。一八八一年に皇帝アレクサンドル二世を暗殺した反体制テロ組織「人民の意思」に感化されたアレクサンドルは、アレクサンドル三世を狙ったテロを準備していた。あわてふためいた母親はあらゆる伝手《つて》を頼って長男の命を救おうと奔走した。しかし、成果はなかった。アレクサンドルは爆弾を準備していたと堂々と認めて死刑判決を受け、恩赦を願い出ることを拒否した。彼は一八八七年五月八日に絞首刑となった。

一八七〇年四月一〇日生まれのヴォロージャは、庇護者である父親に続いて、敬愛していた兄までも悲劇的な状況で失った。一八か月前、ウリヤノフ家の社会的地位は高まる一方で、すばらしい未来が約束されていた。いまや、皇帝殺しの汚名ゆえに一家は爪弾きにされ、これまで生きてきた世界がガラガラと音を立ててくずれていた。ヴォロージャは父と兄の死から立ちなおることができず、このとき彼が負った重いトラウマは全世界に重大な結果をもたらすことになる。バタフライ効果の好例である。シンビルスクで蝶が二回の羽ばたきをしたために、一九一七年一一月七日、レーニンという別名ですでに有名になっていたヴォロージャがロシアの権力者となり、初の共産主義独裁および歴史上はじめての全体主義政権をうちたてるのだ。一九四五年以降、アメリカとならぶ超大国となり、一九八九—一九九一年にトランプの城のように崩壊するソ連がたどる劇的な道筋がここにはじまったのだ。ソ連の瓦解は地政学上の地震であり、世界の共産主義システムもまきぞえとなって倒れ、大きな悲劇の記憶を二一世紀に残した。

革命家の誕生

当面、ウラジーミルは歯をくいしばって逆境を耐えることにして、優秀な成績をおさめて中等教育を終えた。しかし、内面は燃えたぎっていた。指針を失ってコクシキノにある一家の領地に引きこもった彼は、兄のアレクサンドルがこっそりと集めていた蔵書を発見し、ダーウィン、マルクスなどいままで読むことができなかった種類の書物をむさぼるように読んだ。だがなによりも彼の心を打ったのは、ロシアの革命的人民主義者、ニコライ・チェルヌイシェーフスキイが一八六三年に出版した小説『何をなすべきか？ 新しい人間』であった。この本に出てくる「新しい人間」とは、遅れているロシアが完璧なユートピア社会へと歩むことを夢見る若者たちである。ウラジーミルはこのうち、謎めいた登場人物ラフメトフに心を引かれた。「特別な人間」であるラフメトフは、自分の「恋人」である革命に身を捧げて昼夜、非合法活動に邁進《まいしん》し、「恋人」のためなら拷問も死も受け入れる覚悟だ。このロマンティックな人物を手がかりに、ウラジーミルはしだいに自分の人生のシナリオを思い描くようになった。兄の仇を討ち、ロマノフ朝を倒すための革命を準備し、社会主義を樹立するヒーローになるのだ。そのとおり、彼は一八八七年から一九一七年までの三〇年間を、この目的のために倦《う》むことなくついやすことになる。

一八八九年から一八九〇年にかけて、まずはサマーラ、つぎにカザンでウラジーミルは「人民の意思」の古参活動家に接触し、ドストエフスキーの傑作『悪霊』のモデルとなったセルゲイ・ネチャーエフが書いた破壊活動家のバイブル、あの名高き「革命家の教理問答」と出会った。次いで初歩的なマルキシズムにかぶれ、一八九一年から一八九二年にかけてヴォルガ流域の農村地帯がおそろしい飢饉にみまわれたときに、独自の見解を開陳した。ロシア社会が一丸となって飢えた人々を救おうとしているときに、ウラジーミルは、大量の餓死が出ることは――四〇万人が亡くなった――は好ましい、と主張したのだ。この飢饉は皇帝の信用を傷つけ、貧農たちが農村を去ることをうながし、その結果として工業化が進み、資本主義を打ち倒す労働者階級が形成されるから、という理屈だった。友人たちはこのころから彼のうちに、マルキシズム原理の「科学的」性格を絶対的に確信する観念的で狂信的な傾向と、やがて彼のトレードマークとなる隣人への同情心の欠如を認めた。

ウラジーミルは法律家の試験に合格して弁護士になったが顧客もなく、首都に移り住み、若いユダヤ人のユーリー・マルトフともに、「労働者階級解放闘争同盟」というご大層《たいそう》な名前の小さなグループを立ち上げた。しかし、秘密警察オフラーナは彼を監視していた。一八九五年一二月二一日の早朝、ベッドから飛び起きたところを一人の警視によって逮捕された。これは活動家となってからはじめての試練であり、新たなトラウマでもあった。三年の「シベリア追放刑」を言い渡された「貴族のウリヤノフ」は、家族につきそわれて鉄道で流刑地に向かった。一八九七年五月にシュシェンスコイエ村に着くと、ダーチャに入居し、わずかだが政府から金を支給され、狩猟用の立派な銃二丁を使うことも許された。本のなかで人生を学ぶイデオローグであったウラジーミルは、働かずして読みたい本をすべて手に入れ「母親と姉がすべて手配した」、流刑地を去るときの荷物は二五〇キロの重さだった！　物品だけでなく、「婚約者」までも送ってもらった。若い教師であったナデジダ・コンスタンチノヴナ・クルプスカヤである。彼女も革命を志す活動家であり、ウラジーミルの少し後に逮捕されていた。三〇歳になろうとしていたウラジーミルはナデジダと結婚した。ウラジーミルと女性の関係についてトロツキーは一九三八年に次のように記している。「ウラジーミルは若いころから一貫して、女性に対して潔癖な態度をとってきた、と言いきることができる。彼の道徳心のほぼスパルタ的なこの側面は彼の性分の冷たさに起因していた、とはいえない。それどころか、彼の性分は本質的に情熱的であった。しかし、この本質は、貞潔――これ以外の言葉を見つけるのはむずかしい――によって補完されていた」。それもそのはず、彼の情熱の唯一の対象は革命であった。

大自然のなかですごす三年を利用して、ウラジーミルはイリンという筆名で六五〇ページの大著、「ロシアにおける資本主義の発展」を執筆した。何千もの数字や統計、数えきれないほどの表や線図、図式、計算式がつめこまれた本である。マルクスのよき弟子を自負するウラジーミルは、「資本論」からの引用をしこたまもりこみ、ロシアはすでに資本主義の段階にある、よって社会主義に向かっている、と主張した。ロシア帝国の国民の八五パーセントが農漁村で生計を営んでおり、労働者階級はきわめて少数派であることを、著者は、自分が掲げる「大義」のためにあえて忘れることにした。彼の狙いは、この本によって革命の舞台に彗星のように登場することだった。残念ながら、この野心作は、マルクス経済学者をふくめ、すべての経済学者の失笑をかった。とはいえ、数字をもてあそんだ統計で幻想をあたえることにウラジーミルがいかに情熱を燃やしていたかを理解するのに役立つ、という利点はある。ボリシェヴィキが権力の座についてからさっそく起こる大惨事も、こうした机上の空論の結果なのだ。

一八九八年三月、ミンスクでロシア社会民主労働党（ＲＳＤＲＰ）の設立大会が開催され、「かつての〈人民の意思〉の栄光ある闘士たち」を称えながらも、民主的な社会主義の路線を標榜し、立憲議会選挙を求めた。ウラジーミルはこの設立大会に出席しなかったが、社会主義インターナショナルの内部でかわされている議論を注視していた。当時の社会主義インターナショナルを主導していたのはドイツの社会民主党であり、一九〇〇年にはエドゥアルト・ベルンシュタインが次のように述べていた。「今日、理性を働かす社会主義主義者はだれひとりとして、暴力革命で社会主義がただちに勝利をおさめるなどと夢想していない。革命的プロレタリアが議会ですぐに勝利することなど、だれも夢見ていない」。分離派マルクス主義者のベルンシュタインはこうして、いわゆる「修正主義」論争の幕を切って落とした。全ヨーロッパで資本主義による繁栄と民主的な議会制が勢いを増している現状に直面したマルキシストたちは、自分たちが現に実践している民主的で改良主義的な活動にあわせてマルクス主義理論を修正するのか、革命的で暴力的な正統マルクス主義理論にあわせて自分たちの活動を軌道修正するのか、の選択をせまられたのだ。ウラジーミルにとって、これは宣戦布告だった。彼はそこで、「ロシア社会民主主義者の抗議声明」を「全会一致で」をとりまとめ――しかし署名者は全部でたったの一七人だった！――、「修正主義」に対する「徹底抗戦」を求めた。ほかのすべての社会主義者と自分の違いをきわだたせるためにきわめてラディカルな立場をとりたがる彼の傾向が早くも首をもたげていた。

ボリシェヴィキのレーニン

シベリアから戻ったウラジーミルは外国に亡命することを決めた。そして、一九〇六年の数か月を除いて一九一七年春までロシアに戻ることなく、ミュンヘン、ロンドン、ブリュッセル、パリ、プラハ、作家マクシム・ゴーリキーのカプリ島の別荘、とめぐり歩いた。力みなぎる三〇歳となったウラジーミルはすでに頭髪が薄く、張り出した頬骨がカルムイク人の血を引いていることを示し、顔の先端は小さな顎髭《あごひげ》で終わっていた。締まった体のスポーツマンタイプであり――ウォーキング、水泳、トレッキング、自転車、狩猟の愛好家だった――、チェスに興じるのも大好きだったが、負けるのは大嫌いだった。自分のもとにロシア人マルキシストたちを結集することを目的に、新聞「イスクラ（火花）」の発行を計画した。スイスに移り住むと、この計画を、ロシアにおけるマルキシズムの父とよばれるゲオルギー・プレハーノフにもちかけた。プレハーノフとの最初の話しあいは物別れに終わった。年嵩《としかさ》のプレハーノフは、ウラジーミルの傲慢なところが気に入らなかったからだ。それでもプレハーノフは最終的に合意した。だが、である。ウラジーミルは最初に拒絶されたことに自尊心を傷つけられたので、自分の方針で編集することにした。非合法でロシア国内で発行されたイスクラが、多数の若い革命家たちから熱狂的に歓迎されたことが自信につながった。そこで、大勝負に出ようと考え、一九〇二年に「なにをすべきか？　われわれの運動の火急の課題」を出版した。このときにはじめて、シベリアのレナ川の近くで流刑生活を送ったことにちなんだ筆名、レーニンを使った。このマニフェストから聞こえてくるのは、「革命家の組織をわたしたちにあたえてほしい、そうしたら、わたしたちはロシアで革命を起こすすから」という心の叫びである。

このなかでレーニンは、革命と党にかんする伝統的な考えを打破する独自の論考を展開している。いわく、革命は暴力的、ラディカル、共産主義的であるべきで、民主的な議会主義なんぞ一蹴《いっしゅう》すべきだ。党は、「新たなタイプ」の党であるべきだ。すなわち「職業的革命家」で構成された前衛であるべきだ、厳しく統制された非合法組織であるべきだ。労働者たちは、マルキシズムの「科学的」ドクトリンを心得ている知識人の指揮下に置かれることになる。重要なのは、活動家が「路線」から逸脱することなく、「党」とカリスマリーダーの指令に忠実であるよう、担保することである。レーニンは「われわれに必要なのは、［革命］要員の軍隊組織である」と明言している。これについてレーニンは一九二〇年に「民主集中制」、「ほぼ軍隊のような規律」という表現を用いて定義している。こうした党のモデルは、欧州諸国の社会党の方向性に逆行していた。後者は、選挙や市町村や労働者組合や共同組合を通じて、労働者や庶民階級の利益を代表することに努めていた。これに対してレーニンが理想とする少数精鋭の党は、自分たちの利益のみを追求する。すなわち、マルクスのドクトリンを適用しようと考える革命的リーダーとその忠実な部下が権力を奪取して保持する、というモデルを提唱していたのだ。しかも「ブルジョワ」社会を暴力でくつがえし、私有財産を廃止し、計画経済を導入し、従おうとしない者たちを弾圧する、というのだ。多様性を認める社会との決別を告げるこの考えには、一九一七年以降にレーニンがロシアを統治するさいに見せる残忍な手法の萌芽がすでに認められる。レーニンは「党は純化することで強化される」と断言することで、「ふさわしくない党員」の政治的そして物理的な排除さえも堂々と告知している。共産党と国家が一体となった全体主義国家を特徴づける、政治やイデオロギーがらみの国家犯罪の原則がレーニンによって提示され、正当化されたのだ。レーニンはまた、ロシア社会民主労働党（ＲＳＤＲＰ）の綱領において、将来の社会主義政権は「プロレタリア独裁」と定義されるべきだ、と強調している。独裁という言葉がすでに登場していたのだ！

レーニンは、イスクラ派が主導権をにぎれるよう、精力的にＲＳＤＲＰの第二回大会を準備した。最初のうちはすべて順調だった。分離派は、レーニンの罵詈雑言や策動におそれをなして逃げてしまったからだ。しかしまもなくして、「党員は人生のすべてを党に捧げるべき」と考えるレーニン支持者（党幹部ポストでは多数派となったのでボリシェヴィキとよばれる）と、「党は共鳴してくれる者や共闘できる理解者にも開かれるべきだ」と考えるマルトフ支持者（党幹部ポストでは少数派となったのでメンシェヴィキとよばれる）とのあいだで激しい論争がまきおこった。レーニンは「一度ボリシェヴィキ《多数派》になれば、永遠にボリシェヴィキ《多数派》だ」とばかりに強気だった！　しかし、彼の臆面《おくめん》のない言動に、若い腹心の一人であったレフ・トロツキーが、これはロベスピエールのやり方だと批判するようになった。レーニンの理論にしたがえば、党は、「教条的な美徳と中央集権型恐怖政治が支配する共和国を統治するための行政機関」になってしまう、と指摘して。やがて多くのボリシェヴィキがレーニンの船を降りてしまったので、船長は残った少数一派の頭領として孤立した。

一九〇五年にロシアをゆさぶった反乱においてレーニンはなんの役割も果たさなかったが、これをヒントにして、内戦、農民一揆、陸軍や海軍の兵士の暴動をバネにして革命を成功させる、という方針を選びとった。一九〇五年の終わりに帰国して数か月をすごし、若い世代の革命家や行動派の活動家と接触し、自分に従うよう説得することに成功した。そのうちの一人が、将来はスターリンという筆名のほうが通り名となる、ヨシフ・ヴィッサリオノヴィチという男だった。その後、レーニンは彼に「すばらしいグルジア人」というあだ名をつけ、一九一二年のプラハ会議（ボリシェヴィキ派が党維持派のメンシェヴィキとともに開催したＲＳＤＲＰ協議会）では、彼をボリシェヴィキ派中央委員の一人に抜擢《ばってき》する。

最高にすばらしい驚き

一九一四年八月一日、第一次世界大戦が勃発した。周辺諸国から圧迫を受けていたポーランドにあって、オーストリア＝ハンガリー帝国が支配しているザコパネの近くにいたレーニンは虚をつかれた。そして、敵国ロシアの市民として逮捕された。一九一八年まで収監され、彼のことは噂にもならない事態となってもおかしくなかった。しかし、オーストリアの社会主義者たちの尽力で彼は一週間後に解放され、スイスにのがれると、この大戦が「最高にすばらしい驚き」だとわかってきた。最初は、マルキシズムのドクトリンが崩壊するのをなすすべもなく眺めていた。マルクスのスローガン、「全世界の労働者よ、団結せよ！」にしたがい、連帯して戦争反対を表明するかわりに、欧州のすべての社会主義者はそれぞれ、神聖同盟［ナポレオン戦争後に、イギリスを除いた欧州のほぼすべての国が加入したゆるい同盟であり、第一次世界大戦までの欧州の秩序を象徴する］の枠内にある自国政府の戦争努力に協力することにした。民族意識と愛国心が、階級闘争の原則にまさったのだ。憤懣やるかたないレーニンは、ここから二つの結論を引き出した。社会党が支配する第二インターナショナルが裏切った以上、共産党が主導する第三インターナショナルを創設せねばならない。次に、何百万人もの男たちが武器をとっているという現実を利用して、「帝国主義戦争を内戦に変化」させて共産主義革命をひき起こすよう、よびかけるのだ。この二つを実行に移すまで、ロシアから遠いチューリヒに逼塞《ひっそく》していたレーニンは生活が苦しく、鬱々《うつうつ》としていた。一九一七年一月には、「われわれのような年寄りは、すぐそこにせまっている革命の決定的な戦いを見ることがないかもしれない」と弱音を吐いた。

三月一五日、本当とは思えないようなニュースが飛びこんだ。ニコライ二世の退位である。これは、帝政の瓦解をひき起こし、ロシア社会を大きな混乱におとしいれた。ロマノフ王朝に対する憎しみ、自分に居場所をあたえてくれなかった「ブルジョワ」社会に対する怨念、革命の情熱につき動かされたレーニンは、ロシアに戻るためならドイツの諜報特務機関の助けを求めることも躊躇しなかった。ドイツ人たちは、対戦国ロシアに、このアジテーターを数十人の「同志」とともに送りこむことを二つ返事で引き受けた。

ドイツ帝国が用意してくれた特別列車――有名な「封印列車」――でドイツ、次いでスウェーデンを横断したあと、レーニンは四月一七日にペトログラード［サンクトペテルブルク］に到着し、すぐさま臨時政府とペトログラードのソヴィエト（メンシェヴィキと社会革命党員が多数を占めていた）を攻撃する激しいキャンペーンをはじめた。彼は、前線における兵士同士の和解、ソヴィエトで構成された共和国設立のための権力奪取、土地の国有化をよびかけた。これに並行して、ボリシェヴィキたちは武装民兵組織、赤衛隊を結成した。当初、レーニンは皆に無視されていたが、やがて、ロシア軍がある戦闘で大敗を喫したことを好機とばかりに、七月一七―一八日にペトログラードで武装蜂起を試みた。失敗だった。ボリシェヴィキ派は制圧され、レーニンはフィンランドに逃げ出し、潜伏した。

彼の政治家としての未来はなくなったと思われた。しかしながら、ロシア革命の混乱は、軍隊、工場、農村地帯で、および喉《のど》から手が出るほど独立を欲している非ロシア人たちのあいだに無政府状態をひき起こした。九月中ごろ、臨時政府の首相であるアレクサンドル・ケレンスキーは、ロシアを破滅させかけているボリシェヴィキを一掃しようとペトログラードに進軍していたコルニーロフ司令官を支持していたくせに、自分の地位が奪われるとの猜疑心に襲われてコルニーロフを解任して逮捕させ、その一方で、逮捕されていたボリシェヴィキ幹部を釈放してしまった。ケレンスキーはロシア共和国成立を宣言し、憲法制定議会の議員を選ぶために一一月二五日に普通選挙を実施することを決めた。しかし、レーニンは選挙を欲しなかった。彼は選挙予定日までに是が非でも権力を奪取せねばならないと考え、フランスの有名な革命家オーギュスト・ブランキが説いた武装蜂起の準備をするようボリシェヴィキ党派に命じた。

プロレタリア独裁？

一一月六日［当時、ロシアで使われていたユリウス暦では一〇月二四日］の夜、六〇〇〇名の赤衛隊とクロンシュタット海軍基地の反乱兵がペトログラードを占拠した。七日の朝、レーニンは人民委員会議（ソヴナルコム）を最高機関とするボリシェヴィキ政権樹立を宣言した。同委員会の議長はむろんレーニンである。彼は「プロレタリア独裁」をはじめた。「独裁は、暴力を直接のよりどころとする権力であり、いずれの法律にも縛られていない。プロレタリアの革命的独裁は、暴力によって勝ちとられ維持される権力、ブルジョワ階級に対してプロレタリアが行使する権力、いずれの法律にも縛られない権力である」。実際のところ、国家を掌握したのはプロレタリアではなく、単独政党――やがて、マルクスの「共産党宣言」（一八四八）のラディカルなドクトリンを奉じていることを明白にするために「共産党」と名づけられる――であり、全体主義体制の基礎がここに定まった。「プロレタリア独裁」はこの党による独裁にほかならなかった。

ソヴナルコムはただちに、戦闘の終結をよびかける「和平に関する法令」と、農民による地主の土地の没収を有効とする「土地に関する法令」を布告した。レーニンは、帝政時代の国債を無効とし、銀行内に個人がもっている金庫の中身を没収することで、資産家と中流階級を破産に追いこんだ。そして当局が管理する計画経済を実践し、いっさいの反対を認めなかった。独立を求めるウクライナに宣戦布告し、一二月二〇日には、チェーカー（反革命・サボタージュ取り締まり全ロシア非常委員会）を創設した。恐怖政治の第一の道具として大勢の人々を取り締まりの対象とするチェーカーはその後、GPU（国家政治保安部）、NKVD（内務人民委員部）と再編をくりかえし、最後にKGB（ソ連国家保安委員会）となる。チェーカーのトップにレーニンが指名したフェリックス・ジェルジンスキーは、「われらがフーキエ＝タンヴィル（フランス革命期の一九七三年四月から一九七四年七月までのあいだに、二五〇〇人を断頭台に送った革命裁判所検事）」の異名に恥じない活躍を見せる。共産党を力で支える組織として、何をしてもとがめられることのないチェーカーには、一九二一年時点で二八万人が所属し、内戦中はいうにおよばず、内戦後も共産党の権力維持のために決定的な役割を果たす。

しかしながら、レーニンは一九一八年一月一八日にペトログラードで憲法制定議会が開会されるのを阻止することができなかった。ボリシェヴィキの議員は少数派であった（四〇〇〇万人の有権者のうち、ボリシェヴィキに投票したのは九〇〇万人のみだった）にもかかわらず、共産主義の政策綱領そのものである「勤労・被搾取人民の権利の宣言」を採択させようとした。議会はこれをはねつけた。するとレーニンは有無をいわせず議会の解散を命じた。一月一九日、赤衛隊と軍のボリシェヴィキ派部隊が動員され、議会の開催は阻止された。これが、ロシア民主主義の死と、約四年も続くきわめて凄惨な内戦のはじまりを告げた。「赤」と「白」（帝政を懐かしむ者だけでなく、ありとあらゆる民主主義者や社会主義者、はてはアナーキストにいたるまでの、反ボリシェヴィキ政治勢力の不統一な集まり）が対立する内戦である。しかし、これはまた、生活が日に日に苦しくなっている都会の労働者が、それ以上に、武装したボリシェヴィキから「徴発」との口実で収穫物を強奪される農民（「緑」）が、「赤」に反旗をひるがえした内戦でもあった。赤軍整備を急ぐ政府が徴兵制度を導入しただけに、庶民の反発は大きかった。レーニンにとって赤軍の使命は、内戦を勝ちぬき、自分の独裁を危険から守り、共産革命を外国に広めることであった。

一つ、大きな問題が残っていた。ロシアはあいかわらずドイツ帝国およびオーストリア＝ハンガリー帝国と交戦状態にあった。永遠に続くかと思われた交渉に業を煮やした二国は、一九一八年二月、ロシアに電撃的な攻撃を仕かけた。レーニンは一九一八年三月三日、ブレスト・リトフスク条約調印を余儀なくされた。この条約により、ロシアはウクライナとフィンランドとバルト三国の独立を受け入れ、八〇万平方キロメートルの領土、全人口の二六パーセント、農業生産の三二パーセント、工業生産の二三パーセント、石炭と鉄の七五パーセントを失った。これは国にとって非常に大きな損失であり、内戦をさらに燃え上がらせた。だがレーニンは気にもかけなかった。

　ドイツのおかげで、レーニンは継続が困難だった戦争から離脱して権力を維持し、政府中枢をモスクワのクレムリンに移転し、社会のあらゆる集団を対象とする強権的な政策をおしすすめた。すなわち、「働かざる者、食うべからず」のスローガンで明らかなように食べる権利もふくめてすべての権利を奪い、一九一八年八月に出した指令「皆に見えるように、一〇〇人ばかりのクラーク（自営農）をつるし首にせよ」のままに、ボリシェヴィキの方針に従おうとしない農民を弾圧した。レーニンは、反体制政治勢力、ブルジョワ、地主、将校、コザック、聖職者など、さまざまなカテゴリーに区分された者たちをごっそり始末する、という原則を採用した。彼は、ボリシェヴィキ党をすべての資産の所有者とし、私的な商取引を禁止する「戦時共産主義」の実践をはじめた。一九一八年七月、憲法が発布され、「共産党が統治し、指令を出し、国家の全機関を支配する」と定められた。ボリシェヴィキに同調しない出版物はすべて禁止され、政権のプロパガンダが国のすみずみにあふれた。

　こうした政策は反発をまねき、共産党の幹部が一人ならず暗殺された。レーニンが狙われる事件も起きた。ボリシェヴィキはきわめて残忍な反応を見せた。一九一八年の秋、一万五〇〇〇を超える人々――その多くは、強制収容所の前身ともよべる施設に監禁されていた人質であった――が銃殺された。帝政時代の一八二五年から一九一七年のあいだに政治犯として処刑されたのが合計六三二一人であったことを考えると、驚くほどの大量処刑である。内戦は残忍な気風を生み、当局はレーニンが

レーニン（1870–1924）。クレムリンでラジオ演説の録音中に撮影された写真（1919年）。
© FineArtImages/Leemage

求める「冷酷で無慈悲な男たち」を選別し、その後の半世紀にわたってソ連を指導する幹部として育てた。一九二〇年には、司令系統が乱れているうえに武器も十分ではなく、分散している「白軍」を敗退させることに成功したものの、ボリシェヴィキは各地で起きた農民の反乱に手を焼いていた。そのうえ、戦時共産主義は産業、商業、通貨を毀損《きそん》し、国は荒廃に向かっていた。

クレムリン内の質素なアパートに忠実な妻クルプスカヤとおちついたレーニン自身は、これまでと変わらず、プチブルの官僚を彷彿《ほうふつ》する暮らしを送っていた。ソヴナルコムと政治局の会合で議長をつとめ、大量の報告書に目をとおし、多くの責任者と面会し、あらゆる事項にかんして指令をあたえ（多くの場合は電報で）、自分の政策を正当化し、国内および国外の敵を攻撃する論陣を張るために記事や演説原稿を執筆した。「背教者、ユダ」とよんで攻撃し、とくに激烈な論争を仕かけた相手は、一九一八年にマルクス主義の立場から「プロレタリア独裁」を批判したドイツの社会主義者、カール・カウツキーであった。ときには、工場で会合を開くほか、休息をとるために田舎に行くこともあった。そうした外出の折に一度、ちょっとした事件に遭遇した。「徴発した」ロールスロイスに乗っていたところ、強盗に襲われたのだ。さいわい、レーニンはけが一つ負わなかった。

全体主義体制第一号

一九二一年三月、レーニンは体制を崩壊させかねない危機に直面した。彼は、欧州で共産主義革命が起こって自分の権力が盤石《ばんじゃく》となることを期待し、そのために一九一九―一九二〇年に第三インターナショナル（共産主義インターナショナル、コミンテルン）を立ち上げていた。国別に支部をもつ、いわば国際共産党として構想された運動組織である（たとえば、コミンテルン・フランス支部はやがてフランス共産党となる）。ところが、世界規模の共産革命は起こらなかった。とくに一九一九年にクン・ベーラが指導するハンガリー共産党が起こした革命が半年もしないうちに瓦解し、一九二〇年夏に赤軍がポーランド軍に敗れてからは、焦燥感が増した。彼がたてた夢想的計画はすべて挫折した。とくに痛かったのは、一九二一年に「すべての権力をソヴィエトへ」を合い言葉に、クロンシュタットの水兵たちがボリシェヴィキの権力に異議を唱えて反乱を起こしたことだった［ソヴィエトとは、もともとはボリシェヴィキとは関係なく形成された労働者・農民・兵士の評議会をさしている］。赤軍の攻撃を受け、クロンシュタット島は一〇日間の熾烈な戦闘の後に陥落した。一万人が戦闘で命を落とし、一〇〇〇人ほどの負傷者と捕虜はその場で銃殺され、二一〇三人が死刑判決を受け、六五〇〇人が収容所送りとなり、八〇〇〇人の住民がフィンランドに逃げ出した。「プロレタリア独裁」に反対するプロレタリアは弾圧されるのだ。プラグマティックなレーニンは、手綱《たづな》をゆるめる必要がある、と理解した。

同じころに開催されていた第一〇回党大会で、レーニンはネップ（新経済政策）を否応なしに承認させた。収穫物のボリシェヴィキによる収奪は、事前に数量が決められた現物を農民が提出するという形の税（食料税）に置き換えられ、国内の商業活動の自由が復活し、生産物の一部を国におさめるという条件で、許可制による私企業の活動が認められた。これは「戦時共産主義」の失敗を認めたことを意味する。マルキシズムのイデオロギーが現実に負けたのだ。その一方で、レーニンは党の規律を一団と引き締め、分派活動、すなわち党内の議論を禁止した。党から俸給を支払われている「専従職員」の総体である「執行部」は、政治局の権威のもとで強大な力をもつようになった。その書記局――スターリンは一九二二年初頭に書記長となる――は、権力の中枢であった。最高指導者としてすでに大々的な個人崇拝の対象であったレーニンは、経済のしめつけはゆるめたが、中枢部による執行部の監督、執行部による党の監督、党による社会の監督はきつく引き締めて水ももらさぬようにした。多様な意見を許容するような言動は御法度《ごはっと》であり、全会一致の一体主義が鉄則となり、全体主義システムが確立した。このシステムは、国家と一体となった単一政党とそのカリスマリーダーによる政治の独占、表現のあらゆる分野（出版、教育、芸術など）におけるマルクス・レーニン主義イデオロギーの独占、富のみならずあらゆる物資の生産と配給の独占の上に成り立っていた。くわえて、社会全体をおおう恐怖が、統治と権力強化の手段として機能していた。

だが、ネップ導入は遅すぎた。タムボフ地方の農民が反乱を起こした。一九二一年四月二七日、大砲、飛行機、毒ガスとともに赤軍が派遣された。「平定」の過程は数か月続き、それがいかに残忍なものであったかを象徴するのが六月一一日の指令である。「一、名を名のることを拒否した市民はただちにその場で、裁判ぬきで銃殺すること」。続く項目も同じように冷酷無比で、家族の連帯責任を重んじ、各家庭の長男の処刑を命じている。指令は次のような文言で終わっている。「七、本命令を厳格に、容赦なく適用すること」。「容赦なく！」、これが一九一七年からスターリンの死まで続く、ボリシェヴィキの雄叫《おたけ》びであった。

しかし、決定的だったのはヴォルガ川沿岸地方で春からはじまった大規模飢饉であった。原因は、強制的な徴発と、はなはだしく誤った穀物収穫量予測――農民からとりたてる食料（現物）税の割りあてを決めるために執行部がたてて、政治局が承認していた――であった。レーニンのユートピア的主意主義を原因とし、虚偽に満ちたプロパガンダで隠蔽《いんぺい》されたこうした数字の誤魔化《ごまか》しは、共産主義生産システムの大きな特徴の一つとなった。人肉を食べるまでに人々を追いつめた飢餓は一九二三年まで続き、三〇〇〇万人を苦しめ、そのうち五〇〇万人が餓死した。しかし、飢餓には農民の抵抗を抑える効果があった。一九三二年、ウクライナの住民の抵抗を終わらせようとしたスターリンは、このときのことを思い出す。

ネップの失敗と飢饉はレーニンにとって打撃だった。現実は彼の意思に沿おうとせず、内戦の血みどろの混沌にくわえての何百万人もの餓死は、ボリシェヴィキ革命のイメージを曇らせてしまった。権力を奪取してから一〇〇〇日後、たった一人で四六時中、舵とりをせねばならないレーニンは疲労困憊した。一九二一年七月、彼はマクシム・ゴーリキーに「わたしはたいへんに疲れているので、もはや何一つできません」と書き送っている。事実、一九二一年の夏より、政治局は長期休暇をレーニンに強要した。一九二二年の初め、レーニンは強いストレスのために燃えつきていた。会合に出席することもかなわず、自宅であるアパートもしくは田舎で休息をとった。

とはいえ、レーニンは仕事を放り出す気にはなれなかった。一九二二年四月一〇日から五月一九日にかけてジェノヴァで、通貨、金融、経済のネットワークを再構築するための国際会議が開かれた。ボリシェヴィキのロシアも招かれていたので、レーニンはこの機会をとらえてヴァイマル共和国と相互承認条約締結交渉を行なった。四月一六日にラッパロ［イタリア］で発表された国交樹立条約の延長線上で、両国の軍事協力を定める秘密条項が調印される。これによりドイツは、ヴェルサイユ条約の決まりに反して、秘密裏にソ連国内で自国軍の再建——将校の教練、新兵器（戦車、爆撃機、パラシュート）や攻撃の新戦術の実験——を行なうことが可能となった（ドイツが一九三九年から一九四〇年にかけてポーランドとフランスを征服することができたのもソ連のおかげだったのだ…ただし一九四一年になるとソ連に歯を剥《む》くことになるのだが）。レーニンはこうして、ヴェルサイユ条約の裏をかき、「帝国主義国家間の対立を煽《あお》る」ことに成功した。すばらしい外交上の得点だった。ヴァイマル共和国と国交を結んだことで、外交舞台からソ連を閉め出していた大国の団結にひびを入れたのだ。

これに勢いづいたレーニンは、最後まで残っていた抵抗拠点をつぶしてやろう、と決意した。まずはロシア正教会である。一九二二年二月二六日の法令が「教会からの、直接信仰に役立たない、金製と銀製のあらゆる高価な物品、すべての貴石の即刻押収」を命じた。あろうことかレーニンは臆面《おくめん》もなく、こうして教会を丸裸にする口実として大飢饉で苦しむ人々の救済をあげたが、その実《じつ》、教会財産を国外で売却して得た金は財政の大赤字を埋めるのに使われた。この没収作戦は信者たちの多くの抵抗をひき起こした。レーニンはこれを受け、三月一九日に政治局に次のような指令を出した。「これから述べることは極秘である（…）。われわれが敵の頭を攻撃して死にいたらしめ完勝し、われわれにとって非常に重要なポジションを今後数十年にわたって確保できる勝算は九九パーセントだ。われわれが強固で無慈悲なエネルギーを発揮して教会財産を押収できるのは、飢えて人肉を口にする者たちがあれほどいて、何百、何千もの死骸が道に横たわっている今こそだ、いや、今だけだ。だから、今やらなくてはならない（…）これ以外の機会に、われわれが目的を達成することは不可能だ。どう考えてもこれは明らかだ。なぜなら、飢えが生み出す絶望のみが、大衆のわれわれに対する好意的な態度、すくなくとも中立的な態度をもたらすからだ」。この教会財産没収のおりに、何千人もの司祭、修道士、修道女がチェーカーによって殺された。

最後の迫害

一九二二年五月二五日、五二歳のレーニンは脳内出血に襲われた。それ以降、彼の行動を駆りたてるのは、自分は究極の敵を殲滅《せんめつ》しないうちに死ぬのではないかという不安であった。すなわち社会革命党（SR党）と知識人である。SR党幹部を裁判にかけるには、それを目的とした刑法を編まねばならない。レーニンはこの作業に着手した。「重要な点は明らかである、とわたしは思う。恐怖政治の真髄と正当化、その必要性および限度の理由となる、政治的に正しい――それも、狭い意味での法律論にとどまるのではなく――原則を公然と定めねばならない。裁判所は、恐怖政治を廃止してはならない。廃止するなどと述べることは、己《おのれ》と他人に嘘をつくことになる。そうではなく、裁判所は、誤魔化すことなく、もしくは真実を糊塗《こと》することなく、恐怖政治に根拠をあたえ、これを原則にしたがって合法化せねばならない。この法律の表現は可能なかぎり間口が広いものであるべきだ。なぜなら、革命的な適法意識のみが、そして革命意識が、実際に法を適用するさいの条件を作り出すからだ」。数日で作成されたこの「刑法」は、反革命犯罪を「政権の転覆や弱体化を狙う」あらゆる行為、と定義している。一九九二年六月六日から八月七日まで開かれたSR党員裁判は、共産主義時代の、大がかりな見世物として仕組まれる不正裁判の嚆矢《こうし》であった。著名な革命家一一名が死刑判決を受けた。スターリンはこの前例も大いに参考にすることになる。

レーニンは次に、知識人に狙いを定めた。六月六日、四分の三世紀にわたってあらゆる出版物の検閲を合法化することになるGlavlit（文学・出版総局）が創設された。本物のインテリに嫉妬していたレーニンは、彼らの追放を準備し、好ましからぬ知識人のリストを作成するよう命じた。対象となったのは、大学教授、考古学者、物理学者、エンジニア、作家であった。くわえて、「ペトログラードの反ボリシェヴィキ知識人特別リスト」も作らせた。八月一六日から一七日にかけての夜、まずは一六〇名が逮捕され――大半は著名人であった――、そのうちの三五名とその家族は九月二九日に強制的に船に乗せられ、プロイセンのとある港で降ろされた。彼らは事前になにも告げられていなかったので、数着の服しかもちだすことができなかった。きわめつけの虐待として、彼らの蔵書やアーカイブは押収された。くわえて、ソ連に戻った場合はただちに銃殺されるとの警告入りの書類への署名が強制された。

一一月一三日、レーニンは非常に苦労しながらも、公の場での最後の演説を行なった。そして一一月二四日から一二月二日にかけて、五回の脳卒中を起こした。ボリシェヴィキ指導者のボロボロとなった健康状態は、ロシアの疲弊しきった状態に呼応していた。第一次世界大戦の死者および行方不明者二五〇万人に、内戦と戦時共産主義による戦死者や虐殺犠牲者二〇〇万人、飢饉による死者五〇〇万人、チフスの犠牲者二〇〇万がくわわった。さらに、エリートを中心として二〇〇万人が国外亡命した。ソ連を統治しているはずのプロレタリア階級の労働人口は一〇〇万人に減ってしまった。真の権力をにぎっているのは共産党であったが、その党員七五万人の九割が、一九二〇年代終わりの時点で、初等教育しか受けていなかった。

勝負の終わり

一二月一三日、レーニンを診ていた医師たちは次のように記した。「毎日、麻痺をひき起こす発作が起きている。今朝は、ベッドで横になっているときに一度、浴槽に入っているときに一度起きた。ウラジーミル・イリッチは、自分の健康状態の悪化に衝撃を受け、驚愕している」。一二月二二日、新たな脳卒中に襲われたレーニンは大きなダメージを受け、話すことと書くことを学びなおすことを余儀なくされた。寝たきりの状態だったが、頭は冴えていて、あいかわらず政治のことを考えていた。自分の後継者たちを吟味し、「スターリン同志」は要注意だと判断した。「［スターリンは］書記長になって以来、無制限の権力を一手ににぎっているが、彼がそうした権力を相当な慎重さをもってつねに行使できるかどうか、わたしは確信がもてない」。これは、党と一体になった国家がどれほど全体主義的であるかをレーニンが認識していたことを示す発言だ。しかし、無制限の権力を「慎重に」行使することが可能だと考えていたとは、なんとおめでたいことか！　次は「トロツキー同志」の評点だ。「おそらくは、現在の中央委員会のなかでもっとも能力が高い男だ。しかし、過剰な自信、ものごとの純粋に事務管理的な面に過度にかまける点が欠陥だ」。「過剰な自信」が一九〇〇年以来、レーニンのトレードマークであったことを本人は知らなかったようだ。「純粋に事務管理的な面」とは、ソヴィエト政権に害をなす、歯止めがきかない官僚主義の実態を正しくとらえた表現であるが、そうなった責任はレーニンその人にある。

一九二三年一月四日、レーニンは次のメッセージを書きとらせた。「スターリンは粗暴すぎる。この欠点は、われわれの環境およびわれわれ共産主義者のあいだでは完璧に許容されうるが、書記長の機能を果たすうえではもはや許容できない。そこでわたしは、スターリンをこのポストから解任して別の人物と交替させる方法を検討するよう提案する。後任は、すべての点において、スターリンと比べると寛容で、忠義で、礼儀正しく、同志への気づかいがあり、気まぐれではない等々の長所のみでスターリンを凌駕している人物であるべきだ。こうした性格上の特徴はささいな枝葉末節《しようまっせつ》だと思えるかもしれない。しかし、われわれの考えでは、分裂を避けたいのであれば、およびわたしのスターリンとトロツキーにかんする上述の評価を考慮に入れるなら、これは枝葉末節ではない、もしくは、決定的な重要性をおびる可能性がある枝葉末節である」

一九一七年には内戦をよびかけ、一九一八年には「より冷酷な人物」を要求したレーニンが突然、「すばらしきグルジア人」は「粗暴」すぎると判断したのだ。一九二二年に中央委員会に、一九一七年にソヴナルコム（人民委員会議）と政治局に、そして一九二二年には書記局にこのスターリンをレーニンが抜擢したのは、まさにスターリンには「粗暴」という長所があったからなのに！　問題は、あらがいようのないスターリンの権力掌握を止める体力も気力も、レーニンにはもはや残っていなかったことだ。

一九二三年三月七日、レーニンはまたも発作を起こし、政治の表舞台から退場して、二度と復帰できなくなった。プロパガンダ用のお決まりの図像や修正された写真とは異なり、一九九一年以降に公開された秘密のアーカイブ資料が明かすレーニンは、車椅子に乗せられた、目の焦点も定まらぬやつれた老人であり、九〇歳だといっても通じるほどだ。だが、一九二四年一月二一日に亡くなったとき、彼はまだ五三歳であった。

レーニン最晩年の写真の１つ。1923年、ゴーリキーのダーチャ（別荘）の前で。
© Sovfoto/UIG/Leemage

葬儀と物語の教訓

自分のメンターであったレーニンに負けずおとらず厚顔《こうがん》無恥《むち》なスターリンは、いそいそと盛大な葬儀をとりおこない、ソヴィエト連邦の諸民族のみならず世界中の共産主義者に拝ませるために、遺骸に防腐処理をほどこして赤の広場に建設した霊廟に安置した。レーニンは死に、スターリンは後継者としての自分のイメージを高める目的もあってレーニン崇拝をはじめ、二〇世紀はレーニンの真実を見ぬけなかった。一九五六年にニキータ・フルシチョフが「悪漢」スターリンを台座からひきずり落とし、ことさらに「正義の味方」レーニンを称《たた》えただけに。だが、弟子は師匠の仕事を引き継いだだけだったのだ。

〈参考文献〉

Alain Besançon, *Les Origines intellectuelles du léninisme*, Calmann Lévy, 1977.
Stéphane Courtois (dir.), *Dictionnaire du communisme*, Larousse, 2007.
—, *Lénine, l'inventeur du totalitarisme*, Perrin, 2017.
Yolène Dilas-Rocherieux, *L'Utopie ou la mémoire du futur. De Thomas More à Lénine, le rêve d'une autre société*, Robert Laffont, 2000.
Orlando Figes, *La Révolution russe, 1891-1924. La tragédie d'un peuple*, Denoël, 2007.
Richard Pipes, *The Unknown Lenin : From the Secret Archive*, Yale University Press, 1996.
Robert Service, *Lénine*, Perrin, 2012.
Nikolaï Tchernychevski, *Que faire ? Les hommes nouveaux*, préface de Yolène Dilas Rocherieux, Éditions des Syrtes, 2000.（ニコライ・チェルヌイシェーフスキイ『何をなすべきか』、金子幸彦訳、岩波文庫、一九七八年）
Dimitri Volkogonov, *Le Vrai Lénine*, Robert Laffont, 1995.（ドミトリー・アントーノヴィッチ・ヴォルコゴ

ーノフ『レーニンの秘密』（上・下）、白須英子訳、日本放送出版協会、一九九五年）
Nicolas Werth, « Un pouvoir contre son peuple », *in* S. Courtois, N. Werth *et alii*, *Le Livre noir du communisme. Crimes, terreur et répression*, Robert Laffont, 1997.

2　ムッソリーニ

赤から黒に

フレデリック・ル・モアル

数えきれぬほどの伝記が出版されているにもかかわらず、ベニート・ムッソリーニは今日でもまだ謎の部分をもっている。見るからに矛盾に満ちたこの人物の心を駆りたてていたものが何であるのか、くまなくわかっている、と断言できる人などいるだろうか？　ムッソリーニは粗暴であったが残酷ではなかったし、センチメンタルな家長であるくせに女性関係は乱れていたし、国家社会主義者であると同時に反共革命家であり、カリスマ性で大衆の心に火をつけることができるのに党首としては押しが弱かったし、プラグマティックな指導者であるのに自分自身の伝説に眩惑《げんわく》されたし、教養人だったのに粘土をこねるように人間を改造することを夢見る圧制者であったし、全体主義政権の長であるのに対抗勢力［国王とローマ教皇］から牽制《けんせい》されていた。実際のところ、彼のうちで一貫しているのは一点のみだった。それは、イタリア国民を鍛えなおし、本人がよぶところの「倫理的であり、神聖で、必要な」猛々《たけだけ》しさを国民に根づかせるという夢だった。バッコス神祭りのような狂乱のなか、ムッソリーニと最後まで彼に忠実だった者たちの遺体がロレート広場で逆さ吊りにされたのは、この猛々しさがなせる業《わざ》だったのだろうか。

社会主義者からファシストへ、ただし昔も今も革命家

一八八三年七月二九日にドヴィア・ディ・プレダッピオで生を受けたムッソリーニは、反教権主義で左翼が強いゆえに「赤い」が枕言葉となっているロマーニャ地方の申し子だった。父親はアナーキストでガリバルディ信奉者の鍛冶屋、母親は敬虔なカトリックの小学校教師であり、社会主義の理想をたたきこまれて育った。怒りっぽくて乱暴、権威にたてつく少年は、小学校教諭になったがイタリアで兵役につくのを嫌ってスイスにのがれ、その後に戦闘的な社会主義者としての政治活動で一度ならず刑務所暮らしを経験し、イタリア社会党（ＰＳＩ）内で頭角を現わし、一九一二年に社会党の主要な新聞「アヴァンティ！」の編集長となり、労働者の利益を守るためにブルジョワ政府と折りあえるところは折りあおうとする党内改革派を激しく攻撃する論陣を張った。そのカリスマ性で若い運動員たちを熱狂させたムッソリーニは、またたくまに彼らの偶像となった。第一次世界大戦は、ムッソリーニの人生に大転換をもたらし、彼は自分を待っていた運命へと飛び出した。ＰＳＩに背を向けての大転換だったが、社会主義を根本から否定したわけではなかった。これは、ムッソリーニのその後を理解するうえで絶対的に重要なポイントだ。彼は、ナショナリズムと結びついた、別の形の社会主義へと移行したのだ。

イタリアのすべてのエリートと同じくムッソリーニも、一九一四年八月三日に政府がイタリアは中立を保つと宣言したことからまきおこった激しい論争にまきこまれた。卑怯《ひきょう》と思われるかもしれないが利点も多い中立という気楽な立場を守るべきか、すでにヨーロッパを血に染めている戦争に身を投じるべきか？　はじめのうち、ムッソリーニはＰＳＩの反戦主義路線にしたがっていたが、ごく短期間のうちに離反することになる。戦争は、革命を起こし、王制を倒し、伝統的な社会秩序をくつがえす好機だ、と考えたからだ。戦争を傍観していたらだめだ。共和国であるフランスと手をたずさえて、中央同盟の帝国を攻撃するのだ！　だが社会党の見解は違った。まれに見る激しい論争が起きた。ムッソリーニはたちまち「アヴァンティ！」編集長を辞任し、一九一四年一一月には自分の新聞、「イル・ポポロ・ディターリア」を創刊した。イタリアがみずからの運命を引き受けて再生するために戦争は有意義だと考えるムッソリーニは、この新聞を通じて世論を動かし、協商国側について参戦するように政府を追いこむ決意だった。

イタリア社会党内の安定したポジションを失い、一九一四年一一月二四日には党から除名されたムッソリーニは厳しい闘いを強いられた。だが、彼はあくまで社会主義者であり、彼の努力は道を誤っている同志たちを説得することに傾けられた。「いまは戦争、明日は革命」が彼の信条だった。敵は？　あれほど長い年月、祖国を支配していたオーストリアはいうまでもないが、イタリア元首相ジョヴァンニ・ジョリッティと、中立を守るためにのらりくらりと攻撃をかわすジョリッティの術策も、ムッソリーニにとって敵であった。少しずつ、ムッソリーニは言葉の使い方を変え、「プロレタリア」は「国民」に置き換えられた。だが彼が狙い定める敵は以前と変わらず、新しい世界の誕生に必要な戦争を拒否する意気地のないブルジョワジーだった。

一九一五年四月二六日、イタリアが協商国側について参戦することを定めた秘密条約がロンドンで結ばれた。これには交換条件としてイタリアに譲渡する領土のリストがふくまれていた。[1] だが、議会があくまで参戦に反対しているので政府がおよび腰になると、参戦派がデモやストライキによる大々的な示威行動を起こし、イタリアは重大な政治危機におちいった（こうした運動がくりひろげられた期間は、「ラディオーゾ・マッジョ（輝かしい五月）」とよばれた）。五月二四日、イタリアはついにオーストリア＝ハンガリー帝国に宣戦布告した。九月、ムッソリーニは九月にベルサリエーリ隊「イタリア陸軍歩兵隊の一つ」の一員として前線におもむいて戦い（将来のファシスト政権の幹部全員が、同様に前線を経験する）、負傷した。その間も、「イル・ポポロ・ディターリア」に掲載する攻撃的な記事を執筆しつづけた。こうして彼も、戦争の暴力のなかで生まれた「塹壕《ざんごう》貴族階級（トリンチェロクラツィーア）」の一員となった。彼らは、苦しい塹壕生活を耐え、犠牲をはらったゆえに戦後にイタリアの指導者となる資格を得た。一九一七年は曲がり角の年だった。一〇月二四日、カポレットの戦いでイタリアが惨敗[2]したことで、国民のあいだで祖国防衛の気運が盛り上がった。またこの年には、ロシアでボリシェヴィキ革命政府が誕生し、翌年に大戦からのロシア離脱を決定する。ムッソリーニにとってこれは、レーニンが戦争の神聖な大義を裏切って中央同盟の帝国の勝利に手を貸そうとしたことを意味する。「革命を殺す和平、これこそレーニンの傑作だ！」という文字がイル・ポポロ・ディターリアに躍《おど》った。このときから、ムッソリーニはボリシェヴィキを不倶戴天《ふぐたいてん》の敵とみなすようになる。

行進するだけで手に入った権力

イタリアが戦勝国となったあとも、ムッソリーニの戦いは終わらなかった。一九一五年の約束の一部を反故《ほご》にした協商国側がイタリアに押しつけた「手足をもぎとられた勝利」を拒絶することも、戦争によって生まれた国民の一体感を保持することも、欧州を恒常的な革命にひきずりこもうとする共産主義から国を守ることもできないリベラル派政府を糾弾した。彼にとって、こうした闘争はイタリアを救済するための戦いだった。

一九一九年三月二三日、信念も政治的傾向もさまざまな集団が多数、ミラノのサン・セポルクロ広場に面した建物に集まり、イタリア戦闘者ファッシ（FIC）を結成した。従来の政党とはまったく異なる組織であることを標榜し、かなり左寄りの綱領（共和政の確立、普通選挙、一日八時間労働、資本への課税、土地の部分的接収、反教権主義）を掲げた政党であった。このころのムッソリーニはFIC指導者の一人にすぎず、彼の権威は絶対的ではなく、だれもが感服しているわけでもなかった。この点は押えておきたい。スクワドリズモ［ファシスト行動隊の活動］において、ムッソリーニは主導権をにぎるどころか、あきらかにすみに追いやられていた。準軍事組織であるファシスト行動隊は、主として北イタリアで、共産党、社会党、カトリック系の社会・政治運動と張りあっていたが、他人からあれこれ指図されることなど真っ平というラス（地方組織のボス）たちの私有部隊という色あいが濃く、かなりの自主性を保っていた。

だが、ムッソリーニにはライバルたちには欠けている二つの切り札があった。なみなみならぬカリスマ性と政治的術策の比類なき才能である。彼は用心深くも、冒険小説のヒーローのごときガブリエーレ・ダヌンツィオが先導したフィウーメ占拠[4]からは距離を置いた（この占拠運動がファシズムの勃興《ぼっこう》に大きく貢献したことは確かなのだが）。一九一九年一一月の国会議員選挙でFICが惨敗すると、ムッソリーニは、没落しつつあり、共産主義におびえている中産階級を支持層としてとりこむ必要がある、と理解した。一九二一年五月の選挙では、はじめて手ごたえを感じることができた。三五人の候補者を議会に送りこむことができたのだ。しかし、政権を奪うには、きちんとした組織をそなえた政党が必要だった。そこで一九二一年一一月に誕生したのが国家ファシスト党（PNF）であった。イタリア戦闘者ファッシ（FIC）と比べると、その綱領はラディカル色をぐっと薄め、保守勢力の一部との新たな連携を視野に入れていた。しかし、ムッソリーニはあくまでPNFを政治・社会革命をめざすレールの上にとどめていた。この点を誤解してはならない。

影の薄い政治家たちが代々首相となってリベラルな国家をめざしていたイタリアがついにいきづまったとき、勝利がかいま見えた。ムッソリーニは非常に巧妙に立ちまわった。一九二二年一〇月のムッソリーニによる政権奪取は、二面作戦で実現した。一つは煽動《せんどう》作戦。もう一つは、政治的・制度的な作戦である。前者は、ファシズム革命の真髄ともよべるローマ進軍であり、革命と社会主義の神話にしたがって、政府を古色蒼然たるエリートの手から奪いとるべく各地から黒シャツを来た行動隊［黒シャツ隊］がローマに結集した。後者は、省庁や議会の大物リーダー、そして王家との秘密交渉であった。とくに重視したのは、首相任命権を一人にぎっている国王ヴィットーリオ＝エマヌエーレ三世との秘密交渉であった。つねにプラグマティックであったムッソリーニは、王位をくつがえす意図はない、と伝えて国王の懸念を払拭した。煽動と交渉による二重の圧力を受けた国王は、内戦をひたすら懸念し、退位させられて従兄のアオスタ公にとって代わられるのではという不安にさいなまれていたこともあり、ローマ進軍の騒ぎのあいだに慎重にミラノに残っていたムッソリーニをよびだした。かくして、ムッソリーニは非常に快適な夜汽車に乗って首都に向かい、一九二二年一〇月三〇日にクイリナーレ宮に通され、国王から組閣を命じられた（最初から強硬な手に出ることに慎重であったムッソリーニは、ファシストは三名のみを入閣させる）。こうしてムッソリーニはのるかそるかの勝負に勝った［ローマ進軍は、左翼もしくは軍隊によって阻止される可能性があった。しかし社会党が共闘をよびかけても共産党はこれに応じなかったし、国王は軍隊を動員することを躊躇した］。

一歩一歩、慎重に独裁をめざす

単刀直入にいえば、ムッソリーニの望みは、すでに長い歴代首相のリストに自分の名前をくわえることだけではなかった。彼には、強引なやりかたで手に入れた権力を簡単に手放すつもりなどなかった。自分の統治のはじまりはイタリアの歴史の転換点にならねばならず、保守勢力との同盟関係はあくまで一時的な方便にすぎない、と考えていた。だが、力関係の現実はよく承知していたので、急《せ》いて事をし損じる過《あやま》ちは犯さなかった。彼はじっくり四年間をかけて自分一人が頂点に立つ独裁体制を築いた（しかし、後で述べるように、彼の独裁には制限があった）。まずは、扇動的な自分のファシスト運動組織を制度化することに努めた。ただし、ファシスト運動を国家にとりこむためではなく、イタリアという国を内側からファシスト化するためである（微妙であるが、この二つの違いは大きな意味をもつ）。彼は行動隊を国防義勇軍として再編し、次にＰＮＦ［国家ファシスト党］に有利になるように選挙法を改正することで一九二四年五月の選挙で大勝することができた。革命はこうして、一歩一歩慎重に進められた。

ただし、である。多くのファシストが忘れがちだったが、反対勢力はまだ存在していて、遠慮会釈なく政権を攻撃していた。共産党、社会党、そしてカトリック政党のイタリア人民党である。暴力も終わっていなかった。暴力ざたはなくなるどころではなく、さまざまな勢力の活動家のあいだの衝突はいまだに健在だった。そのようななかで、一線を越える事件が起きた。一九二四年六月、社会党議員のジャコモ・マッテオッティがローマの中心部で何者かによって誘拐され、八月になって同議員の腐乱死体がローマ郊外で発見されたのだ。捜査により短時間で、チェーカ[5]という残念きわまりない名前をもつ、第二の警察が幅をきかせている内務省に疑惑の目が向けられた。所轄の内務大臣は…ムッソリーニであった「ムッソリーニは首相、内相、外相を兼任していた」！　野党は憤激し、現政権の手はマッテオッティ議員の血で赤く染まっていると非難した。ムッソリーニは、自分をおとしいれようとする罠《わな》だ、自分は議員の死とはなんの関係もない、と反論した。多くの議員は審議をボイコットし、国の機能を麻痺させるにいたった（古代ローマの平民が貴族に対抗するためにアヴェンティーノの丘に立てこもったという故事にちなみ、こうした抗戦に出た野党勢力は「アヴェンティーノ連合」とよばれた）。激しい攻撃を受け、ムッソリーニは意気消沈して鬱気味となった（彼にはもともと、鬱の傾向があった）。イタリアのファシズム実験はここで終わるのだろうか？

ラスのなかでも強硬派として鳴らす者たちにとって、政権を放り出すことなど論外だった。ロベルト・ファリナッチなど、彼らの一部はムッソリーニに発破《はっぱ》をかけて以前の決意をとりもどさせることに成功した。おかげで、彼らのリーダーは熱意と闘争心をすっかり回復した。おまけに、国王が議会での議決ぬきでムッソリーニを解任することを拒否し――アヴェンティーノ連合の審議拒否のために、議決を求めることは不可能であった――、強引な手に出ようとしなかったことが、窮地から脱することに大いに役立った。そのおかげで、ムッソリーニは反撃に出ることが可能となったのだ。一九二五年一月三日、ムッソリーニは議場の演壇に登り、とどろく雷鳴のような演説を行なった。驚きのあまり声もでない議員たちを前にして、ムッソリーニはマッテオッティ議員殺人の政治的、倫理的、歴史的な責任は自分にある、と冒頭で認めたうえで、断固とした政策が実施され、秩序が維持されるであろう、ファシズムは健在である、と述べた。政権の強硬派の激励で以前の自分をとりもどしたムッソリーニは、ファシズム革命指導者の役割を担う決意をあらためて表明した。

それ以降、ファシズムの歯車が次々にまわり出した。一九二五年から一九二六年にかけて、レッジ・ファシスティッシメとよばれる複数の法律と法令によって、ドゥーチェ［統帥］[6]とよばれるムッソリーニを要《かなめ》とする鉄壁の独裁体制が確立された。政党と報道の自由の廃止、フリーメイソンの禁止、首相が自分の行為にかんして議会に対して負う責任の廃止［国王に対してだけ責任を負うことになった］、国防特別法廷の創設などだ。政権は同時に、イタリア国民の精神と身体の改造という全体主義的計画を実行するための制度を整えた。労働者の福利厚生を担当するドーポラボーロ［全国余暇事業団］、若く柔軟な頭にファシズム体制のドグマを注入するために青少年を対象としたバリッラ少年団やアヴァングアルディスティ［愛国少年団］などだ。社会的および性的なあらゆる「逸脱」を容赦なく退治するための戦いがはじまり、同性愛者、社会の周辺に生きる者、反体制派が、自然条件が厳しい土地に追いやられた(コンフィーノ、流刑)。

腕まくりするムッソリーニ

というのも、くりかえしになるが、ムッソリーニは人類学的革命に取り組んでいたのだ。目的は、個々人を国家への従属によって改造することだ。国家ファシスト党は大衆を統制、動員するためのたんなる道具であり、実際の権力は国家と首相、すなわちファシズムのドゥーチェがにぎっていた。ムッソリーニは「すべてが国家のなかにあるべきで、何一つ国家の外にあってはならず、何一つ国家に敵対してはならない」と説いた。ゆえに、文化や経済をふくめ、彼の目がいきとどかぬものがあってはならない。ムッソリーニは社会党の旧同志や共産主義に対しては容赦ない態度でのぞんだが、それは決して保守主義ゆえの制裁ではなかった。「ファシズムのドクトリンは、(ジョゼフ・)ド・メーストルを予言者に選んでいない」と彼は記している[ジョゼフ・ド・メーストルは一八—一九世紀のフランスを代表するカトリック思想家、保守主義者]。ファシズムの教義は保守主義とはまったく異なるものであり、ナショナリズムと社会主義を結びつけた、革命の新たなコンセプトを提唱していた。ムッソリーニが死ぬまで執拗にイタリアのブルジョワ階級を責めつづけた理由もそこにある。

ムッソリーニは、自分が考える革命の理想を旗印としてイタリアという国の改造にとりかかった。自然条件が厳しい地方を対象にした国土整備事業、新都市の建設(そのうちの一つには彼の名前がつけられた)、町の歴史的中心部を改修する都市整備工事、住宅建設、無線の近代化、チネチッタの建設、生活条件と保健衛生の改善運動などだ。だが、一九三〇年代に入るまでになしとげたいちばんの成功、前代未聞の国際的名声を彼にあたえ、イタリア国民の圧倒的多数の賛同を得た成功は、一九二九年二月一一日に教皇とのあいだで調印したラテラノ条約だった。長い交渉のすえ、「坊主嫌い」であるムッソリーニと、ドゥーチェが聖人であるといった幻想は少しもいだいていなかった一徹なピウス一一世が、イタリア国家と教皇庁とのあいだに続いていた諍《いさか》いに終止符を打ったのだ。教皇庁は、ローマ市内にある独立国家（ヴァチカン市国）となり、カトリック教会にかなりの利点をもたらす政教条約をとり結んだ。

一九二二年、ムッソリーニは住まいとして優美なキージ宮を選んでいた。コロンナ広場に通じるコルソ通りに面したこの宮殿のバルコニーは、集まった聴衆を見下ろして演説するのに適していた。だが、時間がたつにつれ、彼はこの宮殿は自分の権力の大きさに見あわない、と感じるようになった。ファシストの総帥には、王宮クイリナーレと比べて遜色のない官邸が必要ではないか。白羽の矢が立ったのは、ローマ中心部にある中世風の広壮で厳めしいヴェネツィア宮であった。ムッソリーニが執務室として選んだのは、マッパモンド［世界地図］の間であり、なみはずれた広さが作り出す冷え冷えとした荘厳な雰囲気に訪問客は威圧された。そのうえ、この宮殿にそなわっているバルコニーは、劇的効果たっぷりにムッソリーニが演説をぶつのに適していた。すなわち、ムッソリーニはここに立って、声の抑揚、両腕、催眠術にかかったような目を巧みにあやつり、ヴェネツィア広場を埋めつくし歓喜にわく群衆を魅了することができた。ただし、ヴェネツィア宮の四階を私邸用に改造させたもののの、ムッソリーニは妻ラケーレと子どもたちをローマ郊外にある館、ヴィッラ・トルロニーアに住まわせた。くわえて、生まれ故郷のプレダッピオの近く、ロッカ・デッレ・カミナーテに別荘を所有していた。この二つの住まいは、人目を避けた私生活を送ることを可能としてくれた。まさに、この人目を避けようとする傾向は年月とともに強まり、その分だけムッソリーニは少しずつイタリアの現実から切り離されるようになった。

彼の権力観は、一人のライバルの存在も許さなかった。無視できない有力者は大臣のポストをあたえられるが、内閣改造の折にポストからはずされ、実際の権力がともなわない名誉職にまわされることがしょっちゅうだった。多くの場合、ムッソリーニ自身が空いたポストにつき、忠実な次官補の協力に支えられて、いくつもの省庁をかかえこむことになった。一九三六年、身びいきぶりを発揮したムッソリーニは、娘婿のガレアッツォ・チャーノを外務大臣に任命した。PNFの執行部人事にも同じ図式があてはまり、少数の例外を除き、ムッソリーニは自分の指令を確実に執行する忠義者、もしくは影の薄い人物ばかりを登用した。ただし、スターリンやヒトラーが冷酷に行なっていたような血なまぐさい粛清、潜在的なライバルの唐突な排除は一度も起こらなかった。ロベルト・ファリナッチが自分の新聞「レジーメ・ファシスタ」に攻撃的な署名記事をたえず掲載してはばからなかったように、何人かの人物はムッソリーニを批判しつづけていた。こうした例外はあったにせよ、ファシズムのリーダーや幹部、大衆、個々人に対するムッソリーニのカリスマ性の効力はおとろえておらず、あいかわらず魔法のように力強く作用していた。

もう一つ、考慮にいれるべき要素がある。ムッソリーニは国家元首ではなく、彼の頭上には国王がいた、という事実だ。ヴィットーリオ＝エマヌエーレ三世は、ムッソリーニを決してドゥーチェとよばずにプレジデンテとよぶことで、二人のあいだの上下関係がいかなるものかをわからせた。毎週、議会制を採用している国家のよき首相として、ムッソリーニはクイリナーレ宮におもむいて国王に拝謁したが、二人のあいだにどのようなやりとりがあったかはいっさいもれ聞こえなかった。一九三九年まで、国王演説のセレモニーはプロトコールをきっちり尊重して行なわれた。国王とドゥーチェは、一九二二年の「暫定協定」にもとづいて友好的な関係を築いていた。国王はムッソリーニの権力を牽制する重石《おもし》としては軽いことは確かだが、存在そのものに価値があった。年老いたヴィットーリオ＝エマヌエーレ三世が生きているかぎりは、という条件つきで。ムッソリーニは、老王が死去したら王制を廃止するつもりだった。

倦むことを知らぬ働き者であったムッソリーニは、事案を細かに検討することを面倒がることなく、数字を仔細にチェックし、イタリアの名士や世論の動向にかんする政治警察ＯＶＲＡ[7]の報告書を政治的および不健全な関心をもって注意深く読んだ。ムッソリーニは勤勉という自分の評判を保つための努力も怠らず、夜半《やはん》に外出するローマ市民が「自分たちのドゥーチェは明け方まで国民の幸せのために働いているのだ」と感心するように、夜も執務室の明かりを消さなかった。背はそれほど高くなかったが、自分の体つきと、そこから発散される力強さを誇らしく思うのと同時に、自分の鋭い目にはカリスマ的パワーがこもっていることを意識していたムッソリーニは、この男らしいイメージを大切にした。まるで、このイメージが、イタリア社会の全身を男らしさで満たすことができるかのように。ヒトラーの通訳であったパウル＝オットー・シュミットは、ムッソリーニを回想して「つねにピシッとしたよい姿勢を保ち、話すときは少し腰をゆらし、そのカエサル風の顔は、力強い額とエネルギッシュな角張ったあごを特徴とする古代ローマ人を彷彿《ほうふつ》した」と書いている。アスリートである

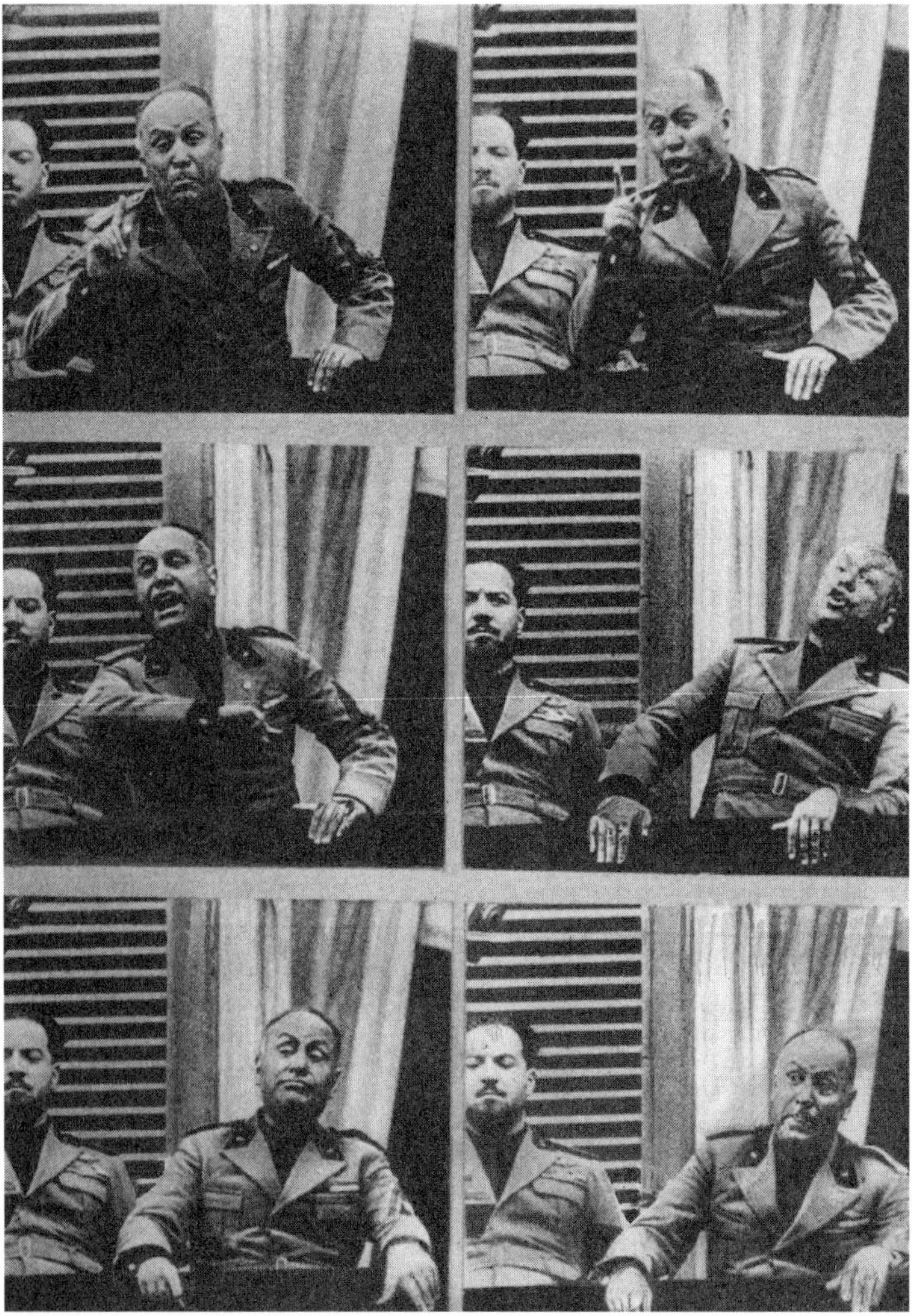

1935年ごろ、演説中のベニート・ムッソリーニ（1835-1945）。
© adoc-photos

ことを望んだムッソリーニは、あらゆるスポーツに手を染め、アドリア海の浜辺での水着姿、畑でピッチフォークを手にして農作業にいそしんでいる姿、部下たちと早足で歩いている姿を写真に撮られるのを好んだ。しかし、こうした華々しい外見の下には、ストレスや胃痛にしばしば苦しみ、不安にさいなまれ、性的衝動をコントロールできない、もろい男が隠されていた。

ファシズムはムッソリーニ主義だったのか?

ファシズムは、そのリーダーであるムッソリーニに集約されるのであろうか? 言い換えれば、一種の封建制なのだろうか? 初期のファシズムにかんしていえば、答えが否《いな》であるのは明らかだ。先に述べたように、各地のファシズム運動のボスであるラスたちは、自分たちの自主独立を死守していたからだ。ムッソリーニがファシストたちに自分の権威を認めさせることができたのは、徐々に、段階をふんでのことであった。ムッソリーニが自分を対象とした個人崇拝を確立したことで、人々はいたるところで彼の姿や声を見聞きするようになった。彼の絵画、彫刻、写真、スローガン、演説が公共の場にあふれ、各家庭にも入りこんだ。国家とPNFの権限が彼の手に集中したことで、ムッソリーニはすべての決定プロセスの中心となった。ライバルを排除したことで、突出した人物が頭をもたげることはなくなった。こうした状況のなかで、ムッソリーニの身体とファシズムはついに一体化をとげた。ムッソリーニが凌駕不能な存在となったことが、体制にとって最大のタブーとなる問題を提起した。後継者問題である。一九三六年以降、王室のおぼえもめでたく、親英保守層とも親しい娘婿チャーノが跡継ぎとして浮上してきた。ただし、ムッソリーニからは、そうした意向をうかがわせる発言はいっさいなかったし、周囲の大物たちも、彼らにとって最大の関心事であるこの問題にかんして意見を述べることをひかえた。

ムッソリーニ主義とよべるものがあったことは確かだ。これは、現実との接点がない夢想的イデオロギーと、冷笑的ともよべる政治的プラグマティズムの奇妙な混交であった。ムッソリーニがドクトリンを語るのを苦手にしていたのは本当であり、ドクトリンに縛られていないだけに紆余《うよ》曲折《きょくせつ》のある思想・政治遍歴が可能となった。ムッソリーニには、驚くほど楽々と時々の状況に適応する能力があった。現に、一九二二年に彼が選んだ路線は、現実は均質どころか雑多な集まりであった国家ファシスト党（ＰＮＦ）のさまざまな派閥のあいだのバランスのうえに成り立っていた。実際のところ、ＰＮＦのもっとも左寄りの党派からの、異議申し立ての声がやむことはなかった。彼らは、神話として語り継がれていたサン・セポルクロの理想[8]［一九一九年、ミラノのサン・セポルクロ広場に面した会場で開かれたＰＮＦ結党集会で採択された原則］への裏切りである、とムッソリーニを声高に批判していた。こうした急進的勢力は、自分たちにこそ正統性があるとたえず主張し、あいまいな態度や野合をやめて、ブルジョワが支配する旧世界を壊すようムッソリーニをせっついていた。だが、彼らのふつふつとした怒りが、表だった反逆となって爆発することはなかった。ファシズム体制の性格からいって不可能であった。革命がいつの日か起きるとしたら、それを起こすのはムッソリーニであり、彼以外のだれでもなかった。反教皇の言動によってムッソリーニをいらだたせていたファリナッチでさえも、ルビコン川を渡ることはなかった。

ムッソリーニはいつも巧妙に、これらの黒シャツを着た革命赤衛兵たちをあやつり、彼らを必要とするときはおだて上げ、彼らがいきすぎたときは抑えつけた。とはいえ、ファシズム体制がしだいに全体主義的性格を強め、ムッソリーニのイタリア国民改造の意図が明らかになったことは認識すべきだ。だがムッソリーニは、逆説的に彼の体制を支えている三つの対抗勢力——教会、王室、大企業経営者——の重みと影響力を軽視できないことも知っていた。まちがった方向に足を一歩でもふみだすと、すべてが崩壊しかねない。

ムッソリーニはイタリア国民から崇められていたのだろうか？　まちがいなく、崇められていた。愛されていたのだろうか？　たしかに愛されていた。一九三八年に彼の演説を聴くためにパドヴァからやってきた若い女性は「あの顔を眺めると、自分は何ごとも、あらゆる犠牲、あらゆる闘いを受け入れることができる、と感じる」と記している。イタリアの歴史研究者、エミリオ・ジェンティーレが定義したように、ファシズムが全体主義的かつカエサル《ローマ皇帝》的な政体の特性をもつにいたったのは、信望と権威がムッソリーニ個人に恒常的に集中した結果である。ムッソリーニの政治的資質を基盤としたことが、ファシズムシステムの力の源泉であった。しかし、これは弱点でもあった。現に、ムッソリーニが一九四三年七月二五日に逮捕さるやいなや、船長かつ舵輪《だりん》であったドゥーチェがいなくなるやいなや、船はたった一日で沈没してしまう。

運命の暗転

一九三〇年代は、ムッソリーニ主義の急進化にとって決定的に重要な時期であった。三〇年代の初め、反ブルジョワの好戦的なテーマが再浮上した。それ以前は、復讐の機会をうかがうドイツに対する反感から、西欧民主主義国家のそれにかなり近い外交政策をとってきたムッソリーニは、一九三五年一〇月にエチオピア征服にのりだして欧州諸国を挑発した。この征服は、予測よりも困難で厳しい戦いを強いられたすえに、一九三六年五月に達成された。このときにイタリア国民がムッソリーニによせた支持は非常に大きく、歴史研究者のレンゾ・デ・フェリーチェはこれを「うそいつわりないコンセンサス」と評している。ムッソリーニの国民的人気は最高潮に達した。その一方で国際舞台では孤立したことから、ムッソリーニは国家社会主義のドイツに接近した。ドイツは好機とばかりに、ローマ―ベルリン枢軸の結成を急いだ（一九三六年一〇月）。これが、悪魔と踊った最初のワルツであった。それからまもなく、二回目のワルツを踊った。ドイツと手をたずさえてのスペイン内戦介入であった。もっとも、フランコは新たな同盟相手のイタリアに対して非常に懐疑的だった。三回目のワルツの舞台はベルリンとなり、ヒトラーから下にも置かぬもてなしを受けたムッソリーニは、第三帝国［ナチ・ドイツ］の見事な発展ぶりに目をみはった（一九三七年九月）。ドゥーチェは、ヒトラーが一九三八年五月にローマを訪問すると、今度は自分がフューラーを感心させる番だと張りきった（ヒトラーのローマ滞在中、教皇は首都の不浄な空気を吸うわけにはゆかぬとばかりに、カステル・ガンドルフォの教皇山荘にこもっていた）。その直前の三月、イタリアはオーストリアを見放し、フューラーが以前より切望していたアンシュルス［ドイツによるオーストリア合併］をドイツが実現するのを黙認した。

内政においても、ムッソリーニはしめつけを強めた。ブルジョワ的と自分が判断した言動を攻撃し、ガチョウ足行進を強制し、王室批判の文言がしだいに露骨となった。なによりも重大なのは、一九三八年に人種差別、反ユダヤ主義にふみきったことだった[9]。物理的な迫害にはいたらず、差別にとどまってはいたが。パラノイア的な人種差別と、反ブルジョワの偏見が混じりあった攻撃性が発揮されたことで、教皇庁との暫定協定は破られ、ドイツを嫌っていた国民は、ムッソリーニはドイツに媚びて模倣していると感じて動揺した。しかし、老年にさしかかっていたムッソリーニは、以前から夢見ていた「新しい人間」を作るのだ——必要なら強制してまで——、とこれまで以上に固く決意した。

戦争！　ファシズムが理想とするイタリア国民は戦争を通じて誕生する、戦場で誕生する、とムッソリーニは考えた。だが、これにかんして、ムッソリーニはのりこえがたい矛盾の重みに押しつぶされていた。彼が憎しみと称賛とひそかなおそれからなる奇妙な感情をよせていたドイツと組んで戦争をはじめることは、イタリア軍の現状および財政の現状を考えれば不可能だった。一九三八年九月のチェコスロヴァキア危機のさい、ムッソリーニはミュンヘン会談で仲介役をつとめ、戦争勃発回避に貢献した。数か月後、ヒトラーがこのときに結ばれた協定を破ってチェコスロヴァキアに侵攻、この国をバラバラにすると、ムッソリーニは自分もとばかりにアルバニアを侵略し、次にドイツと本格的な同盟を結んだ（一九三九年五月二二日の鋼鉄協約）。このときムッソリーニは、イタリアは一九四三年以降でないと参戦できない、と釘を刺した。しかし、ドイツはまたもムッソリーニを裏切ってポーランドに侵攻し、ヨーロッパを新たなアポカリプスにおとしいれた。

一九三九年九月、反独派の圧力に押されたムッソリーニは、このころはまだイタリアの現状を認識していたこともあって、局外中立というあいまいな姿勢をとることにした。民主主義国家に対して敵対的なこの「中立」は、イタリアの未来にとってあやうい、どっちつかずの姿勢であった。しかし、

ムッソリーニとヒトラーの最後の邂逅、1944年7月20日、ラステンブルク［現ポーランド領ケントシン］にて。
© Keystone-France/Gamma-Rapho

ドイツが電撃戦で赫々《かっかく》たる勝利をおさめると、ムッソリーニは以前にもましてむずかしい立場に追いこまれた。フランスがたった数週間で敗北して世界中を驚かせると、ムッソリーニはイタリアもドイツ勝利のおこぼれにあずかるべきだと理解した。一九四〇年六月一〇日、イタリアはフランスとイギリスに宣戦布告する。国王だけでなく複数の幹部は慎重な姿勢をくずさず、教皇庁は反対し、国民も心底では拒絶していたのを押しきっての、破滅的な決定であった。戦争が新しい人間を作る、という自身のイデオロギーに沿ったこの決定のつけを、ムッソリーニは自分の命で支払うことになる。

ドゥーチェの戦争は最初から、キリストの十字架の道行きのごとき様相を呈した。アルプス、リビア、ギリシア。どの前線でもあいついだ敗北はムッソリーニを辱《はずかし》め、世論の離反をまねいた。イタリア軍は展開する先々で、連戦連勝のドイツ国防軍の支援を乞う羽目におちいった。たとえば、イギリス軍との戦いで惨敗しかかっているイタリア軍を救うために駆けつけたのがロンメル率いるドイツ・アフリカ軍団であった。もっと悪いことに、早い時期からイタリアの諸都市は連合軍の爆撃で甚大な被害を受けるようになった。貧窮、絶望、怒りがペストのように蔓延《まんえん》した。民衆の恨みが第一に向かった先はＰＮＦの地方指導者であったが、無謬《むびゅう》の指導者というドゥーチェのイメージはそこなわれた。イメージ失墜がとくにいちじるしかったのは、軍の将官や党幹部のあいだであった。次々にとどく悪い知らせは、ムッソリーニの心身に打撃をあたえた。彼はだんだん投げやりになってきた。戦争から生まれ、好戦的な熱情を糧としてきたファシズム体制は、敗北をのりこえて生きのびることはできなかった。

弔鐘

英米軍のシチリア上陸（一九四三年七月）は、ファシズムの死を告げた。ローマ空襲のあと、イタリアの現実が見えなくなり、だれにも耳をかそうとせず、もはや身内を魅了する力も失った（おそらくは、これがいちばん深刻な事態であった）ムッソリーニを最高権力者の地位から降ろすほかない、と党の大幹部たちは考えるにいたった。現代のカエサル殺しともよべるこの計画に荷担した者たちは、ＰＮＦの最高機関であるファシズム大評議会の決議によってムッソリーニに統帥権を返上させることを決め、一九四三年七月二四日の夕方に大評議会を招集することを求めた。ディーノ・グランディ[10]を首班とする「カエサル暗殺者たち」（そのうちの何人かは、武器をたずさえてやってきた！）は、日付が変わるまで続いた長く重苦しい討議のすえ、過半数を獲得して、軍の最高指揮権をムッソリーニに返上させるという決議を通すことができた。ただし、全員がこのままファシスト政権を継続させることは可能だと思っていた。ところが、これと並行してヴィットーリオ＝エマヌエーレ三世も独自のクーデター計画を練っていたのだ。七月二五日の午後、まだ状況をひっくり返すことができると楽観していたムッソリーニは、恒例の拝謁のために訪れた国王の離宮で憲兵に逮捕された。意表をつかれてなにもできないまま、ローマで一時収監されたムッソリーニは、警備がより厳重だと思われる監禁場所に移された。まずはポンツァ島に、次にマッダレーナ島に、最後にアブルッツォ［中部イタリア］のグラン・サッソ山頂のホテルに幽閉された。この間にファシスト政権は崩壊し、アポカリプスさながらの大混乱のなか、イタリアは一九四三年九月に連合国側と休戦条約を結ぶことになる。

だがヒトラーはイタリア半島を敵に渡すつもりはなかった。「裏切り者」のイタリア国民に対する絶対的な軽蔑と優越感が混じった奇妙な友情をムッソリーニにいだいていたヒトラーは、友の救出を特別部隊に命じ、ラステンブルク（東プロイセン）に迎え、ドイツが進駐したイタリア中部〜北部にファシスト国家を成立させて元首となるようムッソリーニを説得した。だが、ムッソリーニにはもはや、カリスマ性あふれる指導者の面影もなかった。唯々諾々《いいだくだく》と従ったムッソリーニは、ロンバルディアの湖水地方の複数の都市を拠点とするイタリア社会共和国（ＲＳＩ）を建国し、すべての敵を相手に容赦ない戦いを仕かけた。復讐心もあったが、ヒトラーに見すてられるのをおそれたムッソリーニは、大評議会の裁決で自分の解任に賛成した娘婿チャーノを、怒り狂うファシスト強硬派に引き渡した。義父を政治的に葬りさろうとしたチャーノ――ファシズムのブルトゥス――は、形ばかりの裁判で死刑判決を受け、尊厳を保ったまま、背後から撃たれて死んだ。

ガルダ湖畔のサロを首都としたムッソリーニは、次々に起こる事態になんとか対処し、ドイツの干渉を最小限に抑えようと努めたが、速度は遅くとも確実にせまる連合軍の進撃によって、ＲＳＩの血に濡れた短い歴史が終わるのは必定《ひつじょう》だった。ムッソリーニは最後の政治的策動として、社会党と交渉して新たな政権へ「軟着陸」移行できないかと探った。だがじつのところ、彼の手許には切り札は一枚も残っていなかった。一九四五年四月二五日、ムッソリーニはミラノを後にして、ひとにぎりの忠臣と愛人のクララ・ペタッチをつれてアルプスへと向かった。この逃走は悲劇的に終わった。ドイツ軍兵士に変装したムッソリーニはパルチザンに捕えられ、いまだに謎だらけの状況下で銃殺された。ペタッチらも彼のかたわらで殺された。彼らの遺体は翌日ミラノに運ばれ、ロレート広場に投げ出され、ヒステリックな群衆からひどい屈辱をあたえられ、ついには逆さ吊りでさらされた。

敗者となったドゥーチェは、ふみにじられた体で死の世界に入り、その後にこっそりと埋葬されたが、最終的にプレダッピオに改葬された。こうして生まれ故郷に安眠しているムッソリーニであるが、今日でも不思議なオーラに包まれ、わたしたちになにかを問いかけている。

〈原注〉

1　トレンティーノ、イストリア、そしてダルマチアの一部をイタリアに組みこみ、アルバニアをイタリア保護領とすること、いくつかの植民地をイタリアにあたえることを定めていた。

2　一九一七年一〇月二四日、オーストリア軍とドイツ軍による攻撃がイタリア前線を突破し、イタリア第二軍は潰走し、ピアーヴェ川までの撤退を余儀なくされた。イタリア側の戦死者は三万人で、二七万五〇〇〇人が捕虜となった。

3　ファッショはもともと古代ローマの高官の権威を象徴する束棹《そっかん》（ファスケス）を意味していたが、一九世紀にイタリアの一部の革命家グループが力や団結や共和政のシンボルとして使うようになった。
4　詩人ダヌンツィオは、協商国がイタリアに割譲することを拒否したフィウーメ［現クロアチアのリエカ］に武装集団を率いて進軍し、フィウーメの独立を宣言した。イタリア軍の介入により、このつかのまの独立国は一九二〇年一二月に終焉を迎える。
5　敵を徹底的に追いつめるためにロシアのボリシェヴィキ政権が一九一七年に創設した政治警察チェーカーにちなんだ名称。
6　軍の指揮官を意味するラテン語のドゥクスを語源とするこの言葉は、一九世紀に入って、イタリアの革命派左翼のあいだで指導者の意味で使われるようになった。
7　Organizzazione per la Vigilanza e la Repressione dell'Antifascismo（反ファシズム警戒・取り締まり組織）のイニシャル。一九二七年に創設された。
8　もっともラディカルな党派は、保守主義への妥協がいっさいなかったとの理由で、一九一九年に採択されたファシズムの原則を伝説的な理想とみなしていた。
9　一九三八年七月に告知された反ユダヤ主義の方針は、ユダヤ人のイタリア社会からの排除を定める一九三八年九月の法律によって具現化した。
10　一九二九年から一九三二年まで外務大臣のポストにあり、一九三九年まで駐英大使をつとめたのち、法務大臣、ファシズム・コーポラティズム議会議長を歴任したディノ・グランディは、王室と非常に近い関係にあった。

〈参考文献〉

Emilio Gentile, *Mussolini il rivoluzionario, 1883–1920*, Einaudi, 1965.

__, *Mussolini il fascista. Vol. I: La conquista del potere, 1921–1925,* Einaudi, 1966.

__, *Mussolini il fascista. Vol. II: L'organizzazione dello stato fascista, 1925–1929*, Einaudi, 1968.

__, *Mussolini il duce. Vol. I: Gli anni del consenso, 1929–1936, Einaudi, Torino, 1974.*

__, *Mussoliniil duce. Vol. II: Lo stato totalitario 1936–1940*, Einaudi, 1981.

__, *Mussolini l'alleato. Vol. I. L'Italia in guerra, 1940–1943.* Tomo I: Dalla guerra «breve» alla guerra lunga, Einaudi, 1990.

__, *Mussolini l'alleato. Vol. II. L'Italia in guerra 1940–1943. Tomo II: Crisi e agonia del regime*, Einaudi, 1990.

__, *Mussolini l'alleato. Vol. III. La guerra civile 1943–1945*, Einaudi, 1997.

Emilio Gentile, *La Religion fasciste*, Perrin, 2002.

__, *Qu'est-ce que le fascisme ? Histoire et interprétation,* Gallimard, 2002.

Frédéric Le Moal, *Histoire du fascisme*, Perrin, 2018.

Pierre Milza,*Mussolini,* Fayard, 1999.

Didier Musiedlak, *Mussolini*, Presse de Science Po, 2005.

Michel Ostenc, *Mussolini, une histoire du fascisme italien*, Ellipse, 2013.

Max Schiavon, *Mussolini. Un dictateur en guerre*, Perrin, 2016.

3　スターリン

「現代のレーニン」――スターリンはどのようにしてスターリンとなったのか

ニコラ・ヴェルト

「スターリンは、無制限の権力を一手ににぎっているが、彼がそうした権力を相当な慎重さをもってつねに行使できるかどうか、わたしは確信がもてない（…）」。「スターリンは粗暴すぎる。この欠点は、われわれのあいだでは完璧に許容されうるが、書記長の機能を果たすうえではもはや許容できない。そこでわたしは、スターリンをこのポストから解任して別の人物と交替させる方法を検討することを提案する」

以上の短くも辛辣《しんらつ》なコメントは、重篤な脳卒中で政界から決定的に疎外される数週間前にあたる一九二二年一二月二三日と一九二三年一月四日にレーニンが口述筆記させたものである。このメモ（スターリン以外の主要なボリシェヴィキ指導者――トロツキー、ブハーリン、ジノヴィエフ、カーメネフ、ピャタコフ――の評価にあてられた数ページのメモとあわせて、「レーニンの遺言」とよばれているが、ほんとうの意味での遺言ではない）は、一九五六年二月の第二〇回共産党党大会でフルシチョフが非公開演説で存在を明かすまで、秘密とされた。しかし、真の意味で「秘密」だったのだろうか？　実際のところ、レーニンの死（一九二四年一月二一日）から数か月たった五月に開催された第一三回党大会において、ごく少数の党幹部に伝えられていた。しかも、党の最高機関である政治局でスターリンと席をならべていた局員たちはずっと前から知っていた。欧米では、反スターリンの二人の共産主義者、ボリス・スヴァーリン（フランス共産党創立者の一人であったが、スターリンに批判的であったので一九二四年に除名された）およびマックス・イーストマン（社会主義者のアメリカ人ジャーナリスト）の尽力で、一九二五年に印刷、発表されている。イーストマンが一九二四年にソ連に旅行した際に、「レーニンの遺言」を入手していたからだ。こうして欧米で「遺言」が出版されると、スターリンはトロツキーとナデジダ・クルプスカヤ（レーニンの寡婦）を脅し、あれは捏造《ねつぞう》だ、とプラウダ紙を通じて反駁《はんばく》するよう強要した。

とはいえ、レーニンが死ぬ前からはじまっていた後継者争いに、スターリンはかなりのハンディキャップを背負ってのぞんだことになる。ボリシェヴィキ革命の代名詞であるレーニンがスターリンの資質に疑問を呈したことは大きなハンディキャップであった。くわえて、スターリンがきわめて無礼な言葉づかいで妻のナデジダ・クルプスカヤをなじったことを知ったレーニンが立腹し、寝たきりになる直前にスターリンに絶交を申し渡していた[1]、という事情もあった。

このハンディキャップは、スターリンと同世代のボリシェヴィキ幹部たちとの関係に長期にわたり、根源的な影響をあたえることになる。彼は、自分は「レーニン主義を裏切って」いない、とたえず証明しようと努めることになり、これこそが、スターリンによって「革命が裏切られた」というテーゼを唱えたトロツキーを激しく憎んだ理由である。スターリンは、完璧な政治的正統性を自身にあたえることに多大なエネルギーをついやし、ボリシェヴィキ運動の歴史を書き換え、自身を主人公にした聖人伝を仕立て上げ、自分を中心とした体制を考案することになる。一九三〇年代の終わりまで、すなわち「レーニンの古参幹部」が全員排除されるまで、スターリンはじつのところ、守勢に立つ指導者であった。それゆえに、周囲の人間の自分への忠誠心をたえず試し、どのようにささいな「経歴上の欠陥」（一時《いっとき》メンシェヴィキであった、党の「路線」から逸脱したことがある、「革命の敵」と親族関係にある、もしくは友好関係があった、など）も見逃さずに脅しに使うことで側近たちを「意のままに従わせる」ことに努め、最後には、レーニンと自分とのあいだに起きた諍《いさか》いを覚えている可能性がある者全員を迫害した。

台頭

しかしまずは、本題の核心――脳卒中に襲われたレーニンの「政治的な死」に続く六年間（レーニンが実際に亡くなる一九二四年一月から数えれば五年間）において、スターリンがどのようにして、押しも押されもせぬ実力者として共産党トップの座に上りつめたのか――に斬りこむ前に、一九二二―一九二三年以前にスターリンがたどった道を簡単にふりかえってみよう。一九一七年一〇月にボリシェヴィキが権力を奪取してから五年がたったこの時期、スターリンはすでにボリシェヴィキ初期政権の幹部の一人であり、レーニンの側近の一人であったからだ。当時のスターリンは重要性が低くめだたないアパラチク［機関専従員］にすぎなかった、とのトロツキーの主張を信じる向きもあるが、それは事実とは異なる。

一九二〇年代に、ボリシェヴィキの大立者たちが出版用に略歴の提出を求められたことがあった。このとき、事実を曲げることなく、貧しさと困窮のなかで子ども時代を送った、と回答することができた数少ない幹部の一人がスターリンであった。両親はどちらも農奴として生まれ、一八六一年の農奴制廃止で自由の身となった。父親のヴィッサリオン・ジュガシヴィリ（グルジアの小都市ゴリで暮らす貧しい靴職人であった）がけんか騒ぎで死んだとき、一八七九年一二月生まれのソソ（子ども時代、母親がスターリンにつけた愛称）はまだ一〇歳であった。一八九四年、ソソ・ジュガシヴィリはティフリスの神学校に入った（スターリンにとって、勉学を続けるためにはほかの選択肢はなかった）。五年間をこの神学校ですごすが、その間、マルクス主義の学生サークルに出入りしていた。スターリンの文体を特徴づける、演説風の言いまわしからなるお説教調のスタイルは、彼がこうして神学校で学んだことと関係している、といわれる。一八九九年、欠席や素行の悪さで問題視されたジュガシヴィリ青年は退学処分を受けた。同年代の多くの学生と同様、彼は「人民のもとに［ナロードニキ］」行くことを決め、社会主義の小グループにくわわり、ティフリスをふくむカフカースの大都市、とくにバクー（カスピ海に面した、石油産業で栄えていた大都市）の労働者たちに働きかける活動家となった。はじめての逮捕は一九〇二年四月だった。三年のシベリア追放刑を言い渡されたが、同じ境遇の政治犯の大半と同じく、一九〇四年初頭に逃亡した。カフカースに戻ると、現地のボリシェヴィキサークルにくわわった。ロシア社会民主労働党がメンシェヴィキとボリシェヴィキに分裂した時期であった。スターリンはカフカースの小規模な革命勢力のなかでたちまち頭角を現わし、はじめての小論文（「党内の意見対立に関する小考」）を執筆したが、そのメンシェヴィキを徹底的にたたく、狭量《きょうりょう》で熱のこもったお説教調の論旨展開はレーニンの注意を引いた（「党内の意見対立」とはメンシェヴィキとボリシェヴィキの対立をさしている）。一九〇五年末、二年間の活動を評価されてカフカースのボリシェヴィキ代表に指名されるという大抜擢の名誉に浴したコーバ（スターリンが非合法活動用に使っていた偽名）[2]は、はじめてのドゥーマ［帝政ロシアの議会］選挙戦への対応を決定するためにフィンランドのタンペレで開催されたボリシェヴィキ協議会に出席し、レーニンとはじめて会った。これをきっかけに、二六歳のスターリンは、レーニンの直臣の一人となった。一九〇六年四月、社会民主労働党の第四回党大会がストックフォルムで開催された。コーバはこの大会に、ごくごく少数派であったカフカースのボリシェヴィキ——ドゥーマ選挙で勝利をおさめて飛ぶ鳥を落とす勢いのメンシェヴィキに圧倒されていた——を代表して出席した。翌年、革命運動が退潮気味だったころ、コーバは、党の活動資金の確保を名目とする、何件かの「革命的徴収」（銀行強盗）にかかわっていた。ボリシェヴィキ派のなかで、こうした資金獲得手段の是非について議論がまきおこったが、レーニンは、銀行強盗は「党員活動」であるとしてきっぱりと肯定した。一九〇八年から一九一三年にかけて、コーバの生活は、逮捕、有罪判決、追放刑、たちまちの逃亡、非合法活動のサイクルで明けくれた。一九一二年、レーニンが創立したボリシェヴィキ党［のちのソ連共産党］の中央委員会の委員たちによる選考で、コーバも同委員会にくわえられた。こうして彼は、非合法革命運動の頂点に立つ一〇人の一人となった。以上から、レーニンはスターリンの昇進に大きな役割を果したことがわか

サンクトペテルブルクの秘密警察が作成したヨシフ・スターリン（1878-1953）の調書の写真。© Hulton-Deutsch Collection/Corbis/　Corbis via Getty Images

る。革命の大義にとって国籍・民族問題がきわめて重要であることを認識していたレーニンから、これにかんするマルクス主義の見解を発表する役割をあたえられたのはコーバであった。一九一三年、コーバは「鉄鋼の人」を意味するスターリンという筆名で、「マルクス主義と民族問題」と題された論考を発表した。スターリンという名前が使われたのは、これがはじめてであった。レーニンはゴーリキー宛ての手紙のなかでこの論考についてふれ、筆者を「すばらしいグルジア人」とよんだ。「カフカースにおける民族問題は、遅れている諸民族をすぐれた文化の全体的な流れのなかにまきこまないかぎり、解決されない」との主張が盛られている、――たいして独創的なところもない――このテキストのおかげで、スターリンはボリシェヴィキ党における国籍・民族政策の専門家となった。一九一三年二月にまたしても逮捕されたスターリンは、ロシア帝国の流刑地のなかでもっとも遠く、もっとも孤立しているトゥルハンスク（東シベリア）に追放され、今回ばかりは一九一七年二月に帝政が崩壊するまでとどまることになる。

臨時政府が出した恩赦により、一九一七年三月にペトログラード［サンクトペテルブルク］に戻ったスターリンは、ボリシェヴィキの機関誌「プラウダ」の編集局書記となった。一九一七年四月末に開催された第七回党大会で、スターリンは中央委員に選ばれた。彼よりも多くの票を獲得したのはレーニンとジノヴィエフのみであった。フィンランド、ポーランド、ウクライナ、バルト諸県、カフカースで自治や独立を求める声が高まると、民族問題は、進行中の革命プロセスの流れと将来にかかわる焦点の一つとなった。スターリンはレーニンに倣《なら》い、すべての民族には、自分たちの進む道を自主的に選ぶ権利、分離独立する権利がある、との立場をとっていた。一九一七年一〇月二五日のボリシェヴィキ革命が起こると、彼は新政府の重要なポスト、民族問題担当人民委員に就任した。しかし、彼は民族問題に専念するどころか、内戦の戦線のうちでもっとも「白熱した」地点にかんするあらゆる特務をレーニンから託された。一九一八年の夏、彼はツァリーツィン（のちのスターリングラード）地方における「物資調達の前線」に派遣された。その使命は、飢餓の危険にさらされているモスクワを救うために収穫物を大量に徴発することであった。一九一九年五月には、せまりくる白軍の手に落ちることが懸念されていたペトログラードの前線に、全権を託されて送りこまれた。一九二〇年夏には、南西前線の軍事革命会議責任者［南西正面軍の軍事顧問］をつとめた。このポストにあったときのスターリンの判断が、赤軍のワルシャワ攻勢における敗退にどれほど影響したのかは、後日、大きな論争をひき起こす。勝敗にとって決定的に重要な時点で、ワルシャワへと進軍していたトゥハチェフスキー将軍率いる部隊が必要としていた援軍の派遣をスターリンはこばんだのだ。こうした(名将とはよびがたい)軍司令官としての活動と並行して、スターリンは、ソヴィエトの機構の良好な機能を監督する役割を担う労働者・農民監督局の巨大な官僚組織を統轄していた。彼はまた、中央委員会の活動をコーディネートするために一九一九年三月に創設された政治局の正規メンバー五人のうちの一人であった。スターリンは、のちにトロツキーが主張するようなめだたぬアパラチクであったどころか、レーニンにいちばん近い幹部の一人であり、その欠けるところがない忠誠心、規律正しさ、厳格な性格、決意の固さ、行動におけるためらいや憐憫《れんびん》の情の完全な欠如――以上は、内戦を戦いぬくうえで重要な資質であった――ゆえに、レーニンがもっとも高く評価する部下の一人だった。一九二二年四月、スターリンは、中央委員会書記長に抜擢された。その後、三〇年間も彼がとどまることになるこのポストは、名前を聞くとたんなる専門職のような響きがあるが、戦略的にきわめて大きな意味をもっていた。このポストのおかげで、スターリンは党の高級公務員の異動や昇進のすべてをコントロールできるようになったからだ。

しかしながら、一九二二年の秋、ソ連はどのような連邦の枠組みを採択すべきかについて、レーニンとスターリンのあいだに激しい意見のぶつかりあいが起きた。九月、スターリンが議長をつとめ、連邦国家案を練ることを使命とする委員会が、ソヴィエト共和国諸国(ウクライナ、ベラルーシ、アルバニア、グルジア、アゼルバイジャン)をRSFSR[ロシア・ソヴィエト連邦社会主義共和国]に併合し、RSFSR政府が連邦全体の政府となることをもりこんだ報告書を提出した。すでに病身であったレーニンは、これとはまったく異なる案のアウトラインを引いた。レーニンが考える連邦は、ロシアが上に立って支配するのではなく、同等な共和国の集合体であった。「レーニンの遺言」とよばれる三つのメモのなかで、レーニンはスターリンの「大ロシア国粋主義」を糾弾し、一〇年前に「すばらしいグルジア人」とよんだ男への評価をぐっと下げた。

スターリンを勝利に導いた五つの要因

レーニンの死を待たずにはじまった後継者争いにおいて、スターリンはライバルたちと比べて遙《はる》かに強い意志と戦術家としてのセンスを見せた。仲間割れをひき起こす戦術を完璧にあやつり、まずはジノヴィエフとカーメネフと組み、もっと危険な敵であるトロツキーを政治のアリーナから排除した。トロツキー弱体化に成功すると、これまでの同盟関係をひっくり返し、ブハーリン、トムスキー、ルイコフに接近し、ジノヴィエフとカーメネフを中枢から遠ざけた。十分に権力をにぎった段階で、今度は昨日までの同盟者たちに歯を剥《む》いた。ブハーリンは一九二九年一一月に、トムスキーは一九三〇年七月に、ルイコフは一九三〇年一二月に政治局から排除された。

こうした権謀術数《けんぼうじゅっすう》の政治闘争の紆余曲折《うよきょくせつ》をたどることで満足することなく、スターリン個人が権力そのものとなり、共産党とスターリンが一体化することにつながる、一九二〇年代後半におけるスターリンの政治的勝利の根本的な要因を探ってみよう。

スターリンの勝利を説明することができるファクターは五つある。互いに緊密にからみあっているファクターであるが。

第一は、レーニンの死後に、いわば世俗的な宗教が生まれ、革命的独裁を象徴する守護聖人としてレーニンが崇められるようになったこと。

第二は、スターリンが、レーニンが残した革命遺産を巧妙にもわがものとし、レーニンの思想の公認「注釈者」、レーニンの事業を継続する者、レーニンの「一番弟子」として権威を確立したこと。

第三は、スターリンが一定数の目標を表明したこと。すなわち、「たった一つの国において社会主義を確立する」という、具体的な目標と新たな希望をあたえてくれる、わかりやすい政治戦略を選択して示したこと。

第四は、党の社会学的プロフィールを根底から変えたこと。大衆、庶民階級の党員が大量に流入し、彼らは指導者と仰ぐスターリンが提案する方針にしっくりとしたものを感じ、自分たちの思いと重ねあわせることができた。

第五は、スターリンには、少数の懐刀《ふところがたな》で形成された結束の固いグループの補佐を受けて、党と政治警察の諸機関をコントロールする能力があったことだ。

第一のファクターは、レーニン死後における政権の象徴的変化である。レーニンの死は、ボリシェヴィズムがたどる道において決定的に重要な役割を果たす文化現象の大々的な出現につながった。ここでスターリンは中心的役割を演じた。レーニンの葬儀を組織したのはほかでもない、党書記長スターリンであった。子々孫々まで語り継がれるべき追悼演説を行なったのも彼である。何十年にもわたり、何世代かの小学生たちは、この演説のところどころにはさまれた誓いの文言、「わたしたちはあなたに誓う、同志レーニンよ、あなたの意思を立派に実現すると」を暗記することになる。だが、スターリンはそれだけで満足せず、「ウラジーミル・イリイチ・ウリヤノフ［レーニン］の事績を永遠に伝えるための委員会」を立ち上げた。その使命は、偉人レーニンを祀る形式を整えることであった。その結果、徹底した防腐処理がほどこされた遺体と、彼が「天才」であったこと証明する物証を見つけるために徹底的に解剖された脳は、赤の広場の霊廟におさめられることになった。

ボリシェヴィキのほかの指導者たちは、この「個人崇拝」に反対した（個人崇拝という表現がはじめて使われたのは、このときである）。レーニンの寡婦、ナデジダ・クルプスカヤはレーニンを追悼する正しい方法についてプラウダに一文をよせることで、スターリンに警告を発することさえした。実際のところ、レーニンの考え方や生き方のどこをとっても、こうした聖人扱いの崇敬《すうけい》はそぐわなかった。党および国家の頂点において彼が重要な役割を演じていたことはだれもが認めるところだったが、個人としての自分を前面に押し出すことは一度もなかった。権威があるとしても、それは自分の肩書きがもつ権威だ、という態度をつらぬいていた。プロレタリア独裁は、独裁者のいない独裁だ、と考えていた。

だが、おそらくはスターリンとその仲間もそこまでは予測しなかったろうと思われるほど、レーニン神話はふくらみを見せた。ほんの数か月で、本物のレーニン信仰が形を整えた。レーニンの栄光を称えるモニュメントにくわえ、ごくごく貧弱な施設もふくめ、すべての学校や図書館や博物館などにレーニン礼拝用のオブジェが置かれ、「レーニン・コーナー」が整えられた。こうしたレーニン信仰は、国民のなかから自然と芽生えたものではないのは確かだが、もしこれがたんに上から押しつけたものであったとしたら、予想外に民衆の心の機微にふれなかったとしたら、これほどの盛り上がりみ

執務中のスターリン。© Ullstein Bild-Ullstein Bild

せることはなかったはずだ。レーニン礼拝がうまくいったのはおそらく、ほんの一世代前までロシア国民は皇帝を「父」と慕い、キリスト教の守護者とみなしていた、という土壌があったためであろう。[3] スターリンは、党幹部のなかでだれよりも、建前上は「プロレタリア独裁」ということになっているボリシェヴィキ独裁の擬人化の必要性を理解していた。彼は、レーニン信仰は、党が欠いていた最大のもの、すなわち正当性をあたえてくれる、と理解した。開祖レーニンが崇敬の対象となれば、その威光は、党の正当性を担保してくれる。スターリンは同時に、英雄としてたてまつられるレーニンの事業を唯一「引き継ぐ者」、最良の弟子としてふるまうことで、このレーニン信仰から最大の利益を引き出すことになる。

最良の弟子

スターリンはそこで、レーニン思想の公認「注釈者」としてふるまうことで、開祖が残した遺産を独り占めするという目標を立てた。一九二四年四月、彼は一連の講演を行ない、これらを「レーニン思想の基礎」というタイトルの本に収録して出版させた。スターリンがこのなかで説いた考えはいずれもシンプルであった。なかでもとくに必須とされたのは、民衆を導く前衛、エリートであるべき党にとっての規律と一体性である。この著作は何十万部も流布し、「レーニン・プロモーション組」の新党員約二〇万人が最初に読むべき――多くの場合、唯一読むべき――「理論」書となった。レーニンが亡くなってまだ一〇日しかたっていない時点で、スターリンの提案にもとづいて党中央委員会は若者を対象に大々的な入党キャンペーンを開始したのだ。プロレタリア独裁という公式イデオロギーに合致した社会的基盤を党に付与するため、労働者の入党が優先された。こうして誕生した新党員たちは政治的教養を少しももちあわせていなかったうえ、大半は端的《たんてき》にいって無教育であった。彼らの一部は、党幹部養成学校で促成教育を受け、一九三〇年代の典型的なスターリン主義共産党員となる。

一九二四年末からスターリンが唱えだした理論、すなわち「ただ一つの国における社会主義の構築」という理論を理解し、支持したのは、まさにこれら新党員であった。この理論がよりどころとしていたのは、一九一五年にレーニンが書いたある記事であった。このなかでレーニンは「現在の例外的な状況に鑑みると、革命は世界の帝国主義国家複数において同時に起こるのではなく、一国のみで起こることがありうる」と述べている。なにしろレーニンの言葉だから権威はあるものの、このいささか薄弱な根拠からスターリンは、次のような論旨を展開した。一九二三年にドイツで共産党による蜂起計画が失敗し「ソ連は蜂起を支援するために数百人の将校を送りこんでいた」、ヨーロッパのいたるところで革命の気運が退潮気味となったこともあり、「ただ一つの国における社会主義の勝利は、たとえ当該国が資本主義の観点から発達が遅れていようとも、他国で資本主義が存続していて資本主義の観点からそうした国々がより発達していようとも、完璧に可能であり、蓋然性《がいぜんせい》がある」。要するにスターリンは、ソ連を社会主義の約束の地、共産主義に到達する行程の第一段階とみなすことで、敗北を勝利に転換するつもりだった。「ただ一つの国における社会主義の構築」は、世界革命が信じられなくなったすべての者に新たな希望と具体的な目標をあたえるだけでなく、愛国心、もっといえば国粋主義を高揚するという大きな利点ももっていた（愛国心への働きかけは、スターリン論法にとって不可欠の原動力である）。ソ連はこうして、全世界の社会主義者の祖国に祀《まつ》りあげられた。ソ連で行なわれる社会主義構築実験はユニークで模範的であり、その普遍的な価値は、敵対的な資本主義社会に囲まれて孤立した状況なだけに、社会主義者たちの心を弾ませた。ソ連は敵に攻囲された要塞なのだ。こうしてスターリンが選んだ方針は、農民一揆そして軍港クロンシュタットの反乱に手を焼いたレーニンが一九二一年にそれまでの政策を後退させることを余儀なくされ、ネップによる「一時休止」を宣言して以来ストップしていた、近代化と進歩への歩みを再開することを想定していた。この理論にはまた、スターリンの主たる敵であるトロツキーの論理をたたきつぶすという利点もあった。トロツキーは「永続革命」を唱えていたが、これは「ロシア革命の持続的成功はつまるところ、世界規模での革命が広がるかどうかにかかっている」と述べたレーニンの考えにも呼応していた。トロツキーは、革命の熱意が足りない、と自分の敵（スターリンにくわえ、カーメネフとジノヴィエフ）を批判していた。だがいまや、スターリンとその仲間は、トロツキーが荒唐無稽《こうとうむけい》な世界革命論を唱えるのは、彼が祖国の底力を信頼していない証拠だ、と反論できるようになった。スターリンは、「「トロツキーに従うならば」われわれの革命に残された将来展望はただ一つ、みずからの矛盾のただなかで無為に時をすごし、世界革命が起こるのを待ちながら立ち腐れすることだ」とトロツキーを辛辣《しんらつ》に批判した。スターリンが巧妙だったのは、資本主義の諸大国が政治的安定と経済成長をとりもどしている時期に世界革命をめざすことは非現実的で冒険主義的でむだな危険をともなう、と判断して慎重な姿勢を見せる一方で、ソ連の枠組み内で実現すべき具体的な目標を掲げ、士気を低下させる傍観主義は許さないという断固たる姿勢を見せたことである。

「レーニンの後継者たち」がくりひろげた政治闘争において、スターリンの立ち位置が大きな力をもちえたのは、党の「一般路線」との一体化に成功したためであり、同時に、きわめて単純に図式化されていたために、学歴がなくて政治的訓練を欠いている大多数の党員でも理解できたからだ。スターリンは政治論争を、自身が体現している中道的な「一般路線」と、党の神聖なる一体性を脅かす「左派」（トロツキー）や右派（ブハーリン、ルイコフ）の「逸脱」との争い、という図式に単純化することに成功したのだ。共産党支部会合で何が話しあわれていたかを分析すると、下部の活動家たちにとって、党のイデオローグたちがもてあそぶ対立したテーゼはチンプンカンプンであったことがわかる。上層部における激しい論戦は、二つのバイヤスが働いたせいでゆがめられ、単純化され、一定の方向に曲げられた形で下部に伝わった。一つ目のバイヤスは党員にほどこされた政治教育であり、もう一つは、中央委員会の党員登録・任務配分部局が派遣する「インストラクター」による監督である。結局のところ、スターリンとトロツキーのあいだの論争は、「前者がソ連国内で社会主義を構築しようと考えるのに対して、後者はそれをこばんでいる」との図式で理解されるにいたった。一九二九年、ブハーリンの「右派的姿勢」（ボリシェヴィキの卓越した指導者の一人であったブハーリンは、農村の集団化に大反対していた）を定義するよう求められた一人の共産党支部書記は、感心するほど無知で幼稚な答を返している。「右派の逸脱主義は右側への逸脱であり、左派の逸脱主義は左側への逸脱であるが、スターリンが率いる党は左右二つのあいだの道を歩んでいる」。スターリンの立ち位置の力の源泉は、中央委員会の「中道の」――すなわち正しい――路線との一体化であり、同時に、論理の極端な簡略化（簡単に影響されてしまう下部党員たちの大半が理解できるレベルまでの単純化）であることは、先に強調したとおりである。政治論争は、スターリンが体現する「一般路線」と、死をもたらすほど有害な「逸脱路線」とのあいだの闘いである、と理解された。下部党員たちは、ソ連が資本主義に攻囲され、脅威にさらされているときに党上層部で争いごとが起これば、ソ連の存続があやうくなる、とたえず聞かされた。「議論」とは、反対勢力、すなわち逸脱派が「強要」、「強制」しているものである、と受けとめられるようになった。このような状況のなか、政治問題の検討とはなによりも、「反対者」（一九三〇年代になると、「敵」という言葉が使われるようになる）告発の認定を意味するようになった。議論が行なわれることがあっても、事前にじっくりと準備され、監督を受けて、一定方向に誘導されねばならなかった。新たな方針、「党の路線」の変更はすべて、何が「よい選択」であるかを教えてくれる「インストラクター」と「プロパガンディスト」によって説明され、注釈された。

上掲の二つのファクター――党員構成の変化と、党内の統制と権威のメカニズムと構造のコントロール——は、スターリンの権力掌握プロセスにおいて大きな役割を果たした。一九二四年から一九二九年にかけて（この五年間は、スターリンの台頭にとって決定的な意味をもつ）、共産党員の社会学的プロフィールはいちじるしく変化した。一〇月革命から一〇年後、党の正規メンバーと研修生の総数は約一三〇万人であった。その多くが「没落した」知識階級や中小のブルジョワ階級の出身であった古参ボリシェヴィキは激減し（その主たる原因は内戦による大量死）、一九二七年にはもはや八〇〇〇人しか残っていなかった。したがって、党は庶民化したといえるが、これは真の意味でプロレタリア化したことを意味しない。労働者勧誘のキャンペーンが大々的に展開された（一九二四年の「レーニン・プロモーション」、一九二七年の「一〇月プロモーション」）にもかかわらず、共産党員のなかでブルーカラー労働者が占める割合は三分の一を下まわっていた。党員の七〇パーセントが非肉体労働の仕事についていた（その多くは、高いスキルをもっておらず、構築途上にあった巨大な官僚機構の一員として働いていた）。変貌《へんぼう》いちじるしいこのソ連共産党のもう一つの特徴は、若さであり（一九二九年、党員の八五パーセントが三五歳以下）、幹部でさえも政治経験はあまり積んでおらず（支部書記のうち、一九一八年以前に入党していたのは二パーセント以下）、党員の教育レベルは低かった（高等教育の免状をもっているのは一パーセント以下）。以上にあげた数字は、一九二六年から一九二七年にかけてトロツキーを支持した共産党員たち（その人数は一万人以下であり、大多数は一九二九年の粛清で追放される）についてわれわれが知っている数字とは対照的だ。後者は、かなり教育レベルが高く、インテリや学生が多い。いわゆる「古参ボリシェヴィキ」とは異なり、マルクス主義の古典を一冊も読んだことがない（スターリンの「レーニン主義の基礎」といった入門用の小冊子を読んでいれば上等だった）新党員の政治知識欠如は、地方委員会もしくは地区委員会による下部組織の指導・監督を正当化する口実となり、時間の経過とともに、こうしたイデオロギー統制は強まった。ターニングポイントとなった五年のあいだに、党幹部による下部組織管理システムに磨きがかかったのだ。たとえば、重要な会合には地区委員会の委員一名が報告者として出席するようになった。こうした委員の役目の一つは、あらゆる逸脱発言を記録することであった。「困難な問題」が生じた場合は、中央委員会の重要部局である党員登録・任務配分部局が現場にインストラクターを派遣した。

だれも止めることができなかったスターリンの勝利を説明する最後のファクター——最後であっても重要性が低いわけではない——は、彼には、少数の懐刀（モロトフ、オルジョニキーゼ、カガノーヴィチ、クイビシェフ、キーロフ、ミコヤン、ヴォロシーロフ、アンドレーエフ、ポスティシェフ）で形成された結束の固いグループの補佐を受けて、党と政治警察の諸機関をコントロールする能力があったことだ。このグループの骨格は内戦中に、もっと正確にいえば南前線（一九三〇年代にスターリングラードに改名されたツァリーツィン）で形成された。この中核的な小グループはとくに、中央委員会書記局、党員登録・任務配分部局、中央統制委員会をコントロール下に置いた。一九二五年、新たな規則により、党のさまざまな機関が任命できるポストの配分が決められた。専従職員の二万五〇〇〇のポストのうち、四分の一（六〇〇〇以上、しかももっとも重要なポスト）の任命権を、中央委員会書記局と党員登録・任務配分部局が直接にぎることになり、残りは地方委員会に配分された。理論上は、中央委員会と地方委員会の一覧表（ノーメンクラトゥーラ）にのっているすべての重要ポストにだれがつくかは選挙で決まることになっていた。事実は異なり、この「選挙」は、任命権がある機関によって事前にお膳立てされた。

一九二四―一九二五年以降、スターリンが懐刀《ふところがたな》のポスティシェフの補佐を受けて君臨する中央委員会書記局は、一人のもれもない全党員の調査票の作成に着手した。作成が終わるまでにはなんと一五年以上もかかった。一九二〇年代の中ごろ、スターリンの側近二人（一九二六年まではクイビシェフ、その後はオルジョニキーゼ）が統括する別の機関、中央統制委員会の重要性がしだいに増した。その定款によると、同委員会の使命は「党内の小グループや分派運動に対する断固たる闘い、イデオロギー分野における不健全な現象の体系的な調査、イデオロギー的に有害な、もしくは道徳的に腐敗している個人の粛清」である。毎年、党活動家の四―八パーセントがさまざまな理由で呼び出しを受けた。主たるところをあげると、アルコール依存症（呼び出し理由の二五―三〇パーセント）、「積極的な反対」（六―八パーセント）よりもずっと多い「政治的消極性」（二〇パーセント）、さまざまな形態の出世主義や濫用や官僚主義（一五―二〇パーセント）、あきらかな盗み（一〇パーセント）、宗教の実践（八―一〇パーセント）、社会的に異質な階級への所属（五パーセント）[4]である。一九二七年まで、中央統制委員会は一般的に、「ソフトな粛清」（警告、叱責が多く、党籍剥奪はまれであった。一九二四年から一九二六年にかけて、除名の対象となったのは党員総数の一パーセント以下）を適用するだけで満足していた。しかし一九二七年以降、一九二九年の大粛清を予感させる変化が起こった。イデオロギー面での一丸《いちがん》となった団結の必要性を名目として、党の方針に反対する者、とくにトロツキストたちへのしめつけがきつくなり（一九二七年と、第一五回党大会が終わった後の一九二八年初頭に、数千人のトロツキストが除名された)、一九二六年まではスターリンの側近ジェルジンスキーが、その後はメンジンスキーが統率する秘密警察GPU[5]と中央統制委員会との結びつきがしだいに強まった。

チェスとチェックメイト

スターリンが党の最高権力者として決定的に地位を固めたのはいつなのだろうか? 一九二九年、ニコライ・ブハーリンとアレクセイ・ルイコフに率いられた、それなりに力があった最後の反対勢力が、「右派」の烙印《らくいん》を押されて敗れさったときだ。最終的な対決の焦点は、ソ連を産業・軍事大国にすることを狙う書記長スターリンが提案した、意志をすべてに優先させる主意主義の総合近代化案であった。一九三一年二月四日の有名な演説のなかでスターリンは「ロシアはつねに、その遅れのために敗北を喫してきた。われわれは、先進国と比べて五〇—一〇〇年遅れている。われわれは、一〇年でこの遅れをとりもどさねばならない。とりもどすことができないとしたら、われわれは打ちくだかれる」と述べた。しかし、この大規模でハイテンポの工業化に不可欠な資金をどこから引き出すのだ? 当然ながらだれも決して認めなかったが、第一の答えは労働者の過酷な搾取である。第一次五年計画(一九二八—一九三三年)のあいだに、労働者の実質賃金は半減する。第二の答えは、ほんのわずかな対価を支払っての農産物の大量徴発である。そのためには、農民を大規模な集団農場に押しこめ、これに対する農民の抗議(「農民のなかの、資本主義分子」すなわち「クラーク[自営農]」が煽動した暴動、ということにされる)を弾圧して黙らせることになる。農産物の輸出代金で、工業化に不可欠な設備やテクノロジーを外国で買いつけるためだ。この「社会主義版・資本の本源的蓄積」が当然ながら前提としていたのは、ネップが施行されているあいだはなんとか機能していた市場メカニズムの事前解体と、農民を集団農場単位にまとめることであった。こうした農作物の大量徴発が、一九三一年から一九三三年にかけてウクライナ、カザフスタン、ヴォルガ川流域地方を中心として起き、六〇〇万人を超える餓死者を出す悲惨な大飢饉をまきおこした（政権は、この事実を完全に隠蔽《いんぺい》した）。

スターリンは、一九二九年一一月七日に「大転換の年」と題された記事——その高揚した調子の長広舌はいまでも語り継がれている——を執筆することで、ソ連の進路変更を公式に発表した。「われわれは、蒸気をもくもくと上げて全速力で工業化への道を進む。ロシアの一〇〇年の遅れを過去のものとして、社会主義に向かって進む。われわれは、金属の国、自動車の国、トラクターの国となる」といった調子である。

この記事は、急進化のエスカレートプロセスの破滅的加速の号令であった。農村については、もっとも生産的な農業地帯の「完全な集団化」が決定された。工業部門については、「リズムがすべてを決める！」というスローガンのもと、テンポを速めるように鞭打って、第一次五年計画の目標を四年で達成することが決定された。

これと並行して、スターリン体制をジグソーパズルにたとえるなら、決定的に重要なピースがぴたりと嵌《は》められた。スターリンの五〇歳の誕生日にあたる一九二九年一二月二一日は、書記長のいわば戴冠式を遂行して怒濤のごとき個人崇拝の幕を切って落とす機会となった。スターリンは「われらが時代の天才」とよばれ、さらには、より意味深いことに、「新たなレーニン」として称えられた。つまり、彼が取り組む「大転換」は原点回帰、一九〇七年一〇月の革命の完遂として正当化されたのである。後年、すなわち一九三八年に発表されたマニュアル「ソヴィエト連邦共産党の歴史」のなかで、スターリンは第一次五カ年計画をふりかえり、まさにこれを革命への原点回帰の事業と位置づけている。スターリンは、一九二九年の「大転換」を「もっとも奥深い革命的変化、社会の質の旧い状態から新しい状態への新たな飛躍」とみなし、「その成果からいって、一九〇七年一〇月の革命に匹敵する」と自画自賛した。「社会主義の攻勢」である「大転換」を正当化するには、これは一〇月革命の再現であり、知的で大胆な「新たなレーニン」、「現代のレーニン」が主導した攻勢である、と位置づけるのがいちばんだ。これで環《わ》が閉じられた。「レーニンの事績を永遠に伝えるための委員会」の設立ではじまった権力の象徴レベルでの変容はこうして完了した。スターリンは党を体現する存在となり、それゆえに不可侵となった。一九二四年にトロツキーが「要するに、党はつねに正しい（…）党と一緒でなければ、もしくは党によってでなければ、道理があるとはいえない。正しいことを実現するために、これ「党」以外の道を歴史は一つも作ってくれなかったからだ」と述べたように、共産党は無謬なのだ。

その一方、ブハーリンは、逮捕される以前の一九三六年、彼にとって最後となる外国旅行の折に、メンシェヴィキ指導者の一人で亡命生活を送っていたフョードル・ダンから、人々がスターリンに魅入《みい》られる理由をたずねられ、次のように答えた。「わたしたちは彼に信頼をよせているのではありません。そうではなくて、党から信頼を得ている人物である彼に信頼をよせているのです。どうしたわけか、彼は党を象徴、党を体現する存在となったのです。庶民、労働者、人民は彼のことを信じています。こうなったのもおそらく、わたしたちのせいでしょう。だからわたしたちは全員、大きく開いた彼の口に飛びこむのです。彼がわたしたち全員をむさぼり喰らう、と全面的にわかっていながら。彼も、そのことを全面的にわかっていて、わたしたち全員をむさぼり喰らうのに適した日が来るのを待っています」

スターリン式独裁機構の仕組み――同族集団のロジック

頂点をきわめたスターリンは、政治警察を活用した専制的な「同族集団」ロジックを、有無《うむ》をいわせずに押しつけた。この路線にとって決定的に重要なステップは、一九三〇年末に、自分の右腕であるヴャチェスラフ・モロトフを人民委員会議議長に任命したことだった。スターリンはモロトフに「われわれはついに、国家と党の頂点の完璧な結合を実現する。これでわれわれの権力はさらに強化されるだろう」と書き送っている。スターリンは、少数の「信頼できる者たち」からなるグループに集約される国家、という構想の実現にとりかかった。党大会開催の間隔は広げられた。[6]党の政策決定機関であるはずの政治局でも、メンバー全員を招集しての会合の開催回数は減った。[7]国の将来にかかわるもっとも重要な決定は、スターリンの執務室に側近が集まっての非公式会合でくだされた。すべてを統括することを渇望するスターリンは、権力行使を他人に委託することを拒否し、自分が重要だと判断するすべての事案に恒常的かつ事細《ことこま》かに介入した。この点で、スターリンの個人独裁は、フューラー「総統、ヒトラーの呼称」の「カリスマ性」と、ナチ党の地区区分の最高責任者であるガウライターが大きな裁量権をもつ「ネオ封建的」指揮系統を基盤とするヒトラーの独裁とかけ離れている。

スターリンのこの個人独裁は、以下のプロセスをへて完成した。ボリシェヴィキ第一世代に属していて、政治、経済、軍事の分野で要職についていた者たちの大半の排除。そして、スターリン政治への無条件服従にもとづいていないがゆえに、仲間同士の連帯感を育《はぐく》むおそれがある、政治的、個人的、職業上、行政上のあらゆる絆の破壊。さらに、スターリンのおかげでキャリアを築いているゆえに、彼に全面的に忠実な新世代リーダーたちの抜擢。このプロセスは主として第二次世界大戦に先立つ数年間、とくに「大粛清」時代とよばれる一九三六年から一九三八年にかけて実施された。幹部の入れ替えは劇的であった。政治、経済、軍事の責任者が何万人も逮捕、処刑された。一九三九年初頭、党の地方書記三三三三人のうち二九三人、ノーメンクラトゥーラの高級官僚三万三〇〇〇人のうち二万六〇〇〇人が、それぞれのポスト就任から一年未満であった。共産党の幹部や責任者の八〇パーセントが失脚し、交替させられたことは、スターリンのもっとも冷酷なエピソードの一面にすぎない。さきごろ公開されたアーカイブ資料が示すように、スターリンは内務人民委員のニコライ・エジョフの補佐を受け、過去に自分と対立したことがあるボリシェヴィキの大物指導者たち（ジノヴィエフ、カーメネフ、ブハーリン、ルイコフ）も被告として登場する大がかりな三回の公開裁判（モスクワ裁判）を命じたのみならず、「ソヴィエト国家の基盤を切りくずす、社会的に有害な分子を徹底的に排除する」ことを目的とする一二の「隠密大量制圧オペレーション」[8]を立案した。一九三七年八月から一九三八年一一月までの一六か月間で、ソヴィエト市民一五〇万人以上が逮捕され、「大量制圧オペレーション」の枠内で設けられた特別法廷で有罪判決を受けた（そのうちの半分以上、八〇万人が死刑判決）。しかも、これらのオペレーションでは、「第一カテゴリー（死刑）」もしくは「第二カテゴリー（一〇年間の収容所暮らし）」に入れるべき逮捕者の人数が地方ごとにあらかじめ設定されていた。

スターリングラードの勝者、ヤルタの強者

膨大な数の犠牲者を出したこの犯罪は隠匿《いんとく》されたうえ、その記憶は、ナチズム制圧にソ連が重要な役割を果たしたことで、国内でも国外でも帳消しにされた。スターリングラードは、「大恐怖政治」だけでなく、二人の独裁者、ヒトラーとスターリンが東欧の一部を分けあい、ソ連がその領土を帝政時代の西側の国境まで（ほぼ）回復することを可能とした独ソ不可侵条約の記憶をも吹き飛ばした。一九三〇年代の終わりから、スターリンは大ロシアのナショナリズムを焚きつけ、自分の野望の道具とし、ロシア民族の盲目的愛国心を「ソヴィエトの祖国愛」と言い換えた。少数民族のグルジア人を出自とするスターリンがこのような大ロシア主義を打ち出すのは奇異と思えるが、ソ連のなかでもっとも人口が多いロシア民族の支持を確保し、拡大しつつあるソヴィエト帝国にふくまれる他民族の独立志向の芽を摘むためには有効であった。独ソ不可侵条約は、スターリンが――一時的ではあるが――人口二三〇〇万の新領土を併合することを可能としたが、ヒトラーの攻撃からソ連を救うことはできなかった。一九四一―一九四二年の対独戦におけるソ連の惨憺《さんたん》たる敗北の責任はスターリンに帰す。三つの失敗が積み重なっての責任だ。第一は、一九四一年六月時点で、ナチ・ドイツの脅威を全

面的に見誤ったことだ。第二は、一九三〇年代にまちがいなく進歩を見せたものの、ソ連軍装備政策が後れをとって、不十分であったことだ。第三は、一九三七―一九三八年の大粛清のために赤軍の、司令官クラスをはじめとする上層部がずたずたにされていたことだ。ソ連はスターリンのおかげで戦争に勝ったというよりは、スターリンが犯した戦略・戦術ミスにもかかわらず勝った、というほうが正確だ。しかも、この勝利の代償となった多大な犠牲（死者二〇〇〇万人以上）の責任を第一負うのはナチの野蛮行為であるにせよ、人命を軽視したスターリン政権にも責任がある。侵略者の残忍な行為によって激しく燃え上がった愛国心が社会的コンセンサスを強めたことも、ソ連が生きのびることを可能とした主要な武器であった。絶妙の政治的センスの持ち主だったスターリンは、まことに巧みに、自分自身を神聖なる大義、すなわち祖国の大義と重ねあわせることに成功した。兵士たちは「スターリンのために戦おう！　祖国のために戦おう！」と歌いながら戦場に出た。はじめは苦しみを嘗《な》めたが勇敢に戦ってついに勝者となったロシアと自分を一体化することに成功したスターリンに向けられた崇拝は、兵士たちを通じて、コルホーズシステムへの強い反感が残っていた農村地帯へも浸透した。戦争と勝利は、スターリンとソ連社会との関係を大きく変えたが、それだけでなく彼のオーラにも大きな変化をもたらした。ヤルタ会談（一九四五年二月四―一一日）で、独裁者スターリンの国際的役割は絶頂期を迎えた。イギリスとアメリカのあいだの意見の違いと、ローズヴェルト米大統領が自分によせる信頼を巧みに利用し、スターリンは自分に有利なように交渉を進め、重要な事項にかんして自分の要求を通し、ソ連の強国としての地位にお墨つきをもらった。すなわち、国連設立会議における三議席（ロシア、ウクライナ、ベラルーシ）の確保、ソ連の要求に沿ってのポーランド東西国境の確認、ルブリンに設立された親ソのポーランド国民解放委員会（のちのポーランド共産党政権）の「将来のポーランド政府の中核」としての承認である。くわえて、ドイツへの賠償請求にかんしても、スターリンは満足すべき回答を得た。

「諸民族の父」

戦後、栄光のきわみに達したスターリンは党書記長にくわえ、ソ連閣僚会議議長、赤軍の大元帥、最高司令官の肩書きを享受した。「個人崇拝」が最高潮を迎えたのもこのころであり、一九四九年一二月のスターリン七〇歳の誕生日はことに盛大に祝われた。「諸民族の父」を崇める行事が数かぎりなく催され、賛辞の雨が降りそそいだが、スターリンはますます猜疑的となり、儀式やレセプションへの出席さえ避けて殻に閉じこもるようになり、自国の実情を知ろうともせず公式報告書が美化して伝えるイメージで満足していた。彼の権力者としての晩年はイデオロギー的なしめつけの強化を特徴とし、戦時中の相対的な自由化と社会監視の緩和は過去の話となった。一九四九年以降、外国の影響を受けた（とされる）あらゆる思潮、「プチブル的個人主義」、「フォルマリズム」、「コスモポリタニズム」を標的とする大々的な弾圧が展開された。やがて、「コスモポリタニズム」弾劾は反ユダヤの色彩をおび、その傾向はしだいに露骨となった。何千人ものユダヤ人が逮捕、もしくは職場から追われた。とくに狙われたのは報道や大学の世界、医学界に身を置くユダヤ人であった。一九三〇年代の終わりに「側近サークル」への加入を許され、スターリンとの距離がもっとも短い協力者の一人であったアンドレイ・ジダーノフこそが、俗にジダーノフシナ［ジダーノフ時代］とよばれる時期の前衛芸術弾圧の主役である、と思われているが、このキャンペーンの糸を引いていたのはスターリンその人であった。スターリンはまた、遺伝学者たちの異議申し立てを無視し、ルイセンコ「学説」を支持して強要した。ルイセンコは決定論を極端にゆがめ、メンデルの法則はペテンであり、環境要因がひき起こす形質変化は遺伝する、と主張する似非《えせ》学者であった。

一致団結しているように見える政権の舞台裏で、老いたスターリンは巧みに策動し、後継者候補たちが水面下でくりひろげる争いを仲裁したり利用したりすることで、自身の権力をたえず強化していた。戦争が終わると、勝利の栄光に包まれた軍司令官たちを政治の舞台から排除し、あらゆる政治的役割を奪った。そのよい例は、自分の威信を霞《かす》ませるのではとスターリンが懸念するほど英雄として崇められていた「ベルリンの勝者」、ジューコフ元帥の左遷である。一九四八年から一九四九年にかけて、スターリンはゴスプラン［ソ連国家計画委員会］の指導部とレニングラード共産党組織に対する大がかりな粛清を行なった。この「レニングラード事件」では、何百人もの党幹部が「ソ連政権転覆を目的にティトーの徒党と陰謀をくわだてた」と告発されて死刑や懲役刑を言い渡された。

猜疑心が嵩《こう》じるばかりのスターリンは、一九五二年一〇月（第一八回大会の一三年六か月後）に招集された第一九回党大会で衆人環視《しゅうじんかんし》のなか、最側近のモロトフ、ミコヤン、ヴォロシーロフの「右派的偏向」、「アメリカへの隷属」を非難した。こうした独裁末期のどろどろとした雰囲気のなか、一九五三年一月に「医師陰謀事件」が起きた。クレムリンのユダヤ人医師たちが、ソ連指導者たちを毒殺しようとした、と疑われた。一九三六年から一九三八年にかけての「大恐怖政治」時代と同じく、犯罪者たちへの懲罰と真の「ボリシェヴィキ的警戒心」の復活を求める会合が何千回も開催された。この陰謀事件は、四年前にはじまった「反コスモポリタニズム」キャンペーンの結実であり、おそらくは新たな大粛清の序章であったが、スターリンの死で回避されることになる。この二つにくわえて、三つめの要素もからんでいた。内務省と内務人員委員部のさまざまな派閥間の争いである。国家そのものである党において、政治警察こそが自身個人の権力を安定させるために唯一《ゆいいつ》信頼できる組織、絶対的手段とつねにみなしていたスターリンは、内務省と内務人員委員部の重要ポストの首のすげ替えをたえず行なっていた。「殺人医師」たちの尋問調書への彼自身の筆による書きこみが示すように、スターリンは脳卒中で倒れる前日の一九五三年二月二八日まで、パラノイアの重篤化を物語るこの「医師陰謀事件」から少しも目を離していなかった。

スターリンが死去してからほんの数か月後、彼の名前はソ連の新聞雑誌からほぼ完全に消えさった。一九五六年二月、スターリンの忠臣の一人であったニキータ・フルシチョフはその「秘密報告書」において、かつて仕えたボスの「個人崇拝」、数多い「過ち」、「いきすぎ」、「濫用」を告発し、「諸民族の父」の偶像を破壊した。批判の目的は、党のイメージを守ることであった――事実、その後の数十年は守られる。今日のロシアでは、共産主義は「歴史のゴミ箱」に投げすてられた。その一方で、逆説的だが、スターリンの人気は驚くほど高く、彼の栄光を称えて新たな立像が建てられている。ポスト共産主義の世界にとって、スターリンは共産党書記長でも、「大粛清」の大量殺人を命じた者でも、一九三〇年代の大飢饉の責任者でもない。ロシア国民の集団的記憶のなかで、彼はスターリングラード戦の勝者であり、ある種の近代化をロシアにもたらし、ロシア帝国を維持継承し、ロシアの国力と国際的威信を頂点まで高めた偉人である。

〈原注〉

1　フルシチョフは、一九五六年二月二四日から二五日にかけての夜に非公開で開かれた代表者会議において、妻への侮辱に怒ったレーニンが一九二三年三月五日に送った厳しい口調の絶縁状も読み上げた。

2　コーバは、グルジアの英雄の名前。

3　この伝統がニコライ二世の時代に断ちきられたのは、一九〇五年一月九日、平和的に皇帝への誓願デモを行なっていた群衆に軍隊が発砲して多くの死傷者が出たからであった。レーニンが死んだのは、この「血の日曜日事件」からほんの二〇年後であった。

4　「ブルジョワ階級」、「貴族階級」もしくは「クラーク（富農）階級」。

5　国家政治局。一九二二年以降、秘密警察はこのようによばれた（それ以前はチェーカー）。

6　一九二〇年代には毎年開かれていた党大会は、一九三九年から一九五二年にかけては一度も招集されなかった。

7　一九三〇年には八五回、一九三五年には二〇回、一九三七年には六回、一九三八年には三回、一九三九年には二回。

8　一九三七年七月三〇日付けの第〇〇四四七号命令。

〈参考文献〉

Oleg Khlevniouk, *Staline*, Belin, 2017.
Stephen Kotkin, *Stalin. Paradoxes of Power, 1878–1928*, Londres, Penguin Books, 2015.

Miklos Kun, *Stalin : an Unknown Portrait,* Budapest & New York, CEU Press, 2003.
Alter Litvin, John Keep, *Stalinism. Russian and Western Views at the Turn of the Millenium,* Londres & New York, Routledge, 2005.
Simon Sebag Montefiore, *Stalin : The Court of the Red Tsar,* London, Weidenfeld & Nicolson, 2003.（サイモン・セバーグ・モンテフィオーリ『スターリン――赤い皇帝と廷臣たち』（上・下）、染谷徹訳、白水社、二〇一〇年）
Alfred Rieber, « Stalin, Man of the Borderlands », *American Historical Review,* 106 (2001), p. 651 691.
Boris Souvarine, *Staline. Aperçu historique du bolchevisme,* 1935, rééd. 1992, Ivréa.
Robert Tucker, *Stalin as Revolutionary, 1879–1929,* New York & Londres, Norton, 1973.
__, *Stalin in Power : The Revolution from above, 1928–1941,* New York & Londres, Norton, 1990.
Adam Ulam, Staline. *L'homme et son temps,* Calmann Lévy/Gallimard, 1977, 2 vol.
Nicolas Werth, *Être communiste en URSS sous Staline,* Gallimard, coll. « Folio », 2017.
__, *La Terreur et le désarroi. Staline et son système,* Perrin, 2007.
__, *Le Cimetière de l'espérance. Essais sur l'histoire de l'URSS,* Perrin, 2019.

4 アドルフ・ヒトラー
ドイツのデーモン

エリック・ブランカ

一九五五年一〇月、モスクワ。くたびれたコートを着た二人のドイツ人が厳重な監視下でベルリン行きの列車に乗りこんだ。二人はソ連での一〇年間の捕虜生活（そのうち六年は強制収容所ですごした）を終えたばかりだった。一人目のオットー・ギュンシュはヒトラーに仕えた最後の副官であった。二人目のハインツ・リンゲはヒトラーの執事であった。赤軍に攻囲された総統官邸の中庭でヒトラーとエーファ・ブラウンの遺体を燃やしたのはこの二人だった。いまやギュンシュは四二歳、リンゲは三八歳であった。[1] しかし、二人とも六〇歳に見えた。ＮＫＶＤ（内務人民委員部、のちのＫＧＢ）は、二人をシベリアに送る前に、個別に昼夜をとわずに何日も何日も尋問した。幽閉された二人は生きのびるために、前者が五年間、後者が一〇年間、一日二十四時間仕えた男について知っていることをすべて話さざるをえなかった。記憶をたどって話す内容に少しでも矛盾があれば嘘をついたとみなされて死刑を宣告されるため、供述中は一瞬たりとも気をぬくことができず、精神的拷問にほかならなかった。スターリンが練ったこの尋問戦術の目的はただ一つ、いまは亡き敵の心理にかんする情報を間近《まぢか》にいた人間から取得することだった。こうした情報を独占するつもりだったスターリンは偏執的なまでに正確さにこだわり、ヒトラーの真実に可能なかぎりせまるために読書傾向や食べ物の好みをはじめとする私生活の詳細を掌握し、この人物のすべての側面をあぶり出そうとした。

一九四一年にドイツ国防軍をモスクワの近くまで送りこみ、翌年にはハーケンクロイツの旗をエルブルス山［カフカース］の頂上に立てたドイツの独裁者にソ連の独裁者が病的なまでに幻惑され、頭からふりはらうことができなかったことを物語るこの尋問は、ヒトラーにかんするもっとも風変わりな資料を残してくれた。一九四九年一二月二九日にスターリンに提出された「ヒトラー文書　四六二A」である。タイプされた四一三ページのこの資料に歴史研究者がアクセスできるようになったのはソ連共産党アーカイブが公開されるようになった一九九一年からであり、二〇〇六年にははじめてドイツで、翌年にはフランスで出版された。

怪物はいたってふつうの人間であった…

この文書があかす新事実とは？　国家社会主義にかんするこれまでの解釈の見直しを歴史研究者たちにせまるような新事実はひとつもない。しかし、国家社会主義の発明者であるヒトラーの人となりをあかしてくれるゆえに、一般人にとって興味深い資料だ。多くの人の命を奪った独裁者のランキングでスターリンとトップの座を分かちあうものの、二つのホロコースト――第二次世界大戦とユダヤ人殲滅――を同時にひき起こした責任が加算されるヒトラーは、その日常生活の多くの面においてふつうの人間であった。また、それまでいわれていたほどに、精神的にゆがんでいたわけでもなかった。すくなくとも、一九四三年にスターリングラードの戦いでドイツが敗れるまでは。この敗退によって、ヒトラーの心身は急速にむしばまれた。

尋常ならざる情報を収集できると思っていたスターリンは落胆したにちがいない。ナチ・ドイツの総統を滑稽な人物として描こうと腐心《ふしん》したアメリカのプロパガンダがばらまいたうわさとは正反対に、アドルフ・ヒトラーはヒステリーの発作を起こしてカーペットを食べたことはないし、セックス依存症でもなく、むしろ性的に淡泊であった。彼は女性たちを愛し、女性たちも彼を愛した。一九二九年に出会い、一九三四年以降は非公式の配偶者となったエーファ・ブラウンとの関係も、当惑させるほどありきたりのものだった。ヒトラーは独学者であったが、その全般的教養は驚くべきものであり、それまでいわれていたような無教養の塊《かたまり》ではなかった。菜食主義者で煙草を毛嫌いしていた（当時の医学界のコンセンサスに反して、煙草の発癌性を指摘する、という先見性があった！）が、かといって伝えられていたような絶対的禁酒主義者ではなかった。選挙運動の集会を次々とこなさねばならぬときは、一日に何リットルもビールを飲むこともあり、スターリングラードでのドイツ敗退以降は、食事の最中《さいちゅう》にコニャックを嗜《たしな》むようになった！　ワーグナーを崇拝していたが、イタリアオペラのファンであり（プッチーニの「トゥーランドット」の舞台装置を構想してデッサンした）、ロシア音楽のレコードを驚くほどたくさん蒐集していたし、ショパンを愛好し、ジャズも嫌いではなかった。身辺にいる者たち、とくに使用人たちは全員、ヒトラーが示す心づかいに感銘を受けていた。強制収容所でどのような残虐行為があったのかを知ったあとでも、彼らのヒトラーに対する忠誠心はゆるがなかった。そうした証言は何十もあるが、たとえば、ドキュメンタリー映画「Im toten Winkel — Hitlers Sekretärin（死角のなかで　ヒトラーの女性秘書）」の冒頭に登場するトラウデル・ユンゲ（ヒトラーの最後の個人秘書の一人）のインタビューは、ヒトラーに接した人々が催眠術にかかったかのようにいつまでも彼に惹かれていることを証《あか》している。

そもそも、もしヒトラーが、チャプリンが「独裁者」のなかで演じたような粗野で滑稽な人物だとしたら、八〇〇〇万人ものドイツ国民の支持を勝ちとったり、六年間も世界の民主主義大国の指導者たち（例外はウィンストン・チャーチル）を意のままにあやつったりすることができただろうか？　当然ながら答えは否であり、これこそが、ヒトラーという人物にまつわるもっとも「怪物的」な側面である（ハンナ・アーレントが「悪の凡庸さ」のなかで使った「怪物的」という表現を避けて通るわけにはゆかない）。残虐行為を犯す人間がわれわれに多くの問いをつきつけるのは、彼らがほかの人間と根本的に異なっていないからなのだ。

ヒトラーユーゲントの指導者であったバルドゥール・フォン・シーラッハは回想録のなかで次のように述べている。「ドイツの災厄は、ヒトラーがわれわれにおよぼした作用のみならず、われわれがヒトラーにおよぼした作用にも由来している。ヒトラーは外部からやってきたのではない。多くの人が考えるのとは異なり、彼はたった一人で権力を掌握した悪魔的な獣《けだもの》ではなかった。彼は、ドイツ国民が求めた人物、われわれが際限なく称えることで自分たちの運命を託した人物であった。ヒトラーのような人間は、ヒトラーのような人間を希求する国民のなかから登場するのだ」

自分の過去を悔やむバルドゥール・フォン・シーラッハは知らずのうちに、ヒトラーの人々を魅了する力にかんする心理学者ユングの分析と重なる考察にいたったようだ。フロイトの弟子であったが師と袂《たもと》を分かったユングによると、ヒトラーは、二つの世界大戦のあいだにドイツが直面した「乱調」の原因というよりも結果であり、ヒトラーの言説には、一九一八年の敗戦によって抑圧されたドイツ民族の集合的無意識に特有の元型［普遍的イメージ。無意識における力動の作用点を意味する、ユング心理学の用語。］の一部の意識化、発散を可能とする、心理的かつ政治的なカタルシス効果があった。ユングが著作『ヴォータン』（一九三六年）のなかで述べているところによると、こうした元型の一つが、ゲルマン神話のヴォータン、すなわち「情念と闘いへの渇きを解き放つ嵐と熱狂の神、（…）あらゆるオカルト的秘密に通じているイリュージョニスト」の元型である。ギリシアのディオニュソス神の北方バージョンであるヴォータンは「ドイツ人の精神構造の基本的属性、文明の大きな圧力にサイクロンのように作用する非合理的なファクター」である。一九三八年、アメリカのジャーナリスト、ヒューバート・ニッカーボッカーに「ヒトラー現象」について、意見を求められたユングは精神分析医として次のように述べている。「彼は、ドイツ人の心が発するかすかなつぶやきの音量を上げる拡声器だ（…）。ヒトラーの力の秘密は、無意識にアクセスするなみはずれた能力だ。われわれのようなふつうの人間の場合、夢をとおして無意識に捕《つか》まってしまうことがあっても、合理的な考え方や理性が邪魔をするので、無意識のよびかけに従うことはないが、ヒトラーは無意識のよびかけに耳を傾けて従う。真のリーダーはつねに［無意識に］支配されている…。これがリーダーの力の源泉だ。ドイツ国民ぬきのヒトラーは無力だ」

ハプスブルクを憎んでいたオーストリア人

ヒトラーは、浮浪者同様の暮らしを体験した母国オーストリアを一度も愛したことがなかった。彼がはじめてくだした重要な決断の背景にあったのはおそらく、この祖国拒絶の感情だったのだろう。すなわち、ヒトラーは一九一四年八月に、ハプスブルクの軍ではなく、一八七一年にヴィルヘルム一世が建国した第二帝国（ドイツ帝国）の一部であるバイエルン王国軍に志願した。

二〇年もしないうちに第三帝国の建国者になるとはだれも想像していなかった無名の新兵ヒトラーは二五歳を迎えたばかりであり、二つのトラウマから立ちなおっていなかった。一九〇七年一〇月のウィーン美術アカデミー入学失敗と、同年一二月二一日の母クララの死（死因は乳癌、享年四七歳）である。税関職員として勤め上げてちょっとした地主となった夫、アロイス・ヒトラーが一九〇三年に亡くなって寡婦となったクララは、夫とのあいだにアドルフのほかに五人の子をもうけていた。アドルフ以外の息子の名前はグスタフ、オットー、エドムント、娘の名前はイーダとパウラである。アドルフと、一八九六年生まれのパウラ以外の子どもたちは幼年期に亡くなった。アロイスは、ヒトラーの母と結婚する前にすでに二回も結婚していたので、アドルフとパウラは異母兄と異母姉とともに育てられた。異母姉のアンゲラはアロイスの二番目の妻が産んだ子であり、異母兄のアロイス・ジュニアはアロイスが最初の妻と結婚しているあいだにのちに二番目の妻となる女性とのあいだにもうけた婚外児であった…

母親が違う兄弟姉妹からなる子どもたちは全員、暴力的で大酒飲みの父アロイスを嫌い、クララを慕った。そしてアドルフはクララのいちばんのお気に入りだった。父親は定年退職後に農業経営にのりだしたが、土地を売っては手放すをくりかえしたため、アドルフはおちついた少年時代を送ることができなかった。アドルフは一八八九年にブラウナウ・アム・インで生まれたが、一家は一八九四年にバイエルンのパッサウ市に移り住み、その一年後にオーストリアにまいもどってフィッシュルハムに農場を買い求め、一八九七年にはランバッハに別の農場を購入し、最終的に、オーバーエスターライヒ州都リンツから四キロの距離にあるドナウ川沿いの町、レオンディングにおちついた。一九〇〇年、一一歳であったアドルフはここから中学に通うことになった。それまでアドルフは優秀なほうの生徒であったが、中学で成績は急降下した。劣等生アドルフは、父親が敷いたレールに乗ること、すなわち公務員になることを断固として拒否して反抗した。少年は芸術家になることを夢見ていた。彼はその後も夢をあきらめることなく、第二次世界大戦の終盤にいたっても親しい者たちに、戦争に勝ったら自分はフィレンツェに引退して――ヒトラーは欧州のすべての都市のうち、フィレンツェに最高の価値を認めていた――、建築事務所を開設する、と語っていた！

アロイスが亡くなると、母クララのはからいでアドルフはリンツで下宿生活を送ることになった。アドルフがリンツで暮らしたのは一九〇三年の春から一九〇四年の夏までの一年のみであり、一五歳のときであった。これは、彼の生き方を根本から変えた一二か月であった。歴史教師のレオポルト・ペーチュをとおして汎ゲルマン主義［ドイツ民族の優越と膨張を主張する思想］のイデオロギーにはじめてふれたからである。

ペーチュはアドルフ少年の心に、ハプスブルク帝国に対する憎しみとホーエンツォレルン王家に対する崇敬の念を植えつけた。ペーチュは、ハプスブルク帝国は多文化主義であってスラヴ民族をはじめとする非ゲルマン民族にすべての権限をあたえていると非難し、ホーエンツォレルン王家こそが、ホーエンシュタウフェン朝が再興した栄光あるカロリング朝の唯一の正統的後継者である、と主張していた。しかし、またも転機が訪れた。一九〇四年の新学期から、クララ・ヒトラーは、アビトゥーア［高校卒業資格試験］準備のために、息子をリンツから四〇キロのシュタイアー市に送りこんだのだ。しかし、アドルフは試験準備に励むどころか、一六歳で教育システムから完全にドロップアウトしてしまう。以降、ほとんどの時間を、絵を描くことやピアノの練習についやすようになる（クララがリンツに買い求めた三部屋の小さなアパートには、中型グランドピアノが誇らしげに鎮座していた）。これだけ失敗が続くと息子が学業で成功することはさすがに望めなくなったクララは、アドルフの夢に感染し、彼は一家が自慢できる芸術家になる、と信じこむようになった。この子の夢をかなえるためならなんでもする、と考えた母親は一九〇五年、美術館やオペラ座を訪れて一夏をすごすように、とアドルフをウィーンに送り出した。一九〇六年、ウィーン美術アカデミーの入試を受ける、とアドルフは決意を固めた。だが、受験準備に精を出すわけでもなく、一九〇七年の入試では「成績不十分」で落とされてしまった。この年の初めから病みついていたクララは、アドルフの入試失敗を知らぬまま亡くなることになる。不本意な結果に深く傷ついた本人が打ち明けなかったからだ。クリスマスの数日前にクララが不帰《ふき》の人となると、アドルフはリンツを去って首都ウィーンに移り住み、再度美術アカデミーに挑むことにした。

だがまたしても失敗、またしてもウィーンを憎む理由が増えた。コスモポリタニズムに感染しているウィーン、ロマン主義の影響も感じられる古典主義的でおおげさなヒトラーの画風よりも、胎動しはじめた抽象画に価値を認めるウィーンは許せない。ユダヤ人に対する反感は、このころのウィーンで大量に出まわっていた反ユダヤ主義の文献を栄養として、ヒトラーの心のなかで急速にふくらんだ。放浪の七年間がこうしてはじまった。はじめは働くこともせず、小綺麗《こぎれい》な格好のダンディーもどきで多くはない母親の遺産をくいつぶしていたが、最後には浮浪者もどきとなり、自分の絵を売り歩き、ウィーン駅でポーターとして働いたあとは貧民収容施設で夜をすごすようになった。

一九一三年、幸運の女神がわずかにほほえんでくれた。父の遺産の一部が転がりこんだおかげで、ヒトラーはミュンヘンで美術学校入試を準備することにした。だが、受験することはかなわなかった。一九一四年八月二日、ドイツはフランスと交戦状態に入り、ハプスブルク帝国に仕えたくないがために自分は無国籍者であるとよそおったヒトラーは、バイエルン軍第二歩兵隊に志願兵としてくわわった。一〇月二八日、イーペル（ベルギー）で戦争の現実をはじめて知ることになる。三日後、三六〇〇人を数えた彼の部隊で、戦闘可能な兵士は六〇〇人だけだった。戦火に身をさらしたが無傷だったヒトラーは、ゲフライター［上等兵］[2]に昇進し、次いで二級鉄十字章を受勲した。一九一八年には一級鉄十字章を受けとる。無傷だったわけではなく、一九一六年には負傷して入院し、休戦の直前にはイペリットガスで重篤な中毒症状を体験している。休戦のニュースがとどいたころ、ヒトラーは中毒で一時失った視力をとりもどしはじめたばかりだった。「一一月の裏切り［ドイツにとって過酷な無条件降伏の休戦協定］」を知ったとき、彼はまたも視力を失ってから、ふたたび見えるようになった。この日を境《さかい》に、彼のプシケ（精神）はロゴス（言葉）をコントロールできるようになったのだろうか？　一五年後、ニューヨークタイムズに掲載されたインタビューのなかで、ヒトラーはアメリカの

アドルフ・ヒトラー（1889-1945）、1933年にニュルンベルクで開催された国家社会主義ドイツ労働者党の第５回大会にて。
© FineArtImages/Leemage

ジャーナリスト、アン・マコーミックを相手に次のように語っている。「もはやなにも見えなくなっていた。だが、突然、見えるようになった。この視力回復は、わたしのインスピレーションでもあった」

デーモンの目覚め

なにかの変容が起こったことはまちがいない。ドイツ国民にとって不幸なことだが、ヒトラーはヴォータンになった。戦闘のあいまに写生用の手帳をポケットに入れてベルギーやフランスの田舎に一人で出かけていた無口な戦士が、他人との接触を積極的に求め、民族主義的な主張がこもった熱っぽい演説をぶち、賛同を求めるようになった。ポンメルンのパーゼバルクの陸軍病院に入院していた当時に彼が行なったアジ演説は一種の余興として喜ばれ、その激烈な内容におそれおののかない者たちを虜《とりこ》にする力をすでに発揮していた。退院するときは、帰郷できることを喜んでいた大多数の兵士たちとは反対に、軍隊に残ると固く決意した。

ヒトラーのうちに芽生えつつあった狂信的な思いが、もう一つの狂信的な思いと邂逅《かいこう》した。旧ドイツ帝国陸軍[3]の士官たちの思いである。彼らは、前年のロシア革命のときに起こったように、ボリシェヴィキが軍をのっとるのではとおそれていた。ヴァイマル共和国軍の討伐を受けてあっというまに消滅するものの、バイエルン・レーテ［ソヴィエト共和国］が誕生したことで、このおそれはさらに高まった。バイエルンにおける国軍情報任務の責任者でヒトラーの上司でもあったカール・マイヤー大尉は、「反国家的策動」を監視する情報提供員としてヒトラーを使うことを決めた。発足したばかりのヴァイマル共和国軍（Reichswehr）に「スパイ」として潜入し、よき兵士とボリシェヴィキ思想に染まった悪しき兵士を分別するのが使命であった。

ヒトラーに人なみはずれた演説の才能があることに気づいたマイヤーは、彼に期待をよせ、ミュンヘン大学で経済と政治史の授業を受けるように命じた。受講を終えるころ、ヒトラーはゴットフリート・フェーダー教授に心酔していた（フェーダーは一九三三年にナチ・ドイツ公認の経済学者の一人となる）。教授は、資本主義社会は、「世界の金融をコントロール」して暴利をむさぼることで各国の生産者を奴隷状態においているユダヤ人たちを排除すべきだ、と説いていた。

ヒトラーは『わが闘争』のなかで次のように記している。「資本の権益が生み出す隷属について語るゴットフリート・フェーダーの講義をはじめて聴いたとき、これはドイツ国民の将来にとって決定的な真実である、とわたしはただちに理解した。証券取引の資本と国内経済をきっぱりと切り離すことは、ドイツ経済国際化との戦いがはじまる可能性を秘めているが、あらゆる形の資本に一貫して戦いを挑むことによって国の経済の基盤が脅かされることはない」

フェーダー教授との出会いを「国家社会主義」の公式誕生日とすべきであろうか？　汎ゲルマン主義、反ユダヤ主義、反国際資本主義。この三つがヒトラーの頭のなかで一体化した。彼は一九一九年九月一六日、ユダヤ人についての意見を求めた連隊仲間のアドルフ・ゲムリッヒに「（ユダヤ人は）諸民族の結核《けっかく》」である、と書き送っている。ヒトラーに言わせると、ユダヤ人に対しては、「直観的な反ユダヤ主義」と「理論にもとづいた反ユダヤ主義」という二つの手法で戦うのが適切である。「直観的反ユダヤ主義は最終的に民衆によるユダヤ人迫害という形をとるだろう。その一方、理論にもとづいた反ユダヤ主義は、法律上の体系的な戦いと、ユダヤ人の特権廃止に帰着すべきである。ただし、いずれの場合も最終目標は、ユダヤ人追放であるべきだ」

以上のユダヤ人排斥の理屈に、ヒトラーはもう一つの理由をつけくわえている。すなわち、ユダヤ人は社会の不公正を悪化させることでボリシェヴィズムがはびこる土壌を用意している、というものだ。これで、二〇世紀のもっとも完璧な全体主義国家に必要な原理はほぼそろった。欠けているのはただ一つ、この体制を固めるセメントの役割を果たすことになる指導者原理（Führerprinzip）のみだ。この原理は一年もしないうちに高らかに打ち出される。ヒトラーがマイヤー大尉の膝下《しっか》を離れ、独自の党を設立するのにともなって。

驚くべきスピードでの台頭

一九一九年、マイヤー大尉はヒトラーに対して、軍のコントロールがおよばない過激な国粋主義の小党DAP（ドイツ労働者党）への潜入を命じた。同党のリーダー、アントン・ドレクスラーはヒトラーのそれと近い主張をくりひろげていたが、あきらかにカリスマ性を欠いていた。致命的だったのは、ドレクスラーには戦場経験がなかったことだ。そのため、ヴェルサイユ条約の屈辱を晴らしたいと息巻く旧戦闘員たちに訴える力がなかった。新規加入したヒトラーの才能に魅せられたドレクスラーは、ヒトラーをDAPの幹部に抜擢した。一九二〇年二月、ヒトラーの影響下でDAPは改名してNSDAP（国家社会主義ドイツ労働者党）となった。やがてヒトラーはその比類なき弁才によって同党を掌握するにいたり、一九二一年四月にドレクスラーを追いやり、NSDAPのFührer（総統、指導者）となった。新たな陣容が整うやいなや、NSDAPは総統の絶対的崇拝を党是とした。はじめのころは何百人という単位だったが、やがて何千人もの単位でバイエルンの人々がNSDAPの集会に駆けつけるようになった。またたくまにブルジョワ階級も聴衆としてくわわるようになると、党の資金も潤沢となった。この成功の陰には二人の人物がいた。一人は、党の新聞「フェルキッシャー・ベオバハター（民族の観察者）」の印刷手段を提供し、やがて、英米で大きな影響力をもつジャーナリストたちとヒトラーの仲介役をつとめることになるエルンスト・ハンフシュテングル（母親はアメリカ人で、本人もハーヴァード大学卒）。もう一人は、第一次世界大戦ではリヒトホーフェン大隊の指揮をまかされたエースパイロットで、重工業界の複数の重鎮と親戚関係にあったヘルマン・ゲーリングである。

自分の力に自信をいだいたヒトラーは一九二三年一一月八日、成功を信じて一揆を起こした。バイエルン州政府の転覆《てんぷく》のみをターゲットにしていたが、ここで成功すればベルリンへの道が開けると確信していた。手本は、一三か月前にムッソリーニを政権の座につかせたローマ進軍だ。ヒトラーが勝てると思った第一の要因は、一九一四年から一九一八年にかけて参謀本部次長をつとめたエーリヒ・ルーデンドルフを味方にしたことだ。ルーデンドルフは、かつての部下で、いまやヴァイマル共和国軍の陸軍総司令官であるフォン・ゼークトから、軍は出動しない、との約束をとりつけていた。誤算は、ミュンヘン警察が政府にあくまで忠実であったことだった。一一月九日、警察はオデオン広場で一揆参加者たちに対して一斉射撃を行なった。一六名が死亡し、ヒトラーやルーデンドルフをふくむ何百人もが逮捕される一方で、ゲーリングは重傷を負ったが逃げおおせた。裁判を通じて全ドイツのみならず、欧州の他国でもはじめて知名度を獲得したヒトラーは一九二四年四月一日に禁錮五年の判決を受けたが、実際の服役期間は一三か月間だけとなる。ヒトラーはランツベルク要塞刑務所で例外的な厚遇を受けながら、秘書のルドルフ・ヘスの助けを借りて『わが闘争』を執筆した。同時に、力ずくの権力奪取は二度と試みない、と決意した。この決意から、「(ヒトラーは、)合法性は不可侵の障壁であることを認めるのにやぶさかではなかった」という誤った解釈を引き出してはならない、「彼は合法性の陰で非合法を展開しようと決意したのだ」と述べているのは、すぐれたヒトラー伝の著者の一人であるヨアヒム・フェストである。

一九二九年にはじまった世界恐慌によって不可避となった、その後のヒトラーの権力掌握までの道のりは皆が知っているとおりだ。ドイツに繁栄が戻ってきた時期に一時的に退潮を経験[4]したのち、N

SDAPはロードローラーのごとく、敵対勢力を押しつぶしながらつき進んだ。一九三〇年九月の国会選挙での得票率は一八・三パーセントに達し、一〇七名の議員を国会に送りこむことができた。これでNSDAPは、得票率二四・五パーセントのSPD（ドイツ社会民主党）に次ぐ第二党となった。第三党は共産党（一三パーセント）であった。

一九三一年、失業者数は五〇〇万人に達し、ドイツは一九二三年と同様に、ヴェルサイユ条約によって押しつけられた賠償金の支払い不能におちいった。ドイツ世論はこれで、ヒトラーに政権を託すという大転換を受け入れる気になっただろうか？　そこまではまだふみきれていなかった。ドイツ国籍を取得したばかりのヒトラーは、いまや党員四〇万人を擁《よう》するNSDAPの指導者として、一九三二年三月の大統領選挙に出馬した。迎え撃ったのは、一九二五年に選出されて以来、大統領の座にあるパウル・フォン・ヒンデンブルク元帥（八四歳）であった。決選投票でヒトラーは一三四〇万票（三六・八パーセント）を得た。当選したのはヒンデンブルクであったが、連立政権を組むことができなかったために国会を解散した。七月三一日の選挙で、NSDAPは得票率三七・二パーセントで二三〇の議席を獲得、ドイツの第一党となったが、過半数を制覇することはできなかった。ヒトラーは、自分が首相に指名されぬかぎり連立政権に参加することはできない、との姿勢を示した。連立政権を組むことができないために、ヒンデンブルク大統領はまたも国会を解散した。一一月六日の選挙でNSDAPは前回と比べて得票数を二〇〇万も減らしたが、国会における第一党の地位は守った。一九三二年一二月三日、ヒンデンブルクはクルト・フォン・シュライヒャー将軍に組閣を託した。しかし、このシュライヒャー内閣も、それまでの内閣と同様につぶれた。二進《にっち》も三進《さっち》もゆかぬ現状から抜け出すためにシュライヒャーが全権を求めたが、ヒンデンブルク大統領が拒否したからだ。一九三三年一月二八日、シュライヒャーは辞表を提出した。一月三〇日、ヒトラーは四三歳にして首相となった。その日の夜、突撃隊（ＳＡ）は松明《たいまつ》をかかげて首相府の前で行進した。第三帝国の誕生であった。ヒトラー新首相は人目もはばからず、友人のゲーリングに「だれが何をしようと、われわれはここから出てゆかない。死なないかぎり！」と述べた。この約束は守られる。

全体主義国家を築くまでの一年

アドルフ・ヒトラーはただちに、ＮＳＤＡＰの綱領「二五項目[5]」の最後の項目にふくまれる約束、「強力な中央政権の構築」の実現にとりかかった。一〇年以上も前から自身で輪郭を描いていた全体主義国家を築くため、ヒトラーはヒンデンブルク追い落としのために悪魔的な罠《わな》を張った。この罠には、高齢のために判断力が低下しているのが明白だったヒンデンブルクのみならず、共産党の勢力を殺《そ》ぐためだけにヒトラーの首相就任に賛成した保守派もひっかかった。彼らは、用ずみになればヒトラーをお払い箱にして、また画業でもめざしてもらえばよい、と思っていたのだが…。新首相の頭にあった計算は、またもや解散にもってゆき、新たに選挙を行なう、というシンプルなものだった。ただし、これが最後の選挙になるように、ある事件を仕こむことにした。

一九三三年二月二日、ヒトラーの首相就任から四八時間後にヒンデンブルクは国会解散の法令に署名し、三月五日に新たな選挙を行なうことを決めた。しかし、選挙戦たけなわの二月、二七日から二八日にかけての夜に、ベルリンの空は朱《あけ》に染まった。国会議事堂の火事だ！　早朝、議事堂は焼け落ちた。犯人とされたのは、共産主義者たちだった。火事現場で逮捕されたオランダ人の共産党員、ファン・デア・ルッベがあっけなく放火を自白した。ただし、ルッベはほかに三か所も出火場所があったことは知らなかった…[6]

まさにその日の夜、罠が閉じられた。公的秩序回復のため必要なあらゆる措置をとることを国家元首に認めるヴァイマル憲法第四八条にもとづき、ヒトラーはReichstagsbrandverordnung（文字どおりに訳せば、「国会議事堂火災法令」）を提案して、大統領に署名させた。「必要なあらゆる措置」のうちには、ドイツ市民の基本的権利を保証している憲法の七つの条項の停止がふくまれていた。その結果、ハベアス・コルプス（人身保護）、表現の自由、出版の自由だけでなく、結社や集会の自由、さらには通信の秘密、私有地や私宅の保護も事実上、消滅した。同法令が発布されたその日だけで、一万人が逮捕された。いちばん多かったのは共産党員であったが、社会民主党員やあらゆる傾向の反対勢力もふくまれていた。彼らを収容するために、三月二二日にミュンヘン郊外のダッハウに強制収容所第一号がオープンした。暫定的ということになっていたReichstagsbrandverordnungは結局、一九四五年まで適用される。

ヒトラーは選挙結果を待つまでもなく、ヴァイマル共和国の三色旗（黒、赤、金）を、一九二〇年からNSDAPのエンブレムであるハーケンクロイツ（鉤十字）党旗に置き換えることをヒンデンブルクに求め、要求を通した。[7]三月五日の選挙で、NSDAPは二八八議席（得票率四四パーセント）を獲得し、同盟を組んだ右派や中道派とともに過半数を制した…だが、全権を掌握して共和制を廃止するのに必要な全議席の三分の二にはおよばなかった。足りない分を確保するには、脅しが有効だった。議事党が消失したために先の選挙で当選した議員たちが国会審議のために集まったクロルオーパー「歌劇場を中心とする総合施設であった」を褐色シャツ隊（ＳＡ、突撃隊）がとり囲むと、議員たちは身を引いて服従した。一九三三年三月二三日、賛成四四一票、反対八四票（共産党）、棄権一二二で採択されたGesetz zur Behebung der Not von Volk und Reich（民族および国家の脅威を除去するための法律、通称「全権委任法」）により、アドルフ・ヒトラーは無制限の立法権を取得した。その後に三度（一九三七年、一九四一年、一九四三年）更新されるこの法律はヒトラーへの絶対的白紙委任状であり、議会は法律登録機関に格下げされた。

ヴァイマル憲法は廃止され、ヒトラーが望むGleichschaltung（強制的同質化）に法律にのっとって反対できるカウンターパワーはもはや存在しなかった。理論的には、ヒンデンブルク大統領には待ったをかける権限があったが、高齢の大統領の健康は日に日に悪化していた…。三月三一日、ドイツの連邦制度は消滅して、きわめて中央集権的な再編成が行なわれ、全権委任法の原則が州レベルにも適用されて州議会の解散権や州法の立法権が国に移った。そして四月七日に発布された「官吏職整備」法令により国は、ユダヤ人や体制に批判的とみなされる人物を公職から追放できるようになった。そして一九三三年五月二日、労働組合は、解散もしくはドイツ労働戦線（ＤＡＦ）への加入の二者択一をせまられた。ＤＡＦは労働組合と経営者団体を統合する組織であり、ヒトラーを支援した産業界の大立者たちは歯噛《はが》みした。

その弁舌の才能ゆえにヒトラーに評価され、アルコール依存症と汚職に走りがちな傾向には目をつぶってもらっていた化学技術者、ロベルト・ライを指導者とするＤＡＦは、国家社会主義独裁による社会統制において中心的役割を果たした。なかでも、「階級闘争の原因の排除」によって社会の進歩を担保することをめざすVolksgemeinschaft（民族共同体）理念の実践に努めたのが、ＤＡＦの下部組織、Kraft durch Freude（歓喜力行団《かんきりっこうだん》、ＫｄＦ）であった。これは国民の余暇を組織する機関であり、特等も一等もなく、すべての客室が平等なクルーズ客船を複数運航させ、数多くの海浜保養施設を建設させ（バルト海のリューゲン島に建てられた、プローラの巨大な総合施設もその一例である）、何百万人ものドイツ人が無料で旅行やさまざまなスポーツ（それまではエリート階級しか楽しむことがなかった乗馬やグライダーもふくまれる）を楽しむことを可能とした。むろんのこと、いずれも、労働者に国家社会主義をたたきこむ教化と一体化した余暇であった。約束を果たせずに終わった事業もある。一九三六年からほぼ強制的に積立金を徴収して、納車を約束していたフォルクスワーゲン（国民車）、またの名ＫｄＦワーゲンは、戦争がはじまると軍用車両に転用され、積立金を支払った人の九割は大損をした…

以上に並行して弾圧手段も、ゲシュタポ（はじめはゲーリングの指揮下で発足したプロイセン州秘密警察であったが、一九三六年にハインリヒ・ヒムラーが実権をにぎって活動範囲を全ドイツに拡げる）の創設と強制収容所のあいつぐ開設で合理化された。一九三三年七月一四日、ＮＳＤＡＰがドイツ唯一の公認政党となり、やがて既存のすべての青少年団体がヒトラーユーゲントに、ヴァイマル共和国時代に生まれたすべての準軍事組織がＳＳ（親衛隊）やＳＡ（突撃隊）に吸収されると、国民を監視する仕組みが完成した。

一九二五年にたんなる総統警護組織として誕生し、一九二九年にヒムラーが指導者に就任したＳＳ

（親衛隊）は、短期間のうちにドイツ国家のなかの一つの国家となり、固有の警察や情報の組織をそなえるようになり、一九三九年にはエリート武装部隊（Waffen-SS、武装親衛隊）も擁するにいたった。武装親衛隊は戦場もふくめてあらゆる方面の第一線で活躍し、ドイツ国民のイデオロギー教化や、一九三五年のニュルンベルク法[8]にもとづいてヒトラーがおしすすめる人種政策の実施において、本来の主役のお株を奪った。他方、ＳＡ（突撃隊）は、政権掌握前のヒトラーにとって、共産党活動家たちとの街頭でのぶつかりあいで負けないために不可欠の存在であり、一九三三年には二〇万人の隊員をかかえていた。だが、その役割は一九三四年六月三〇日の「長いナイフの夜」を境に急速に衰退した。ヒトラーはこの日、政権を転覆する陰謀を練っているとの疑いでＳＡの幹部多数を粛清した。そのなかには、ヒトラーの古くからの同志で、ＳＡ指導者であったエルンスト・レームもふくまれていた。

現実は、もう少し複雑であったと思われる。「永久革命」の信奉者であったレームは以前より党の「ブルジョワ化」に用心するよう、ヒトラーに警告を発していた。さらに、庶民階級出身のＳＡ隊員たち――元共産党員が多かった――のあいだでレームの人望が厚いことが、国軍の不安をかきたてはじめていた。新体制が生きのびるために、ヒトラーは国軍の支持を必要としていた…。しかし、この邪魔者レームを始末しようというヒトラーの決断を、国内外における自分の評判を守ろうとする意向の反映とだけとらえるのはまちがいだ「ＳＡ隊員は街頭で暴力的活動をくりかえして起こして評判が悪いうえ、ブルジョワ的秩序を軽蔑するレームは宗教を攻撃し、同性愛を公言していた」。ヒトラーはレームを殺すことで、レームが当初から批判していたヒムラーや生物学的人種差別論者たちの側についたのである［ヒムラーはゲルマン人種の純粋培養の必要性を説いていた］。その後にナチによる人種差別がいかに過激になってどのような結果を生んだかはだれしも知るところだが、その一つの転機がこの「長いナイフの夜」であったことは当時、まったく注目されなかった。この「夜」のもう一つの、引けをとらぬほどに重大な側面も無視された。それは、前首相シュライヒャーとカトリック勢力の指導者複数がやはり殺されて、ドイツの保守が骨ぬきにされた、という事実である。だが、ヒトラーが自陣に残っていた左派［エルンスト・レームなど］を粛清したことに大満足した財界人たちは、保守勢力の犠牲は損益計算書上のディテールにすぎないと受けとめた。

指導者原理（Führerprinzip）の陰で

ヒトラーの独裁が完遂するには、些事《さじ》であるが欠けているものが一点あった。ヒンデンブルク大統領の退場だ。一九三四年八月二日に高齢のヒンデンブルクは死去し、この問題が解決すると、その日のうちに国会は大統領の職務と首相の職務を合体させる法律を採択した。八月一九日に実施された国民投票で八九・九パーセントの賛同を得て、ヒトラーの正式肩書きが「総統兼首相（Führer und Reichskanzler）」となることが決まり、彼の絶対的権力が明示された。だが、ヒトラーはこれだけでは満足しなかった。自身が指揮権を行使する国軍の将校、兵士の一人一人に、祖国のみならず彼個人にも忠誠を誓うことを求めた。「神よ、ご照覧あれ。わたしは、どのような場合もライヒとドイツ民族の総統にして国防軍最高司令官であるアドルフ・ヒトラーに従うことを厳粛に誓います。果敢な兵士として、わたしにはいつどのようなときにも、この誓いを遵守するために命を捧げる用意があります」

旧ドイツ帝国のスローガン「一つの民、一つのライヒ［帝国］、一つの神」は「一つの民、一つのライヒ、一人の総統」に置き換えられた。体制構築の軸である指導者原理（Führerprinzip）は、ヒトラーの意思の代行者たちを通じて体制の構成要素すべてに適用され、その結果として社会全体が、イアン・カーショーがよぶところの「カリスマ的共同体」となった。これは、カリスマを頂点とするピラミッド構造というよりは、カリスマを中心とする衛星体系として組織された共同体であった。星座の中央を占めるヒトラーは、最側近から末端までの各衛星がそこそこの自律性をもって機能することを許した。ただし、自分の権威拡散に貢献することが条件であり、これが守られないと厳しく罰した。陸軍総司令官であったフォン・フリッチュ大将と、戦争大臣であったフォン・ブロンベルク陸軍元帥は、このことを一九三八年に身をもって体験する。戦闘をともなわない征服の時期は終わり、本物の戦争がまもなくはじまる、とヒトラーが告げたときに、二人は熱狂的に賛同せずにおよび腰であったために総統の逆鱗《げきりん》にふれて失脚した。[9] 国家崇拝そのものであったイタリアのファシズム（マルセル・プレロ）が、縦型階層制に対する例外をいっさい認めなかった――イタリアには一人のドゥーチェしかおらず、スペインには一人のカウディーリョ［フランコ］しかいない――のに対して、ヒトラー主義は恐怖政治（その容赦ない暴力性は、ムッソリーニ体制の粗暴さやフランコ体制の残酷さをはるかに超えるものである）と、ヒトラー信仰に仕える者たちの自己規律に対する信頼（限界はあったものの、うそいつわりない信頼であった）を共存させていた。ヒトラーのドイツでは、ソ連と同様に唯一の党がすべてを統制していたが、ナチの巧妙な点は禁止事項をすみずみまでいきわたらせなかったことである。ヨーゼフ・ゲッベルスに託した巨大なプロパガンダ機構の有効性を信頼することができたヒトラーは、たとえば、比較的安価なアグファ社のカラーフィルム「アグファカラー」や八ミリカメラを使ってアマチュアが手がける写真や動画を奨励した。体制宣伝の道具になる、と考えたからだ。今日でも、ヒトラーのこのもくろみの成果は残されている。すなわち、戦争を生きのびた第三帝国時代の個人コレクションをもとに、何百ものドキュメンタリーが編集されている。ソ連市民が撮影した日常生活のシーンをとおしてソ連史をふりかえることは可能だろうか？　不可能だ。ソ連では街中を撮影することは厳禁であったし、そもそも、撮影するための機器はソ連市民にとって高嶺《たかね》の花であった。

セミプロ仕様の一六ミリカメラ[10]をもっていたエーファ・ブラウンも、映画や写真に対するヒトラーの情熱に感染した一人であり、愛人であるヒトラーの私生活を全長数キロメートルになる映画フィルムにおさめた。ただし、総統の日常はあくまで秘密であるべきだった。

本人がくりかえし述べ、プロパガンダが暗示していたように「ドイツと結婚していた」ヒトラーは、自身の時間のすべてをドイツに捧げ、「余暇」という言葉さえ知らない、とみなされていた。「総統は国民のために休暇制度を設けたが、ご自身は休暇と無縁である」との文言は、体制の福利厚生面での成果を称えるニュース映画にくりかえし挿入された。こうしたニュース映画の観客たちは、じつのところ、総統はもてる時間の大半をのんびりとすごしていると知ったら、どう思っただろうか？選挙運動では疲れを知らないと思われた――ドイツ各地を飛びまわり、一日に五回の大集会を開催することもあった[11]――ヒトラーは、一九三三年以降は「怠慢な独裁者」（イアン・カーショー）となり、公的な行事（一九三八年まで毎年九月の第二週にニュルンベルクで開かれた党大会のような、ヒトラーが愛好する大規模集会は例外）を避けるようになった。

ヒトラーは自分の楽しみのために本を読むのが好きな乱読家であったが、書面による報告に目をとおすのは好きではなかった。自分が望むときに、自分が望む場所に——日時や場所の選択は彼個人の都合だけで決めた——側近たちを集めて会合を開いた（ただし、大臣をよぶことはまれだった）。クロード・ケテルが描くヒトラーの一日を読むと、ヒトラーは一九一〇年代から身についていたボヘミアン的習慣をすてさって公的生活に専念したのではなく、ボヘミアン的習慣にあわせて公的生活を送っていたことがわかる。第二次世界大戦の重大な転換点の数々においてさえも、真夜中に将軍たちをよび集めるのは迅速に事態に対処するためではなく、彼の一日が午《ひる》にはじまるからだった。明け方から活動をはじめる大半の国家指導者たちの生活リズムとは無縁であった。朝食は一一時半、昼食は一五時、お茶は一八時であり、夕食が二二時前にはじまることはまれだった。その後も映画鑑賞や、一人で際限なくしゃべりつづけるヒトラーにつきあうと夜中の二時や三時になってしまう。ヒトラーの陰で暮らす、もしくは働く人はだれであれ、通常の時間から出て、まったく異なる時間の世界に入ることになった。次に伝えるエピソード一つで、それがどのような世界であったか理解できよう。一九四四年六月六日、ドイツ国防軍参謀本部は朝の五時半に連合軍のノルマンディ上陸確認の知らせを受けとったが、ヒトラーは一時間前に就寝したところだった…　そこで、一〇時に総統を起こすことを決めた。それも、カイテル元帥が起こさねばならぬ、と強く主張したからであった！

当時のヒトラーは、一九四四年七月初旬にベルクホーフ山荘のテラスでエーファ・ブラウンが撮影した最後の動画で明らかなように、見る影もないほどやつれていた。まだ五五歳であったが、背中は丸まり、口髭は白く、太陽をまぶしがり、パーキンソン病の初期症状を思わせる手の震えと緩慢《かんまん》な足どりを誤魔化すのに苦労している老人だ。一九四四年七月二〇日の暗殺未遂以来、あらゆる歯車の回転速度が増した。この事件でヒトラーは軽傷を負ったのみだったが、重篤な鬱状態におちいった。この症状の「治療」に使われたのは、侍医のモレル博士が処方したアンフェタミンだけであった。ヒムラーは、だれしもが藪医者《やぶいしゃ》だと知っていたモレルがヒトラー毒殺をたくらんでいるのではと疑ったが、ヒムラーでさえもモレルを遠ざけることはできなかった。ヒトラーがアンフェタミン中毒になって、モレルをもはや手放すことができなくなっていたからだ。

「複数指導体制」の独裁？

高揚した活動亢進期と、無気力で真剣味に欠ける政務の長い期間が交互に訪れるヒトラーの人格は、周囲の人間を驚かせた。同様に、ヒトラーが構築した国家組織の、全体主義的であると同時にアナーキーな構造（歴史研究者のマルティン・ブロシャートは「複数指導体制」とさえよんでいる）は歴史研究者たちに困惑をあたえる。これこそが、「機能派」と「意図派」のあいだの（おそらくは永遠に決着がつかぬ）論争が生まれる要因である。ブロシャートやハンス・モムゼン（ドイツの古代ローマ研究者として高名なテオドール・モムゼンの孫）に代表される「機能派」は、状況的因子の影響下でヒトラーとその体制がしだいに過激化して「最終戦争」やショア（ホロコースト）へと機械的につき進んだ、と主張している。これに対して、ラウル・ヒルバーグやルーシー・ダヴィドヴィチを旗

1933年の国会消失のあと、1940年7月19日にベルリンのクロルオーパーで開催された国会で演説するヒトラー。
© MP/Portfolio/Leemage

手とする「意図派」は、ヒトラーはその政治活動の始原からユダヤ人絶滅を望み、推進していた、とみなす。最新のヒトラー伝著者の一人であるイアン・カーショーは、妥協案を提示している。すなわち、機能派の解釈は内政には完全にあてはまるが、外政については意図派の解釈が正しい、という立場である。ヒトラーの独裁が機能上、「複数指導体制」であったことは確かだ。ヒトラーを補佐した三頭政治家、すなわちゲーリング、ヒムラー、ゲッベルスのいずれもが独自の勢力分野をもっていて、それぞれの勢力分野は数えきれぬほどの縄張りに分けられ、縄張りの大きさは党のさまざまな「大御所」の影響力に応じて変化した。そうした大御所のうちにふくまれる三二名の大管区指導者は一九四五年まで、中間的な権力を飛び越えて最高権力に訴え出る、という封建制度にみられたような直訴の手順をふめば、ヒトラーに直接会うことができた。

一九四〇年夏のバトル・オヴ・ブリテンまでは、最大の決定権をにぎっていて、ヒトラーの後継者に決まっていたのはゲーリングだった（イギリスの制空権を獲得しようとしたバトル・オヴ・ブリテンに失敗したことは彼の威光にとって致命的だった）。国家元帥ゲーリングは、ドイツ再軍備を担保するために一九三六年からはじまった第二次四カ年計画の全権責任者の地位を利用して、二二八個所の製鉄所を自分個人の管轄下に置いた。これらの製鉄所の経済的重要性は大きく、ゲーリングが不法に得ることができた利益はこれに比例して莫大だった。くわえて、一九三八年一一月の「水晶の夜」[12]のユダヤ人迫害を嚆矢《こうし》として組織的に行なわれるようになったユダヤ人資産押収が彼個人にもたらした役得も大きかった。

一九四二年夏から一九四三年夏までを頂点とするドイツによる欧州大陸占領にともない、そのころもっとも権勢をふるったのはヒムラーであった。その理由は、彼が「要塞と化した欧州」内部の治安を担保する強制収容所の絶対的管理者であったのみならず、何百万人もの被収容者たちを奴隷としてドイツの戦時経済を動かす生産現場に動員したからである。ＳＳの監視下で働かされた被収容者たちは、合成のガソリンやゴムの生産だけでなく、戦争の最終局面における、Ｖ２ロケットを筆頭とする秘密兵器の組み立てでも非常に重要な役目を果たした。

ゲーリングとヒムラーをひどく憎んでいたゲッベルスが担っていたプロパガンダ演出の役割は、ドイツ国防軍が敗北を喫するようになり、一九四三年からドイツの諸都市への大規模な空爆がはじまってから、きわめて重要になった。銃後の士気を支える必要が生じたからだ。国民の生活物資を制限する配給制を敷くことを可能なかぎりぎりぎりまで回避するようヒトラーを説得したのもゲッベルスであった。そのための手段は占領地での略奪強化であり、ポーランドやロシアの住民を飢えで苦しめることになった。

自分の権威がお蔭《かげ》をこうむって高まるかぎりにおいて、ヒトラーは以上の三人と彼らの部下たちが対立するのを放置した。それだけでなく、側近かつ個人秘書をつとめたボルマンがうやうやしく書きとめておいた食事の席でのヒトラーの発言が示すように、必要な場合は三人の対立をわざと煽《あお》った。

しかしながら、外政の展開において、以上のトリオが少しでも影響をあたえた証拠は、探しても一つも見つからない（精彩を欠く外相であったヨアヒム・フォン・リッベントロップの影響も認められない）。ヒトラーの外政は一九三三年より、『わが闘争』が説く掟《おきて》に忠実にしたがって推進された。まずは、ヴェルサイユ条約で決められた国境線の見直し（はじめは非戦闘的な手段で）。次に、フランスを押しのけて大陸でのヘゲモニーを確立するための、イギリスとの協調の懸命な模索。そしてついには、東方生存圏［国家の自給自足にとって必要な領土］の征服。以上から考えると、「意図派」のテーゼに反駁することはむずかしい。決められた計画を推進している場合でも、急遽《きゅうきょ》思いついた行動に出ることもあれば、生じた問題を直視せずに闇雲《やみくも》につき進むこともあるので、状況的要因があるからといってもともと意図が存在しなかったとはいえない。ヒトラーの計画は途方もないものだっただけに、東方戦線での敗北を決定づけたスターリングラードそしてクルスクの戦い（一九四三年）の結末のように重大な問題から目をそむけて軌道修正しないことは、深淵への直行を意味した。破壊された総統府の地下壕にひそむヒトラーは自殺の一か月前、ふたたび平和が訪れたらリンツに建てるつもりで自身が設計した世界一大きなミュージアムの模型を運びこませた。このころの総統は、マルティン・ブロシャートが言うとおりに、「彼がみずから求めて作り出した制度上の空隙《くうげき》」を一人で埋めることができず、「輪郭さえはっきりしていない空想上の目的を追いかける狂った疾走に、いままで勝ちえたもののすべてをつぎこむことで、自身の政治作品を破壊する」ことしかできなかった。現実との接触を断っていながらも、自分自身は現実に影響をあたえつづけることで、みずからの失墜にドイツ国民をまきこみ、最後の最後まで「もっとも輝いていた日々と変わらずに、だれからも疑問視されることなく、頑《かたく》なで、無慈悲」でありつづけたヒトラーは、死ぬ前に自分の消滅を演出するというぜいたくを味わった。破壊の仕事を終えたヴォータンは地中に戻ることになった。一九四五年四月二九日、シャンペングラスを手にしたヒトラーは奇妙なほほえみを浮かべながら「今夜、君たちは泣くだろうよ」と地下壕の最後の住民たちに述べたのち、これからエーファ・ブラウンと結婚する、そして翌日には二人とも自殺する、と告げた。そのとおり、三〇日の一五時三〇分ごろ、ヒトラーは自殺した。忠実なオーストリア人の女コック、コンスタンツェ・マンツィアーリーが用意したお別れの昼食を終えたのちに。

この昼食の席で食欲があったのはヒトラー一人であった。

〈原注〉

1　ギュンシュは東独の刑務所でさらに一年をすごした後、二〇〇三年に亡くなった。リンゲは一九八〇年に物故した。二人は、総統官邸をぎりぎりまで防衛したSS少将ヴィルヘルム・モーンケ（二〇〇一年没）と同様に、ソ連での捕囚生活を生きのびた五万人のドイツ人とともに、西独首相コンラート・アデナウアーのモスクワ訪問（一九五五年）の成果として釈放された。ギュンシュ、リンゲ、モーンケに、アメリカ当局に尋問されてくいちがいのない証言を残したエーリヒ・ケンプカ（ヒトラーの運転手、一九七五年没）、トラウデル・ユンゲ（ヒトラーの個人秘書、二〇〇二年没）、ローフス・ミシュ（ヒトラーのボディガード、二〇一三年没）をくわえた六名は、総統官邸地下壕の主たる生き残りである。

2　「伍長」と訳されることが多いがこれにはいささか語弊《ごへい》があり、フランス軍の「一等兵」に相当する。

3　旧帝国軍はヴァイマル共和国によってReichswehr（ヴァイマル共和国軍）と改名されたうえ、ヴェルサイユ条約によって兵員数は一〇万人に制限された。ヒトラーが政権をとったのち、一九三五年にWehrmacht（国防軍）となる。

4　一九二八年四月の国会選挙で、NSDAPの得票率は二・六パーセントにとどまった。このころ、失業者数は一〇〇万人を切り、一九二三年当時と比べて三分の一となっていた。

5　ヒトラー自身が編んだ、「トラストの国営化」を政策の目玉とするナチ党《NSDAP》綱領。政権をとる前にドイツ財界の支持を得ていたヒトラーは、「トラストの国営化」の約束の実現はひかえたが、「大ドイツ国」の領土確立、前例のない人種差別・ユダヤ人差別政策の実施を筆頭とする、ほかの項目はすべて実現する。

6　ナチがファン・デア・ルッベを利用したという説を裏づける証拠として、すくなくとも三つの事実をあげることができる。第一に、それ以前にルッベは三度も放火未遂事件を起こしていたのに、当時ゲーリングが実権をにぎっていたベルリン警察は彼を逮捕せずに泳がせていた。第二に、議事堂があれほど短時間に燃え上がるのには、出火地点が複数であることは必須だが、たった一人の人物が数か所で同時に放火することは物理的に不可能である。第三は、ニュルンベルク裁判におけるフランツ・ハルダー大将（第二次世界大戦の初期、ドイツ国防軍参謀総長であった）による以下の証言であり、これが決定的といえよう。「一九四二年、総統の誕生日を祝う昼食の席で、国会議事堂とその芸術的価値が話題となった。わたしはこの耳で、ゲーリングが会話に割りこんで『国会議事堂のことをほんとうにわかっているのはわたしだけだ、わたしが火をつけたのだから！』と叫ぶのを聞いた」

7 インドからヨーロッパにいたるまでの広い地域で古代から使われてきたスヴァスティカ（鉤十字）は、高位のナチ党員複数が加入していた秘密結社「トゥーレ協会」の主導によって、一九世紀に汎ゲルマン主義の象徴となった。しかし、ナチの旗をデザインしたのはヒトラーその人である。『わが闘争』には「何度も試したすえ、わたしは最終的な形状にたどり着いた。赤地に白い丸が描かれ、その中心にはハーケンクロイツ。数多くの試作をへてわたしは、旗の寸法、白い丸の大きさ、ハーケンクロイツの形状と幅のあいだのバランスを決めた。それ以来、デザインは変わっていない」

8 「ドイツ人の血と名誉を守るための法律」ともよばれ、ユダヤ人とドイツ人とのあいだの結婚や性交渉を禁じるなどの施策を打ち出し、国策としての人種差別と国民共同体からのユダヤ人の排斥を組織した法律。

9 同性愛を表向きの理由に更迭されて連隊長に格下げされたフォン・フリッチュは一九三九年九月にワルシャワ攻略戦で死ぬ。ブロンベルクは、元売春婦との結婚が暴露されたのちに引退させられた。

10 ジーメンスF2。エーファ・ブラウンはこのカメラを用いて、ベルヒテスガーデンから数キロのオーバーザルツベルクにあったヒトラーの山荘、ベルクホーフにおけるヒトラーの日常を主として撮影した（べルクホーフは、一九三六年以降、そしてとくに戦中においてドイツの権力のもう一つの中枢となった)。ヒトラーの愛人となる以前、エーファ・ブラウンは総統御用達の写真家ハインリヒ・ホフマンのアシスタントをつとめていた。

11　飛行機を大いに活用することで——ヒトラーは飛行機を活用した二〇世紀の政治家の嚆矢《こうし》である——、ヒトラーは偏在しているとの印象をあたえることができた。

12　パリでドイツ大使館参事官のエルンスト・フォム・ラートが若いユダヤ系ポーランド人によって殺されたことを口実にしてはじまった「水晶の夜」は、ドイツにおけるはじめての本格的な反ユダヤ主義暴動であった。一九三八年一一月九日の夜、約二〇〇のシナゴーグや礼拝所が焼き討ちにあい、ユダヤ人が経営していたあわせて七五〇〇の商店や企業が荒らされ、一〇〇人ほどのユダヤ人が殺され、三万人が強制収容所に送られた。

〈参考文献〉

伝記

François Delpla, *Hitler*, Grasset, 1999.

—, *Hitler, propos intimes et politiques*, Nouveau Monde éditions, 2016.

Henrik Eberle et Matthias Uhl, *Le Dossier Hitler*, Presses de la Cité, 2007.（ヘンリク・エーベルレ／マティアス・ウール『ヒトラー・コード』、青木玲訳、講談社、二〇〇六年）

Joachim Fest, *Hitler, t. 1 : Jeunesse et conquête du pouvoir : t. 2 : Le Führer*, Gallimard, 1973.（ヨアヒム・

フェスト『ヒトラー』（上・下）、赤羽竜夫訳、河出書房新社、一九七五年）

Ian Kershaw, *Hitler*, t. 1 : *Hubris, 1889–1936*, Flammarion, 1999 ; t. 2 : *Némésis, 1936–1945*, Flammarion, 2000.（イアン・カーショー『ヒトラー（上）――1889-1936 傲慢』、石田勇治監修、川田敦子訳、白水社、二〇一五年。『ヒトラー（下）――1936-1945 天罰』石田勇治監修、福永美和子訳、白水社、二〇一六年）

Peter Longerich, *Hitler*, éditions Héloïse d'Ormesson, 2017.

Marlis Steinert, *Hitler*, Fayard, 1991. John Toland, *Hitler*, Perrin, coll. « Tempus », 2012.

Volker Ullrich, Hitler, Gallimard, 2017, 2 vol.

一般的な研究書

Éric Branca, *Les Entretiens oubliés d'Hitler, 1923–1940*, Perrin, 2019.（エリック・ブランカ『ヒトラーへのメディア取材記録――インタビュー1923-1940』、松永りえ訳、原書房、二〇二〇年）

Martin Broszat, *L'État hitlérien*, Fayard, 1986.

Johann Chapoutot, *Comprendre le nazisme*, Tallandier, 2018.

Richard J. Evans, *Le IIIe Reich*, Flammarion, 2009, 3 vol.

Thierry Lentz, *Le Diable sur sa montagne, Hitler au Berghof, 1922–1944*, Perrin, 2017.

Hans Mommsen, « Hitler, en tant que dictateur, la place du Führer dans le système national socialiste », in *Le Troisième Reich dans l'historiographie allemande : Lieux de pouvoir – Rivalités de pouvoirs*, sous la direction de Jean Paul Cahn, Stefan Martens et Bernd Wegner, Villeneuve d'Ascq, Presses universitaires

du Septentrion, 2013.
Claude Quétel, « Une journée avec Hitler », in *Une journée avec*, Perrin/Le Point, 2016.

5　フランコ

不沈の独裁者

エリック・ルセル

ヒトラーはベルリンの地下壕で自殺した。ムッソリーニはコモ湖の畔《ほとり》で銃殺された。フランコは、一九七五年にベッドの上で死んだ。彼の葬儀は、彼自身が後継者に選んだ若い国王の臨席のもと、マドリードで執《と》り行なわれ、何千人ものスペイン国民が集まった。それ以来、フランコは、彼がエスコリアルの近くの山を削って整備させたバジェ・デ・ロス・カイードス（戦没者の谷）の巨大な聖堂で永眠についている［二〇一八年に左派のスペイン社会労働党が政権についた結果、フランコの遺体の移送が決定され、二〇一九年一〇月に改葬された］。つまり、「神の恩寵により、カウディーリョ・デ・エスパーニャ［スペイン総統］」となったフランシスコ・フランコ・バアモンデは、彼が権力の座につくのを助けた枢軸国の二人の独裁者とは異なる運命をたどったのだ。フューラー［ヒトラー］は現在、全否定されている。ドゥーチェ［ムッソリーニ］はたんなる「カーニバルのカエサル」ではなかったが、国民国家の概念をねじ曲げて人種差別と手を結ぶにいたったという汚点はぬぐえない。これに対して、フランコの遺産は残存している。彼が絶対的権力をにぎっていた三五年間（一九三九—一九七五年）にスペインは大きく変容し、スペイン経済は前代未聞の近代化をとげ、社会に不可逆的な影響をあたえた。ある意味で、ここ四〇年間のスペインの民主主義は部分的に、民主主義を抑えこもうと最期まで努めたフランコのお陰《かげ》をこうむっているともいえるのだ。ピグマリオンが理想の女性像をきざんだようにフランコが丹精して後継者として育てたファン・カルロスは結局、師が敷いたレールに乗らなかった。しかし、フランコ自身も若い国王がいずれ権威的体制に幕を引くとわかっていたにちがいない。フランコ主義の大立者《おおだてもの》の一人であり、一九七六年から一九八一年前までの過渡期に首相をつとめたアドルフォ・スアレスも、国王が民主化を選ぶことは避けられない、とフランコはあきらめていた、と証言している。

影から光へ

フランシスコ・フランコが、いつの日かスペインの絶大な権力者なる運命であることを示す前兆は一つもなかった。彼は一八九二年一二月四日に、イベリア半島最西端に位置するフェロル（ガリシア地方）で誕生した。この男児になみはずれたところがある、と注目した者は一人もいなかった。一九〇七年、まだ少年であったフランコはトレドの陸軍士官学校に入学し、一九一〇年に下士官として生まれ故郷に戻ってきた。その後の三年間もフランコは透明人間のような存在で、女性に対してはにかみがちな点と、狂信に近い熱心なカトリック信仰をのぞき、人目を引くことはなかった。青年将校フランコには、一見したところ、めだつ点は一つもなかった。しかしながら、その後の運命はこのころに決まったようだ。彼が幼年時代および青少年期をすごした家庭は不和そのものであった。その最大の原因は、自由思想にかぶれた——おそらくはフリーメイソンだったと思われる——放縦《ほうじゅう》な父親の、周囲からスキャンダラスと非難される行《おこ》ないだった。父親は早い時期に家庭をすて、別の女性とマドリードで同棲をはじめた。フランシスコ・フランコは、これを決して許すことができず、父親は嫌悪の対象とさえなった。彼は、父親はもっとも神聖な義務を裏切ったとみなし、激しく憎悪し、その後もごくまれにしか会おうとせず、すべての点で父親を反面教師として生きる、と心に誓った。将来のカウディーリョの手本となったのは母親のピラールであった。夫よりもやや裕福な社会階層出身で、教会の教えに厳格に従い、少しも逸脱しない女性であった。彼の目には堕落そのものと映る父親に対する嫌悪感は、フランコの人格形成に大きな影響をあたえる。フランコがその後に見せる強迫観念、とくにあらゆるところにフリーメイソンの影を見る傾向の原因は、これ以外に考えられない。

フランコは短期間で、フェロルでの生活に嫌気がさした。評価がぱっとしない下士官である以上、年功序列での昇進しか望めなかった。ゆえに、同僚の多くと同様に、モロッコにチャンスを求めることを夢見た（スペインがモロッコで統治しているのは、北東部のリーフ、北西部のジュバラと、限定的であったが）。モロッコへの転属願いを出したところ、これが通って、一九一三年四月に地中海を渡った。その後まもなく、さまざまな軍事作戦［ベルベル人の反乱鎮圧］での活躍で名をあげた。皆は、フランコは精彩を欠く男だと思っていたが、そうでもなさそうだ、と気づいた。彼が勇敢であることに異論の余地はなかった。一等功労十字章を受勲し、一九一五年三月に大尉に昇進した。まだ二二歳で。

　二年後、名声を確立したフランコはアストゥリアス地方のオビエドに着任した。モロッコで果敢に戦い、重傷を負ったフランコはほぼ英雄扱いされた。そうなると、本人も自信をつけ、上流階級に出入りし、良家の娘、カルメン・ポロ・マルティネス・バルデスと出会った。だが、カルメンと結婚するのは、再度モロッコに渡ってまたも軍功をあげた後の一九二三年であった。篤い信仰心で結ばれた二人が授かることになるのは娘のカルメン（愛称ネヌカ）一人であり、彼女は父親に溺愛される。

　いまやフランコは、将来を嘱望される若手士官の一人だった。あいかわらず任地であったモロッコでの活躍があまりにもめざましかったので、一九二六年二月に少将に昇進した。まだ三三歳であった。スペインはもとより、欧州全体でももっとも若い将官の誕生であった。フランスも彼の軍功を認め、レジオンドヌール「コマンドゥール〔司令官〕」勲章を贈った。

　一九二八年にサラゴサの陸軍総合アカデミーの校長に任命されたフランコは、これまでに発揮したのとは異なる才能の持ち主でもあることを証明した。戦士は、優秀な管理者となり、上官からも部下からも高く評価された（内戦において、アカデミーの士官七二〇名の九〇パーセント以上がフランコの側につく）。だが一九三一年に王制が廃止されて、第二共和政がはじまると、フランコは微妙な立場に置かれた。フランコは、地方選挙で共和派が勝利をおさめたのを受けて一九三一年四月に国外に去ったアルフォンソ一三世のおぼえがめでたかったからだ。国王はフランコに侍従の名誉称号を授けていたことでわかるように。国王の権威を盾にして一九二九年から一九三〇年にかけてまぎれもない独裁政治を行なっていたプリモ・デ・リベラも、同じようにフランコを評価していた。だから、フランコが新体制に背を向けて、国王やデ・リベラに忠誠をつくしてもおかしくなかった。しかし、そうはならなかった。最終的に共和政を倒すことになるフランコははじめのうち、新体制に仕えたのだ。ゆえに、一九三二年にサンフルホ将軍が王制復古をはかって起こしたクーデター未遂事件にフランコはかかわっていない。彼が新体制に対する態度を硬化させるのは、自分が排斥、冷遇されたと感じるようになってからだ。

サラゴサの陸軍総合アカデミーはフランコにとって、自分が城主としておさめる領土に等しかった。したがって、陸軍大臣のマヌエル・アサーニャが、不健全なエリート主義の温床になっているとの理由でアカデミーの廃止を決めたとき、フランコがこれに大きな憤りをおぼえたのは当然のなりゆきだった。さらに、当局が自分を監視していると気づいたとき、いやそれ以上に、軍功を理由とした昇進を取り消すと決めたアサーニャの法令によって自分は軍隊における地位を失うことになる、と知ったときも、フランコは当然ながら反発した。

ほんとうのところ、新体制がフランコを狙い撃ちして冷遇したわけではなかった。フランコの威信がいかに大きいかを知っていた当局は、彼に気をつかっていた。現に、一九三三年二月に政府は彼をバレアレス諸島軍政官に任命している。これは通常、中将にあたえられるポストであった。しかし、時間がたつにつれ、フランコは新体制に違和感をおぼえ、反感をつのらせた。折も折、彼は絶対的な反共主義に染まりはじめていた。勝つためには社会党や一部のブルジョワ政党との同盟も活用する、というコミンテルン（共産主義インターナショナル）の戦略にも気づいていた。こうなった以上、フランコは、正当性を欠いていると自分がみなす現体制に軍人として忠誠をつくしつづける理由はない、と思うようになった。

スペイン内戦

一九三三年秋から、スペインでは歴史の歯車のスピードが急上昇した。一〇月九日、共和国大統領のニセト・アルカラ・サモラが議会を解散した。無政府主義的な暴動（非常に厳しく制圧された）が起きたことを背景にしての解散であったが、混沌とした国情は正常化しなかった。共和政の社会政策は工場労働者や日払い賃金で働く農業労働者たちを失望させた。新政権が標榜した反教会主義［多くの教会が過激な共和派によって破壊、掠奪された］は、カトリック信者たちの離反をまねいた。呱々《ここ》の声をあげたばかりの民主主義はすでにかなり弱体化している、と見えた。解散後の選挙で右派は勝ったことは勝ったが、絶対過半数には達しなかった。社会党を主体とする野党勢力と対立しながら、政権を運営せねばならない。ここで、国家元首［改革派のカトリック教徒である、自由党のアルカラ・サモラ大統領］が、自身がカトリックであるにもかかわらず右派による組閣を拒絶した。その結果、テロ攻撃や政治色がきわめて強い大規模ストライキにゆすぶられる、非常に錯綜《さくそう》した状況が出来《しゅったい》した。急進党［右派共和主義の中間派］がサモラ大統領から組閣を命じられたが、議席数からいって彼らが政権につく正当性は皆無であった。年季の入った反教会主義者であるアレハンドロ・ルルー［急進党］を首班とする新政府に右派が入閣するとの知らせに、暴力が勢いよく再燃した。ラルゴ・カバジェーロをリーダーとする左派にとって、選挙の結果として前面に躍り出た右派はファシズムと同義であった。ゆえに左派は新内閣への妥協をいっさい拒否し、ゼネスト、「カタルーニャ共和国」成立宣言、アストゥリアスの炭鉱夫による武装蜂起が革命前夜の雰囲気を醸成《じょうせい》した。

このアストゥリアスの暴動の鎮圧にあたったのはフランコであったが、そのときに用いた手法ゆえに、フランコの名はこの凄惨なエピソードと分かちがたく結びつくことになる。鎮圧を公式に託されたロペス・オチョア将軍の補佐役であったフランコは自分の権威を行使して、アストゥリアスに派遣されていた陸軍省公安部代表のリサルド・ドバルの残忍な行為を黙認したことで有名となったのだ。司法手続きぬきの処刑であれ、拷問であれ、炭鉱夫たちを屈服させるためなら手段は問わない、というのがドバルのやり口であった。フランコは良心の呵責をおぼえることなく、ドバルの手法に同意した。フランコ自身が、ヒトラーの狂気じみた殺戮に類似したことを犯すことはその後も一度もない。ただし、共産主義という脅威に直面したときは、冷厳で、人間の苦しみに対して心を鬼にすることができた。

この冷徹でゆるがぬ態度こそが、一九三六年七月に軍隊による反乱――無数の陰謀によって青息吐息となり、正常な民主主義の営みに枠組みを提供することが不可能となった共和政の終焉《しゅうえん》を告げる反乱であった――が起きた当初からフランコの主要な切り札となる。フランコは、この反乱の首謀者でも、指揮者でもなかった。一九三六年二月の総選挙後に発足した一次人民戦線内閣［人民戦線とは、左翼共和派、共和同盟、カタルーニャ左翼党、社会党、共産党、統一労働者マルクス主義者党などが協定を結んで結束した左派連合］によって、カナリア諸島の軍政官に任命（実態は追放）されていたフランコが、モラ将軍が起こした反乱に合流したのは最終局面においてであった。それまで、用心深いフランコはこの反乱のあやうさを懸念していた。王党派のリーダーであるカルボ・ソテーロが警官らに殺されるにいたってようやく、フランコは合法性の縛りを断ちきる決意を固めた［ソテーロ議員が議会で教会関係者を狙った赤色テロや共産党民兵による暴力行為を非難する演説をおこなったところ、ラ・パショナリアの別名で有名となる女性共産党議員ドロレス・イバルリに「この男が話すのは今回が最後だ」と皆の前で脅され、一か月後に自宅から警察官らに拉致されて殺された］。

こうしてはじまった内戦において、フランコはたちまち指導者と目されるようになった。当初、反乱軍の旗色は悪いと思われた。軍全体を味方につけているとはほど遠い状態だった。しかしフランコは、共和派と戦うための兵士約二万三四〇〇人を空路と海路で送りこむことで、決定的な意味をもつ支援を果たした。それ以来、反乱軍側であるナショナリスト陣営におけるフランコの威光と信用は高まる一方となった。九月の終わり、彼は反乱軍の最高司令官かつ潜在的なナショナリスト国家の元首となった。反乱軍への合流の遅れを考えると望外であったこのような台頭を可能とするため、フランコは計算尽くの行動に出た。一九三六年秋、反乱軍による首都マドリード陥落が可能だったのに、フランコはアフリカ駐留軍を迂回させてトレドに向かわせた。七月一八日から要塞を攻囲されているアルカサル守備隊を解放するためである［トレドのアルカサル攻囲戦］。早すぎる首都攻略は、敵を全面的に粉砕することにつながらない、とフランコはふんでいた。彼はのちに次のように語っている。「内戦においては、必要な掃討作戦をともなうテリトリーの組織的な占拠のほうが、敵が各地に残ったままの状態で早期に敵軍を一度敗退させるより好ましい」

フランコは以上の冷徹な指針を内戦の終わりまで、ためらいも憐憫もいっさいぬきで維持することになる。戦闘が長引けば長引くほど、自分が長期間にわたって指導権をにぎるチャンスが増大する、と彼は考えた。そうすれば、自分の性格や力量の限度を超えてのむりを常時強《し》いられることもない。彼が巧妙な策士であることに異論の余地はないが、彼の軍人としての才能はそれと比べるとおとっていた。フランコが最高司令官の位まで上りつめるために示した能力は、一国を奪取することをめざす軍の指揮官が示すべき能力とは異なっていた。一九三六年秋以降、ナショナリストたちにとって状況は複雑になった。ナショナリスト派はそれまで、拙劣な司令官に率いられていることが多い敵軍を相手に優位に立っていたのだが、敵はいまやロジスティックス面でソ連の支援を受けるようになり、手強《てごわ》くなった。スペイン内戦は国際化したのだ。ドイツとイタリアがナショナリスト側についたのに呼応して、スターリンは共和派の支援にまわった。緊急に届けられたソ連製のタンクや戦闘機はたちまち実戦に投入されて有効性を発揮した。欧州諸国の共産党が集めた戦闘員二〇〇〇〇人で結成された国際旅団も共和派にとってばかにならない助力となった。その結果、当初の勢いがストップして、フランコ軍勢は赤軍「このころには、人民戦線内で共産党の勢力が強くなっていたために、このようによばれる」の抵抗に手こずった。人民戦線政府に忠誠を誓った兵士たちも勇敢に戦っていた。一九三八年一月、共和派はテルエルを制圧してめざましい成果をあげた。しかし、この快挙はピュロスの勝利であった「ピュロスは紀元前三世紀のマケドニア王。戦術家として有名。新興都市国家ローマと戦って勝ったが、戦闘のごとに兵力をすり減らした。このため「ピュロスの勝利」とは、「割にあわない勝利」を意味する」。テルエルはやがて、ナショナリスト側に再奪取される。そして、一九三八年一一月まで続いたエブロ川の闘いが、共和国の終わりのはじまりとなった。フランコは、スペインの絶対的権力者になろうとしていた。

1939年5月22日。フランコ（1892–1975）臨席で行なわれた勝利パレード。
© Keystone-France/Gamma-Rapho

軽業師

フランコは一九三九年三月に内戦が終結するのを待たず、反乱を起こした軍人たちによる臨時政権に置き換わる正規政権を立ち上げた。一一名の大臣で構成されていた。四人が軍人、三人がファランヘ（独裁者プリモ・デ・リベラの息子であるホセ・アントニオ・プリモ・デ・リベラによって創設されたファシスト的傾向の党）のメンバー、二人は王党派、一人がカルリスタ［一九世紀に王位継承争いで敗れた王弟ドン・カルロスを支持する運動を嚆矢《こうし》とする政治勢力。伝統を重んじ、反近代、反中央集権を掲げていた］であり、一人が専門技術者であった。法治国家の前段階であったこの政府の樹立を仕切ったのは、フランコとは義理の兄弟の間柄であるラモン・セラーノ・スニェール［二人の妻は姉妹の間柄］であった。スニェールには二つの顔があった。さまざまな点で、彼はファシズムのイタリアとナチのドイツに親近感をいだいていた。しかし、弁護士であり、以前は国会議員でもあったスニェールはじつに有能な人物であり、政治家として端倪《たんげい》すべからざる知性の持ち主だった。一九三八年から発足した政府の内務大臣となったスニェールは、当時は唯一の党であったファランへを国家元首に直属させるというアイディアを思いついた。そうすれば、あらゆる反抗やライバル出現の危険を排除できる。スニェールにはまた、フランコのもとに結集したが、均質ではなく、ときとして対立している諸勢力――ファランへ党、さまざまな王党派、それなりに規律がとれている軍、そして一九三七年に司教全員が署名した手紙によって軍による反乱を祝福した教会――のあいだのバランスをはかる手腕があった。

教会が政権を明白に支持し、政権がカトリシズムに傑出した役割を認めて国教としたことは、フランコがうちたてた体制に、ほかでは見ることができない特異性をあたえた。この体制は――とくにその初期においては――ファシズムからいくつかの側面を借り受けたものの、ファシズムと一体化することはなかった。期限を定めずに国家元首となったフランコがとった方針は多くの点で、今日の言葉を使うなら「原理主義的」とよべる宗教心に根ざしていた。彼の篤い信仰心は、政治にそのまま反映された。教養のレベルはさして高くなく、外国の知識も限定的だった――訪れた外国はフランス、ドイツ、イタリア、イギリス、そしてポルトガルだけだった――フランコは、善悪二元論者だった。彼が考えるカトリック的秩序に敵対するもの、脅威をあたえるものはなんであれ、彼の理解や同情を得ることはできなかった。以上が、ムッソリーニとは異なる、ましてやヒトラーとはまったく異なる、フランコの独自性であった。共和政から過酷な迫害を受け、何百人もの聖職者や修道女を惨殺された教会はむろんのこと、この新たな政治秩序を歓迎した。カトリックの世界でフランコに異を唱える声はまれであった。スペインでは司教数名、フランスでは作家のベルナノスとモーリヤックが、フランコの反体制しめつけを問題視し、キリスト教の理想に対する全面的裏切りだとして批判しただけである。

じつのところ、聖書が教える価値はフランコにとって第一の関心事ではなかったようだ。彼の体制は権威主義的であったうえ、フランコ自身は、自分に歯向かう者を追いつめ、残忍に罰する執念深さできわだっていた。一九三九年二月、「政治責任法」とよばれる特異な法律が成立し、遡及処罰によってフランコ新体制の抑圧的性格がさらに強まった。すなわち、この法律により、一九三四年の騒乱（暴動やゼネスト）や人民戦線の成立に荷担した者、一九三六年七月に軍の反乱ではじまった反人民戦線政府の運動に能動的（もしくは受動的に）に反対した者はだれであれ、罪に問うことが可能となった。なるほど、人民戦線政府が、合法性や人間尊重の点で無謬《むびゅう》でなかったことは確かだった。たとえば、人民戦線の陣営では、司祭や修道僧だと認定された者をただちに処刑することがしばしばであった。共和派（人民戦線派）にそういった問題があったにせよ、フランコを特徴づけるのは、内戦終結後も長きにわたって敵を追いまわすその執念深さであった。一九四二年には、約一二万五〇〇〇人の政治犯が獄中におり、内戦後に処刑された弾圧の犠牲者は三万人を超えた。フランコが第一に信仰していたのは復讐の神であった。ついには、カトリック教会の高位聖職者の何人かが心を痛めて異を唱えた。だがフランコはいっさい耳をかさなかった。スペインを支配するカウディーリョ［総統］となったフランコは、これからもカウディーリョでありつづけ、スペインを虎視眈々《こしたんたん》と狙っている（と自分が考える）二つの脅威——共産主義とフリーメイソン——をしりぞけるつもりだった。

マドリードで開催された記念式典で演説するフランコ、1940年ごろ。
© Keystone-France/Gamma-Rapho

彼の「治世」とよんでしかるべきものの終わりまで、フランコは同じ人間でありつづける。肉体的には、フランコは威風あたりをはらうといったタイプではなかった。背は低く、お腹が出て、平凡な人間を絵に描いたようであった。自分の風采がぱっとしないことがわかっていたフランコは、この欠陥を補うべく、きわめて厳密な儀典上の決まりを作った。彼になれなれしい口調で話しかけることができる人はまれであり、だれもが彼を「閣下」とよばねばならなかった。彼が公衆の前に姿を見せるときは、君主にふさわしいような演出が凝《こ》らされた。移動するときは、エキゾティックなモロッコ人騎兵隊が親衛隊として前後左右をとりまいた。宗教行事に列席するときは——その回数は多かった——、天蓋をさしかけられた聖職者が聖堂前広場まで自分を見送ることを求めた。一本調子でためらいがちに話すフランコは、演説で聴衆を熱狂させるタイプではなかった。長広舌をふるって国民の気分を高揚させたことは一度もない。私生活においても同様で、人の気持ちをひきつける話者ではなかった。どのような場面でも少々謎めいたほほえみを浮かべながら話すフランコは、話術で話し相手に強い印象をあたえことはなかった。従兄で、いちばんの話し相手であったフランコ・サルガド・アラウホ将軍が残した覚書《おぼえがき》によると、エル・パルド宮でのフランコとの仕事の打ちあわせや昼食会は冒頭から退屈きわまりなかった。

ただし、フランコは凡庸な人物ではなかった。彼の権力者としてのキャリアのスタートはその証左であるし、一九七〇年に彼のもとを訪れたド・ゴールはフランコの頭のよさには驚かされた、と述懐《じゅっかい》している。一九三九年からスペインで全権力を掌握していたこの人物が隠しもっていた力の源泉は、状況を分析する能力、人間というものがわかっていて、相手の弱さをすばやく察知して利用する知恵であった。その一方、直感的に未来を展望できる人物とはほど遠かった。彼の中期的予想の多くははずれている。たとえば、ナチ・ドイツが戦争に勝つもの、と長いあいだ思いこんでいた。また、妄想に近いフリーメイソン脅威論にもとづいて国際情勢を判断することをあらためようともしなかった。その反面、短期的な情勢判断ではほぼつねに正しかった。一九三六年の軍反乱に最後の段階で参入し、それでいて反乱軍を完全に掌握することに成功したのも、その証拠だ。彼は最高権力者となってからも最後まで、こうした短期的な読みの正しさを発揮し、自分の権威を安泰にするために欠かせないさまざまな勢力や集団のあいだで——多くの場合は巧妙に——泳ぎまわることができた。人をあやつるときにフランコが見せたマキャヴェッリぶりは驚異的だった。たとえば、どの責任者、どの大臣が汚職に手を染めているかわかっても、ただちに糾弾するかわりに、おまえの行《おこ》ないは自分にとっては秘密でもなんでもない、ということをわからせるだけにとどめた。そうすれば、相手は自分に完全に服従するからだ。

フランコはその用心深さであまりにも有名だったので、本来は彼の手柄《てがら》でもなんでもないものも、彼の慎重さの功名とされている。いまだに、第二次世界大戦にヒトラーの側について参戦しなかったのは、フランコが賢明だったからだ、と考えている人が多い。ヒトラーとフランコは一九四〇年一〇月二三日にアンダイエ（バスク地方）で会見したが、ヒトラーはスペインが参戦するようフランコを説得できなかった。これは事実だ。だが、フランコに選択の余地はなかった。五〇万人もの犠牲者を出した過酷な内戦が終わったばかりのスペインは荒廃し、部分的に破壊されていた。そのような国情で、莫大な戦費を必要とする危険な賭《かけ》に出ることは合理的に考えて不可能だった。セラーノ・スニェールが一九四二年から完全に影響力を失ってしまった大きな理由は、枢軸側につくことを熱心に説いていたためだったが、そのスニェールも後日、次のように認めている。「経済的に考えても、軍事的に考えても、政治的に考えても、われわれには、好戦的な将来展望にひきずられる余地などなかった…。スペインは参戦してはならなかった」。フランスがたった数日でドイツに圧倒されて膝を屈し、世界を驚愕させたとき、フランコは一瞬、ヒトラーはこの戦争に勝つのでは、と思った。そこで、彼はドイツと交渉をはじめ、勝った場合はモロッコとジブラルタルのみならず、アルジェリアのオラン地方とフランスの信託統治下にある西アフリカをもスペインの領土となることが確約される場合のみ、スペインは参戦する、ともちかけた。これは要求がすぎた。ドイツもイタリアも、ひどく疲弊して軍事面でのポテンシャルが低下しているスペインを当面は支援せざるをえないとわかっていただけに、法外な要求だった。以上から合理的に判断していえるのは、スペインとドイツとイタリアのあいだで行なわれた交渉は、上っ面のポーズを見せあっただけの一種のコメディーであった、ということだ。三者のいずれも、スペインには参戦する体力がないことを承知していた。

一つのことは確かだ。ドイツで起こっていた、そしてやがてイタリアでも起こることになるユダヤ人迫害にフランコが手を染めなかったことは評価すべきだ。スペインの法律にはその後も一度も、ユダヤ人差別の規定がくわえられることがなく、忌まわしい記憶としてフランスの歴史にきざまれている「ユダヤ人問題委員会」に相当する機関が創設されることも一度もない。フランコは病的にフリーメイソンを脅威に感じていたが、ユダヤ人に対する彼の姿勢には敵意はいっさいなかった。ただし、一九四二年以前には、反ユダヤ主義的な発言がいくらかはあった。つねに現実的であったフランコは、一九四二年一一月にアメリカ軍が北アフリカに上陸すると、ドイツの敗戦は決まったと悟り、その後は、リスボンの世界ユダヤ人会議や赤十字との交渉をとおして、影響力が絶大なアメリカのユダヤ人組織から認められるように努めるのが良策だ、と理解したようだ。いずれにせよ、フランコ総統の兄であるニコラス・フランコ（リスボン駐在のスペイン大使）をはじめとするスペインの外交官たちは世界の各地で、迫害されたユダヤ人の救済に重要な役目を果たす活動を展開し、大いに注目を集めた。フランコ自身は、彼らしく非常に慎重な姿勢をくずさず、ユダヤ人をドイツに引き渡すようなことは一度もなかったが、フランコ信奉者の主張とは異なり、「ユダヤ人をできるかぎり救え」といった指示は出さなかった。フランコの本心がなんであれ、彼がとった方針が、ヒトラーが殲滅を誓ったユダヤ人のためになったことは覚えておきたい。

再浮上の業師

しかし、フランコは戦後すぐに、政治家としての才能を発揮することをせまられた。当時、スペインは国際政治の舞台でむずかしい立場にあった。ナチ・ドイツとファシストのイタリアが崩壊した時点で、フランコ独裁が残っていることはショッキングな例外と思われた。一九四〇年代の初めに、フランコは自国の統治機構を当時の同盟国［ドイツとイタリア］を手本として構築していただけに。一九四五年七月のポツダム会議で、フランコは被告人席に置かれたも同然だった。戦後のイギリスで首相となった労働党のアトリーは、前任者のチャーチルと比べてスペインに厳しい態度を見せた。ゆえに、発足したばかりの国連は、フランコ体制のスペインに対して扉を開こうとしなかった。国際舞台で劣勢に立たされたフランコは、国内でも立場が悪くなった。アルフォンソ一三世の息子で、自分には王位継承権があると主張するバルセロナ伯フアン・デ・ボルボン［亡命中であった］が「ローザンヌ・マニフェスト」を発表し、独裁者フランコの退場とリベラルな君主制への移行を求めたからだ。

こうして国内外で劣勢に立たされたフランコは、最良の防御策をとった。すなわち攻撃である。まずは国会で、スペイン第二共和政の失策を総括して糾弾した。しかし、バルセロナ伯のマニフェストに応えて、「カトリックで有機的な」民主主義体制の構築と、いつとは定めぬ遠い将来における君主制への移行を提案した。

この当時、カトリック教徒の支持を得ていたフランコの狙いは正しかった。スペインに民主主義を強要しようとする決議案が国連で投票にかけられる前日にあたる一九四六年一二月九日、フランコ支持者たちが組織した集会が、旧王宮前のオリエンテ広場で開催され、たいへんな数の人々が集まった（五〇万人以上だと思われる）。巧みに培《つちか》われて維持されてきた愛国心の発露が、フランコ体制支持につながった。フランコはいまこそが、自分の体制に欠けていた国民の認知を得る好機だと判断した。「王位継承法」とよばれる憲法的法律がただちに起草された。この法律により、「伝統との調和をはかりながら社会的権利を尊重する代議制のカトリック国家であるスペインは、王制をとる」ことになった。フランコ自身の言葉によると、これは王政の復古ではなく、導入である。将来の君主は権限をフランコ総統から受け継ぐ、フランコは自身が適切と判断したときに君主に権限を引き渡すので、それまでは一種の摂政としての機能を行使する、という内容だ。七月に国民投票にかけられたこの法案は、登録有権者の約八〇パーセントの賛同を得た。この投票が不正なく行なわれたかについては論議の余地があるが、フランコが国民の大半から支持されたことに疑いの余地はない。

ナポレオンは、将官を任命せねばならぬときは毎回、有力候補が幸運に恵まれた人物であるかどうかを知りたがった。ツキに恵まれない軍人は、なにをやっても上手くゆかない、というのがナポレオンの持論であった。フランコが幸運な人物であり、あたえられたチャンスを利用する術《すべ》を心得ていたことは確かだ。ほどなくして冷戦がはじまり、西側諸国にとって、反共の砦《とりで》の一つであるスペインを味方にすることは必須となった。一九四〇年代終わりの中国における毛沢東の勝利と、欧州におけるベルリン封鎖は、スペインの国際舞台復帰のスピードを速めた。一九五二年にアメリカ大統領に選出されたアイゼンハワーはスペインの戦略的重要性をきわめて重視する姿勢を示し、スペインに米軍基地を置くことに成功した。三年後、フランコは待ちに待った国際認知を獲得した。フランコが「王なき王制」を敷いたスペインは国連に加盟することができた。

残された仕事は、スペインを物資不足、貧困、二流国への格下げから脱出させることだ。この方面でのフランコは、経済や財政の知識や経験が皆無なゆえに、ほかの分野におけるのと比べてかなり優柔不断であった。無邪気にも、自給自足が可能だと考えたので、国立産業研究所を創設し、社会福祉政策を実施したが、結果はなかなか出なかった。国が主導する施策の収益性は良好とはゆかず、低賃金の維持が避けられず、その結果として需要は弱いままだった。一九五〇年代におけるスペイン国民一人あたりの収入はヨーロッパでもっとも低かった。一九五六年、失策は明白となった。冬が極寒であったことから、食料品が欠乏した。国民の不満が高まり、ある種の騒擾《そうじょう》さえも生じた。

こうした障碍《しょうがい》に直面したフランコは、これまでほかの状況でも発揮してきたプラグマティズムを武器に、対応をはかった。貧困が体制をゆるがしかねない現状を認識したフランコは、方針転換が必要だと理解した。これこそ、一九五七年二月の大々的な内閣改造の目的だった。陣容があらたまった政府においては、ファランヘ党の閣僚はごくわずかとなった一方で、マリアノ・ナバーロ・ルビオ（財務大臣）やアルベルト・ウヤストレス（商務担当）といった、オプス・デイ［カトリック教会の組織］に近いエコノミストたちが入閣した。やがてくわわるグレゴリオ・ロペス・ブラーボ（産業大臣）もまじえ、こうした専門家たちの主導のもと、リベラルな政策が実施された。はじめのうちフランコは懐疑的であったが、スペイン経済の立ち直りに感銘を受け、賛同するようになった。

この新路線のお陰で、一九六〇年代のスペインは根本的な変化をとげた。観光に力を入れるようになり、生活水準は上がった。これに対して政治面では変化はほとんどなく、それどころか、ときとして後退が試みられた。一九五九年、巨大なバジェ・デ・ロス・カイードス（戦没者の谷）の大聖堂の完成は国民和解のサインとなるかと思われたが、とんでもない。大聖堂は部分的に政治犯の強制労働によって建設されたのに、フランコ総統は、内戦で戦った両陣営の死者のうち、カトリック教徒のみが祀られる、と決めた。フランコにとって内戦はまだ継続していて、敵の制圧はいまだに必須であった。たとえば、一九六三年、かつて共和国時代に公務員として働いたスペイン共産党指導者のユリアン・グリマウが、内戦時代に裁判ぬきでの処刑にかかわった罪に問われた裁判が行なわれたとき、フランコはグリマウに恩赦をあたえることをこばんだ［グリマウは、内戦時代にスペイン共産党がスペイン版チェーカーとして活用していたＳＩＭ（軍事調査局）の一員であった。ＳＩＭは敵方のナショナリストだけでなく、スターリンが敵視するトロツキストやアナーキストも弾圧の対象としていた。グリマウは内戦後に国外亡命したが、帰国して、非合法化された共産党の指導者として潜伏していた］。そのようなフランコでも、内輪では自由化の可能性を口にすることがあった。近代主義者の閣僚マヌエル・フラガ・イリバルネが提唱し、一九六五年に成立した出版法［限定的だが出版の自由を認める法律であった］は、まさに自由化の方向をさししめしていたが、このイリバルネさえも普通選挙による国会議員選挙をフランコに認めさせることはできなかった。

黄昏

歳月とともに変化したのはフランコであった。七〇歳代に入ったフランコは政務から遠ざかるようになった。かつては二四時間も続くことがあった閣議は短くなり、夜よりは昼に開かれることが多くなった。フランコはいまや、多くの時間を生まれ故郷のフェロルに近いパソ・デ・メイラスの私有地ですごすようになった。狩猟、釣り、ゴルフを楽しみ、日曜画家にもなった。フランコの腹心、カレーロ・ブランコ元海軍司令官が日常的な政務を豪腕で指揮していた。しかし、だれも公《おおやけ》に提起することはひかえていたが、後継者問題をなんとかする必要があった。フランコもこのことは承知していたのだが、自分一人が「時計師」としてタイミングを決めたいと思っていた。一九六九年、彼は自分の考えを表明することにした。バルセロナ伯はフランコ体制に対して批判的であることを一度も隠さなかったので、いよいよ禅譲《ぜんじょう》となれば、バルセロナ伯ではなく、その息子が即位する、と決めた。王子は何年も前からスペインで暮らして学業を積み、軍隊も経験していた。それに、父親と同じ考えをもっていると思わせるところは少しもなかった。だが用心深いフランコは一九七三年六月、王子が即位しても一九三六年の軍反乱から生まれた体制がゆ

1974年、フアン・カルロス１世とならんだフランコ。
最晩年の写真の１枚。
© Index Fototeca/Leemage

るがないための重石として、腹心のカレーロ・ブランコを首相に任命した（それまでは、首相の職務と国家元首の職務とのあいだには混同がみられた）。国家元首であるフランコは、こうすれば「すべてが接合された」ので、将来の国王も、一九三六年の軍反乱を起源とする現体制の原則から逸脱することはできまい、と考えた。

六か月後の一九七三年一二月二〇日、ＥＴＡ（バスク祖国と自由、マルクス主義のバスク解放テロ組織）によってカレーロ・ブランコが暗殺されたことで状況が急変した。フランコは腹心の死に大きな衝撃を受けた、その狼狽は隠しようもなかった。葬儀では、総統が流す涙と、ますます症状が重くなっているパーキンソン病の症状が人目を引いた。ひどく衰弱したフランコは、「トーチカ」とあだ名される強力な一族に守られ、依存するようになった。一族の主《おも》だった者は妻カルメンと一人娘、そしてなによりも娘婿のビリャベルデ侯爵だった。社交界に出入りする世慣れた心臓外科医のビリャベルデは、総統に近い身分を利用して私腹を肥やそうとする利権屋でもあった。「トーチカ」にとって、民主主義への移行など問題外だった。なにも変わってはならない。即位後に将来の国王に勝手なことをさせないように、ボルトをもっときつくしめることさえはかられた。そのため、カレーロ・ブランコの後継者として、カルロス・アリアス・ナバーロがすぐさま任命された。ナバーロはフランコ派の有力者だがじつに凡庸な人物で、その無能ぶりにはフランコ総統も不安をいだくほどだった。

フランコの終わりは近づいていた。健康は見る見るうちにおとろえた。一九七四年七月、血栓静脈炎に苦しむフランコは、フアン・カルロスに権力をゆずることを決心せざるをえなかった。だが病いから回復すると、九月二日に復職した。ゴルフや狩猟に興じる姿もみられた。しかし、政務に直接たずさわることはなくなった。パルド宮にある総統の執務机は書類の山で埋もれ、フランコはまだ仕事をしているとの錯覚を訪問客にあたえた。当然のこととして、国家の頂点が長いあいだこのような状態でありつづけることは許されなかった。スペイン社会が重大な災厄にみまわれていただけになおさらだった。ETAは一九七五年に二六人を暗殺した。だれもが予測できたように、政府は無慈悲な制圧を行なった。またしても何人ものテロリストに死刑判決がくだされた。数年前は、国際的な圧力と、「リベラルな」大臣たちの働きかけにより、死刑に処されるはずだった者たちが刑を一等減ぜられたのに、今回は死刑が執行された。外国では憤慨の声が高まった。しかし「トーチカ」は気もとめなかった。一九七五年一〇月初め、オリエンテ広場で年老いた独裁者の支持者による大規模な集会が行なわれた。王宮のバルコニーに姿を見せたフランコは、震える声で、スペインの破滅を望むフリーメイソンの陰謀をまたしても糾弾した。彼のかたわらには家族とファン・カルロス王子がいたが、王子の顔は強《こわ》ばっていた。

数日後、フランコは重病に倒れ、回復することはなかった。心疾患、消化器腫瘍、腹膜炎、腎不全、気管支肺疾患。あらゆる病に襲われていた。最後まで意識は清明で、尊厳を保って死に立ち向かった。医師の一人が彼の喉から大きな血の塊をとりのぞくと、「死ぬのはたいへんだ」とだけ述べた。息を引きとったのは一一月二〇日だった。ファン・カルロス国王が独自の施策を打ち出す余地をなくすため、王国評議会のメンバーと国会議長を二六日に入れ替えようと思った周囲の人間がむりにむりを重ねて延命をはかった結果である。

不思議な人物だった。彼の才能とよぶべきものは、当面の情勢を掌握する比類なき腕前を発揮して政治生命を長く保ったことにつきる。ほかの独裁者とは異なり、彼は一度も誇大妄想的な無茶を犯さなかったし、ある程度の妥協は必要だと理解することができた。これこそ、彼の権力のなみはずれた長寿の秘密である。とはいえ、彼は最後の最後まで前代未聞の無慈悲を示すことがあった。大量虐殺の罪でフランコを非難することは不可能であろう。しかし、内戦が終わってから何年もたった後も、彼自身の視点から判断してもあきらかな必要性はないのに、昔の敵に対して少しの慈悲ももたなかった。そして、恩赦をあたえることがあっても、その決定がとどくのが刑の執行後になるようにタイミングをはかる、というマキャヴェッリぶりを一度となく発揮している。これは、カトリック信仰を表明しているフランコにとって、心のやましさをやわらげるための卑劣な工作であった。彼の遺言書には「わたしには、スペインの敵をのぞいて、一人も敵がいなかった」との一節がある。おそらくは、本人もそのように信じるにいたったのだろう。そして彼はこれをもって、あれほど長期にわたって権力を独占したことを正当化していたのだろう。

〈参考文献〉

Paul Preston, *Franco a Biography*, Harpers and Collins, 1993.
Max Gllo, *Histoire de l'Espagne franquiste*, Robert Laffont, 1969.
Guy Hermet, *L'Espagne au XXe siècle*, PUF, 1986.
Philippe Nourry, *Franco, la conquête du pouvoir*, Denoël, 1975.

Bartolomé Bennassar, *Franco*, Perrin, coll. « Tempus », 2002.
Francisco Franco Salgado Araujo, *Franco au jour le jour*, Gallimard, coll. «Témoins», 1978.

郵便はがき

料金受取人払郵便

新宿局承認

1993

差出有効期限
2021年9月
30日まで

切手をはら
ずにお出し
下さい

160-8791

343

（受取人）
東京都新宿区
新宿一―二五―一三

原書房

読者係 行

1608791343 7

図書注文書（当社刊行物のご注文にご利用下さい）

書　名	本体価格	申込数

お名前　　注文日　年　月

ご連絡先電話番号　□自　宅　（　　）
（必ずご記入ください）　□勤務先　（　　）

ご指定書店（地区　　）（お買つけの書店名をご記入下さい）　帳

書店名　　書店（　　店）　合

5749

独裁者が変えた世界史 上

オリヴィエ・ゲズ 編

読者カード

より良い出版の参考のために、以下のアンケートにご協力をお願いします。*但し、後あなたの個人情報(住所・氏名・電話・メールなど)を使って、原書房のご案内なを送って欲しくないという方は、右の□に×印を付けてください。 □

ガナ
名前 男・女 (歳)

住所 〒 -

市 町
郡 村

TEL ( )
e-mail @

職業 1 会社員 2 自営業 3 公務員 4 教育関係
5 学生 6 主婦 7 その他 ( )

買い求めのポイント
1 テーマに興味があった 2 内容がおもしろそうだった
3 タイトル 4 表紙デザイン 5 著者 6 帯の文句
7 広告を見て (新聞名・雑誌名)
8 書評を読んで (新聞名・雑誌名)
9 その他 ( )

好きな本のジャンル
1 ミステリー・エンターテインメント
2 その他の小説・エッセイ 3 ノンフィクション
4 人文・歴史 その他 (5 天声人語 6 軍事 7)

購読新聞雑誌

書への感想、また読んでみたい作家、テーマなどございましたらお聞かせください。

6 フィリップ・ペタン

独裁者《ディクテイター》とは命令《ディクテイト》する者である

ベネディクト・ヴェルジェ＝シェニョン

これは歴史上有名な写真である。カメラがとらえたひとつの握手の場面が、プロパガンダと称賛と憤りとスキャンダルと物議の材料、そして裁判の証拠物件となった。一九四〇年一〇月二四日、モントワールで、アドルフ・ヒトラーとフィリップ・ペタンは握手をかわした。こうして歴史に残ることになったシーンは、まさにフランスとナチ・ドイツの協力関係の象徴となった。

いったいこれは独裁者同士の握手といっていいのか？　一方の人物は、征服だけでなく傀儡政権と同盟国を通じてヨーロッパ大陸の四分の三を支配し、絶頂期の第三帝国を体現している。もう一方は、このほどあっけなく敗北し、弱体化と分裂と服従を余儀なくされた国のわずかな残存地域を治める立場だ。

となれば戦時下にあって、みずからの今後の運命どころか日常生活ですら決定権をもたない敗戦国

フィリップ・ペタン（1856–1951）。1940年10月24日、モントワールにおけるヒトラーとの会談。
© Bridgeman Images

の独裁者というものがありえるのか、という疑問が生じる。すべてを決定する立場でなしに、独裁者といえるのだろうか？　そのうえ、すくなくとも二〇年間は筋金入りの共和主義者として、扇動的な将軍とは似て非なる存在と思われてきたとあれば、独裁者になることなどあろうか？　さらに、八四歳で独裁者となり、その後も独裁者でありつづけることは可能だろうか？

元帥

フィリップ・ペタンが生まれたのは共和制下ではなく、第二帝政の時代だった。一四歳で、一八七〇年（プロイセン＝フランス戦争）の敗北、そしてプロイセンによる占領という激動をまのあたりにした。この経験がペタンに復讐の念を植えつけ、軍人の道を志すことになった。少年時代にいだいた雪辱の夢をかなえるまでに、彼はおよそ五〇年待つことになる。一九一八年一一月一九日、まさにペタンはフランスの元帥、勝軍の将として、プロイセン＝フランス戦争でフランス軍が包囲された因縁の地、メスに入った。彼の生涯でこれほど深い感慨をいだいた出来事はほかになかった。

それまでのあいだ、ペタンは研究熱心な性格と革新的な教育の実践を持ち味として頭角を現わし、将校として長く経歴を積んだ。一九一四年夏には退役目前の大佐だったが、危険な退却を指揮し、部下を導きマルヌの勝利に貢献させたとして、第一次世界大戦がはじまってまもなく将軍に昇進した。一九一五年、ペタンは参謀部の悲願だった、膠着状態にあった戦線の突破を——つかのまだったが——はじめてやりとげた。ヴェルダンの戦いで軍司令官となり、たちまち当時の世界だけでなく歴史に残るほど華々しく登場したのは翌年のことだった。世界で一躍有名になると同時に、すべてのフランス人から感謝され、さらに政府関係者たちといっしょに仕事をするようになった。

一九一七年、ペタンは西部戦線のフランス軍総司令官に任命され、神のご加護はあいかわらず続くかのようだった。折も折、ロシア革命に刺激された兵士の反乱は軍隊の分裂、いや崩壊をもひき起こすように思われていた。ペタンはヴェルダンの「防御者」、さらには「救済者」とよばれていた。反逆者たちを弾圧しただけでなく、戦士たちのはかりしれぬ犠牲への敬意を回復することにより、危殆に瀕した軍隊を救ったことから、フランス共和国はペタンに軍功章を授与し、彼は事後的にヴェルダンの「勝者」と目されることになった。ペタンは戦士たちのふだんの生活を改善し、戦闘と休息の時間交替制を徹底し、一時休暇を公平にあたえた。慎重に周到な準備をしたうえで攻撃の指揮をとった。「戦車とアメリカ軍の到着を待つ」とペタンは決断をくだした。この場合、フランス兵士への愛というよりは現実的な計算がまさっていたにせよ、ペタンは人間味ある指揮官という評判を得た。すなわち軍隊がなければ勝利は不可能であり、生きた、いや健康な戦士がいなければ軍隊どころではないのだ。フランスに最大限の貢献をしたと胸を張ったペタンは、有事の際にはかならず自分にお呼びがかかるという、自負と悲観のない交ぜになった確信をいだいた。

元帥となったペタンは、戦後、さまざまな閣僚と日々協議しながら、一九三一年まで参謀部の長をつとめた。さんざん引き延ばしたあげく退職した後は、あらゆる方面から敬意をはらわれる相談役でありつづけ、栄誉ある存在としてフランスの威光をいわば体現していた。一九二九年にフォッシュ元帥が亡くなると、ペタンは後任のアカデミー・フランセーズ会員となった。この「元帥の選出」のためには著書がすくなくとも一冊あることが必要であり、彼は『ヴェルダンの戦い』なる本を書いた——いや書かせたというべきか。回顧録の執筆については、自分の過ちを言いつくろったり他人を批判したりすることになるだけだからと、いかにも遠慮深くよそおって断わった。彼はやむをえずこの名誉職を二度もはずれる羽目になった。一度目は暴動・クーデター未遂事件が起きた「一九三四年二月六日の危機」の後、国防相に就任するためであり、二度目はフランコ派が政権をとった後に大使としてスペインとの和議を行なうためだった。最後の切り札というペタンの立ち位置はこうして固められ、彼自身も自信を深めた。

八〇歳のペタンは、驚くほどの健康体で、貫禄、物腰、生まれもった威厳…そしてその青い目をもって、かつてないほど人々に畏敬の念をいだかせていた。昔から艶福家だったが、ようやく遅く結婚したにもかかわらず、あいかわらず多くの女性とプラトニックあるいはそうではない関係をもちつづけた。女性だけでなく男性にも深い印象をあたえ、政治的派閥に関係なく人望を集めた。一九三五年一一月、人民戦線の中心人物の一人、ピエール・コットは、制度的危機を克服するため、フランス大統領は、勇気と忠誠心と公正さを申し分なくそなえた人物を頼るべきだとする文章を左派週刊誌「ヴュ」にのせた。「ぴったりの人間がいる。それはペタン元帥だ。軍の精神的支柱となる真の指揮官である彼だ。戦士だった者は、一人残らず彼に心からの感謝の念をいだきつづけている。もっともすぐれた司令官である以上に、もっとも人間的でわれわれの惨状に心をよせる人であるからだ。彼がいれば、どんな困難もおそれることはない。かつての戦士たちにかけた一言、エネルギーあふれる行動がいまこそ甦れば、秩序は保たれ、おちつきがとりもどせる。政府あるいはフランスを彼にゆだねようというのではない。秩序を行きわたらせるためだ。わたしの考えをおかしい、あるいは危険だと思う人もいるだろう。あの不思議なもの、ペタン元帥のまなざしを見た者ならだれでもわたしに賛同してくれると思っている」。ペタンは安心感をいだかせる、フランス人の理想とするタイプだった。冷淡さと計算の入り混じったペタンの慎重な態度は、生来の品格ある冷静さと受けとられた。

一九三九年に第二次世界大戦が勃発すると、ペタンは駐在中のスペインで「フランス人の士気」を高める使命が課されるのをじりじりと待った。この戦争は長引き、とくに経済力の勝負となり、士気が勝利の鍵をにぎる、と思った。一九四〇年五月、ドイツが電撃戦を開始しスダンを撃破するや、ペタンはもはやこれまでと思った。ポール・レノーから無任所大臣としての入閣を要請され、不屈の精神と最終的な勝利の確信を体現するために、ペタンは任についた。内心では完全なペシミズムと、一刻も早くむだな戦いを止めねばならないとの思いにかり立てられていた。ドイツの圧勝によってフランスが名実ともに消滅することすら考えられ、そうなる前に、救えるものは救おうとペタンは懸命だった。そのため、休戦支持派はペタンを体よく引きあいに出し、代弁者にした。

一九三〇年代から、ペタン元帥を政権の座にかつぎ上げようという思惑と運動がくりひろげられたが、本人はけっしてその期待にこたえようとせず、誰彼に利用されるのをこばみ、彼の威厳にふさわしくない陰謀に荷担することもなおさら嫌がった。しかし、矜持をもってしても、存亡の危機に立たされた自国のリーダーになる、という野心はしりぞけがたかった。こうして彼は、レノー内閣が倒れた一九四〇年六月一六日には政権掌握の心づもりをしっかり固めていた。休戦申し入れを支持する派と抗戦継続を主張する派に分裂したが、閣議においては前者が勝ちを占め、抗戦継続派だったレノーは辞任した。

閣僚の先頭に立ったとはいえ、ペタンは力ずくで権力を手にしたわけではなかった。フランス人の大多数と同様、多くの議員が、国家の崩壊のさなか、ペタンは国益と名誉の明白な担い手であると認め、支持したからである。こうして一九四〇年七月一〇日、圧倒的多数の賛同で、新しい制度を敷くための白紙委任状がペタンにあたえられた。

ペタン内閣全体につきまとうであろうあいまいさがすでに表出していた。瓦解した政界によって安易に選ばれたものの、まもなく成立するであろう講和と急を要する新憲法制定までの臨時的な措置であることを暗に匂わせた権限であり、ペタンはペタンで期限をみずから設定せず権力の座についた。講和より先に、いかなる犠牲をはらってでもフランスを根底から改革する決意だった。身を挺してフランスに貢献した後は、自分の功罪は歴史のみに判定してもらう、と彼は思うようになった。

つぎはぎだらけの制度

ペタンの下で始動した制度はすべて――あるいはほとんど――こうした悲劇の重なりあいから生まれたものだった。

六月二五日に発効した休戦協定で、決定的境界線で区切られた三分の二の国土の占領、フランス軍の戦力の大幅な縮小、重要物資の引き渡し、莫大な占領経費の負担、秩序維持のためのドイツ軍当局との行政協力が定められた。

とはいえ合法的政府を頂く主権国家であることに変わりはなく、今後ドイツの占領下となる大部分のヨーロッパ大陸の国々に比べればその価値は大きかった。一時期政府が置かれたボルドーも占領され、あと数週間で戦争が終結するとの見通しでヴィシーに臨時政府が成立した。ここで、第三共和制下の議員たちが召喚され、憲法改正の原則を承認した。この採決は明確にされた目的に合致するだけではなく、休戦をも承認するものだった。すなわち、植民地を戦場として戦争を継続するよりも撤退を選択し、同盟国イギリスと訣別し、第三共和制の指導者たちに敗北の責任を負わせることだった。つまるところペタン本人への支持を表明するものではなかった。いろいろな、ときには辻褄の合わない理由で、フランスが直面している劇的な危機をのりこえられるのはペタンしかいないと思われたのだが。

ペタンは軍人、しかも勝軍の兵だった。第一次世界大戦でドイツに勝った経験があり、とくに国土防衛をかけてフランス軍が戦った最大の激戦、「ヴェルダンの勝者」だった。筋金入りの愛国者ペタンが、ドイツに対して守れるものは守る覚悟でいるのは明らかであり、たとえ相手がナチであろうと圧倒できるはずだった。部下の命を尊重すると評判の指揮官で、誇り高く賢明、八四歳になっても矍鑠《かくしゃく》たるペタンは、さまざまな持ち味を巧みに使い分け、慈父としてだけでなく、権威ある者としてふるまった。ラジオ放送ではじめて演説をした際、ペタンは「いままで皆さんには父親の言葉で話しましたが、今日、わたしは指揮官の言葉を話します」と述べた。フランス人は、その声が年のせいでしわがれているのを感じとった。

「救済者」ペタンは知恵、洞察力、善良さ、生まれもった威厳といったあらゆる美点に恵まれていた。ペタンは本質的に、政治的対立とは関係なく、あるいはよくいえばいざこざを超越しているように見えた。「良識」の名のもとに、彼は軍隊の指揮から着想を得て、その原則を社会のあらゆる機能にあてはめ、効果的な政府形態を提案した。「指揮官はつねに五人以上の部下に命令することはできなかった。それは伍長にはじまり軍人のトップにいたるまであてはまる」。ペタンはこの方式をとりいれることにより、国の歴史上最悪の敗北を生み、その致命的欠陥を露呈した議会民主主義の不協和音や混乱や無意味さを解消しようとした。「権限は下から来るものではない。権限はわたしが授け、あるいはゆだねるものにほかならない」

個人として例外的な正当性と新たな合法性をあたえられたペタン元帥は、一九四〇年七月一一日から、フランス共和国を清算することで優位を固めることに腐心した。彼は一連の憲法行為をへて、政府の長としての職務にくわえ、フランス国首席なる新しい称号をもぎとり、採決によってあたえられた憲法制定権のほか、執行権、立法権、財政権、司法権を手中におさめた。ペタンは混乱期の臨時的――そしてひじょうに便利な――指導者にすぎないとみなしていた支持者もいたが、彼は頼みの綱であるだけでなく、不確かな未来を背負う指導者となった。革命も強権発動もなく、あたえられた権力を「拡大解釈」し、進退窮まった指導者層や方向性を失った世論の同意をもって、ペタンはあらゆる権力を手にし、あらゆる正当性を受託した。ペタンは天からの救い主である以上、唯一の存在であり、反対も制限もなく、一人で采配をふり、すべてを決断した。この新しい制度は数か月のあいだ名前をもたなかったほどだった。一九四一年初め、ペタンは一般的というより同義語を二つならべたような「フランス国」なる名称を受け入れた。そのうえ、成立するはずだった憲法は、衰退した政治社会にあてがうべき添えものだったが、けっして日の目をみることはなく、この体制が首班であるペタン本人あってのものであることを証明した。ラジオ、検閲し制限した出版物、大量のポスター掲示をとっかえひっかえ駆使し、ペタンのイメージ、言葉、存在感をくりかえし利用したことからも、それはなおいっそう明らかだった。国務のすべてが「元帥」ペタンの良識ある強靭な意志から生じていた。

「彼は憲法制定権、執行権、立法権、司法権、すべての権力を同時にその人格のなかに混合し吸収した。彼は例外から規則を、臨時的官職から永続的統治権を、限定的権力から無限の絶対的権力を引き出した」。この数行は、一九三一年にラテン文学者ジェローム・カルコピノがローマの独裁者スッラについて書いた伝記にあったものである。その一〇年後、ペタンは元帥兼首相になっていた。その地位は驚くほど的確に同じ言葉で言い表わすことができる。

Dictator est qui dictat.（独裁者とは命令する者である）

複数体制の独裁

すくなくともペタンは命令する者とされていた。

聞こえのいい地位かと思われたが、初っ端から裏切られた。一年目から一一回も内閣改造が行なわ

1940年代初め、執務室のペタン。
© Time Life Pictures/Pix Inc./

れた。いずれも安定をはかってのことだった。フィリップ・ペタンは、フランスの統治を連鎖的に担保するピラミッド構造の内閣をなにより望んでいたのに、かなえられなかった。「わたしは過去も現在も虚無に立ち向かっていることを皆は知っているのだろうか?」。閣僚たちは行政機関に対して権威を行使することができず、その行政機関は旧体制の恩恵を受けていた者たちによってむしばまれている、と批判されていた。大々的な粛清と、フランス国首席への忠誠の誓いの強制が、士気の低さを正すものと思われた。だが、何度もくりかえされた秩序回復のよびかけは、制度の空まわりを露呈していた。

たとえばペタンは一九四一年八月、「わたしは良識、理性、公益概念にくりかえし訴えた。すべてのフランス人の協力と熱意を粘り強く求めた。あいまいな言葉でやりとりするときはもはやすぎさった。どのような形か知らないが、自分たちが権益を得ていた制度の復活とやらを望む見当違いの人々がいまだにいるかもしれない。(「労働、家族、祖国」を旨とする)国民革命がフランス、ヨーロッパ、ひいては世界の最大限の利益につながることをわたしは確信している。いずれにせよ、立場をはっきりさせるべきだ。わたしに賛成するか反対するかのいずれかだ」と述べた。

じつはこれには多くの理由があった。まず、政治、経済、社会にのしかかる制約がますます増えつつあった。すぐに終わるはずだった戦争は長引き、もはや出口が見えなくなり、それにともない、休戦体制も延長されている。すなわちナチ・ドイツが占領した地域にはさまれた領土、骨の髄までしゃぶられ破綻寸前の経済、通信妨害、ドイツによる国の運営への干渉といった問題が手つかずのままだった。そのうえ、枢軸国の共同交戦国となるリスクをおかしてでも対独協力をすることが、最良のもっとも賢明な戦略とのふれこみで、熟慮のすえに選択された。この運命的な選択によってペタン政権は、軍事的に第三帝国と一蓮托生の、出口のない悪循環におちいり、内戦を誘発することになる。実際、この専制的政権自体、さらに高次の権力、ナチ・ドイツに伏していた。ドイツは、法律文書の検閲であろうと高級官吏や閣僚の任命や罷免であろうと、容赦なく圧力をかけた。

そのうえペタンの後見人的人物像は、ちぐはぐで矛盾したよせ集めの組織をまとめ上げる唯一の要素となっていた。ペタンに対する崇拝は、自発的でセンチメンタルな場合もあれば、組織的に押しつけられた場合もあった。とはいえ彼への尊敬によって、定義することも機能させることも困難なこの「複数体制の独裁」の諸要素がどうにかこうにかまとまりを見せていた。フランス国は、実際、敗北という悲劇への対応だけで生まれたのではなかった。反革命という古くからの伝統に根づいていた。対立するさまざまな日和見主義の集団はもちろんのこと、国家主義者、若手右派、新社会主義者、君主政主義者、社会主義カトリック、反共産主義組合活動家、あるいは新旧ファシストたちが職と地位を求めてその伝統にからみついていた。こうして幅広い分野から集まった政治活動家たちが政府や、ヴィシーの決定機関や組織に共存していた。彼らの人物像は相補的というより相反する特徴をもち、権威主義、防御的ナショナリズム、ヨーロッパ主義、程度もさまざまな平和主義に与しており、のきなみ忌み嫌われた民主主義も共産主義も共和制も一緒くたにする反自由主義と結びついていた。とはいえだれもが事あるごとにペタンを引きあいに出して盾にした。相手に対し、言いたいことはわかっているし認める、という印象をあたえる類まれなペタンの才能がここでは裏目に出た。こうした現象はパリでゆがんだ様相を呈し、対独協力論者たちがペタンをうしろだてに恥ずかし気もなくのさばり、一九四〇年八月の彼の発言を悪用した。「中立的に生きることはできません。勇気をもって立場を明確にすべきです」。この言葉を皆が好き勝手に解釈した。

反動派は「新しい秩序」を標榜していたが、言葉の端々からうかがえる価値観の輪郭はあいまいだった。ペタン元帥は憲法の法的基盤について考えることができず、憲法を統括すべき「原則」についてしきりに言及した。「人間は基本的人権を自然から得ている。しかしその権利が保証されるのは、周囲の共同体、すなわち育ててくれた家族、生計を立てるための職業、守ってくれる国家によってである」。しかしながら、ペタンの政策の代名詞となった「国民革命」なる用語を定着させたのは、彼ではなく一九四〇年夏のヴィシーの空気だった。ペタンはむしろ革新あるいは再建といった言葉のほうが好きだった。彼はこうして、保守反動的計画とはあいいれないが、時代の空気に合ったこの「革命」という言葉を背負いこんだ。それだけでなく人びとは、一九二〇年代からヨーロッパを席巻してきた全体主義やその他「強力な」制度の外見、象徴、戦略を捻じ曲げた形でまねようとした。片時も眠らず過ちも犯さない指導者への崇拝、軍隊式敬礼、宣誓、軍服、若者の動員、思想統制、「国民連合」と名づけた言説への集団的同意が押しつけられた…しかし、フランスは一党独裁にはならなかった。ドイツがそれを望まなかっただけでなく、ウェイガン将軍をはじめとする筋金入りの保守派が危険と判断したためである。「国民を互いに対立させ、国家の権威を滅ぼそうとするならば、いかなる集合も許されない」とペタン元帥は「共同体の原則」のなかで述べている。とはいえ、ペタンは、在郷軍人会に代わるレジオン・フランセーズ・デ・コンバタン、全国評議会、レ・ザミ・デュ・マレシャル（ペタン元帥を囲む会）といった仲介的組織を設け、原則として国民革命の熱心な支持者にあたえられる勲章フランシスクを作ることまでした。

ペタンは、規律正しく序列の明確なフランスに、政治的采配をふり命令を徹底することを求めたが、もちろん予想以上にむずかしい決定のプロセスに苦労した。統治の仕組みが複雑で、国家行政の経験不足だけの問題ではなく、そのうえ周囲の不協和音のなか、ペタンは表面的な役割あるいは仲裁役にすぎなくなることもしばしばだった。高齢、仕事量の限界、認知症のゆるやかな進行があいまって、反応が遅れることが多くなった。おまえがお年寄りをまどわしたな、と非難しあいながら、だれもが遠慮なくペタンをあやつった。一九四三年から、ドイツが介入の度を強め、ますます強権をふりかざすようになったことにくわえ、見かけだけではない事実上の権力を確保しようとしてペタンは失敗し、あらゆる決定にかんする影響力を失った。独裁はペタンの執務室以外の場所で行なわれ、飾り気なくすみずみまでかたづいた執務室は明晰な頭脳の証拠とされていたが、ペタンが存分に仕事をしていないことをいやがうえにも物語るのだった。執務室は記録と先送りとため息の場となった。というのも、身を挺して国に奉仕する覚悟とは裏腹に、ペタンは愚痴をこぼしたり言いわけをしたりする癖がどうしても抜けなかったからだ。不満たらたらの独裁主義だった。

いったいこれは独裁政治なのか？

ヴィシー政権は家族、仕事、地域といった永続的な共有要素を称賛した。フランスの不幸のおもな原因のひとつとされる忌まわしい個人主義にはこうした対位モチーフ《コントルポワン》が望ましかった。対位モチーフ《コントルポワン》ではあったが、対抗する力《コントルプヴワール》ではなかった。力の対抗という概念は、そもそもフィリップ・ペタンの頭になかった。ペタンはフランス革命や共和政の伝統に由来するイデオロギーをことごとく嫌い、ひいては自由主義、民主主義、選挙をもしりぞけた。憲法をめぐって迷走と変節をくりかえしながらも、ペタンは一貫して共和政と普通選挙を避けることに心をくだいた。

ペタンは一九四〇年一一月のインタビューで、「国民の代表は必要です。それはわかっています。国民よりわたしのほうがずっと理解しています。しかし、いまはエリートの時代です。公約に明けくれている場合ではありません。公正と忠誠をつらぬくときです。たしかに国民は発言権をもっています。しかし、今後は労働がものをいい、真に国家に奉仕する者が影響力をもつのです。秩序のみを念頭に置くべきであり、秩序とはすべての人々の良心なのです」と述べている。

政治的自由主義の否定は権利の抑圧につながり、権利はもはや基本的なものとみなされなくなった。こうしてペタンはほかの権利と同様、司法権を保持した。数年のあいだに最高裁判所、特別部門、国家裁判所、軍事裁判所といった特別裁判所が創設された。裁判が迅速に進まない場合、ペタンは必要とあれば彼自身が設置した諮問機関を飛び越し、直接、被告人を断罪する権力を行使した。ペタンは最高法院の裁判を待つことなく、敗北の戦犯とされたレオン・ブルム、エドゥアール・ダラディエ、ガムラン将軍を勾留するよう命じた。法はまた遡及して適用することも可能だった。特別部門は予審なしに裁判にかけ、見せしめとして、すでに断罪された被告もふくめ、最初から決められていた有罪宣告を行ない、通常なら軽罪裁判所の管轄となる案件に死刑を適用した。一九四三年一月に治安維持力と国民革命の実働部隊としてペタンの指揮下に民兵団《ミリス》が設置され、その暴力が制度化されたことにより、すでにほころびを見せていた法治国家は一九四四年に瓦解した。民兵団《ミリス》司令官ジョゼフ・ダルナンはドイツの武装親衛隊中尉でもあったが、一九四三年一二月、ヴィシー政府の治安維持長官に任命され、治安と刑務行政において権力をにぎった。被告の名を伏せた軍法会議が監獄で行なわれることもざらだった。非公開の裁判の場合、控訴をいっさい認めず死刑宣告がされ、即刻、刑が執行された。無罪判決や軽めの刑罰はありえなかった。こうして六か月のあいだに、二〇〇人が処刑された。身元不明のまま刑死した者もいた。それほど裁判は拙速で、秘密裡に行なわれた。

極端な形ではあったが、ヴィシー政権は一気に弾圧を強めた。一九四〇年夏から、ペタンは戦犯と名ざしにした人々を告訴し投獄し、フランスを離れイギリス側について戦いつづけたフランス人にかんし欠席判決を出させた。彼はみずから、玉虫色の法的基準をたくみに使い分け、外国出身そしてユダヤ系のフランス人に対する差別的措置をとった。「悪いフランス人」としてひとくくりにした者たちを、追放、差別、除外、監禁、投獄、はては処刑の対象にした。フランス国は敵を見つけ出して攻撃をくわえ、「悪いフランス人」、「反逆者」、さらに「テロリスト」などとよんだ。このような現状と措置が原因で、おのずと抵抗運動に火がつき、激化していった。

ペタン政権に対する反対派は、政治的反論と愛国的抗議をさまざまな濃度で混ぜあわせているのが特徴だった。一九四〇年から一九四二年にかけて、占領地区にいた反対派は、勝者ドイツの圧倒的な存在感に立ち向かう手段をなかなか見出せないでいたが、非占領地区の反対派は出版物の検閲や世論の操作をあの手この手でくぐりぬけ、自由の侵害を告発したり、対独協力政策にひそむ危険性に警鐘を鳴らそうとしたりした。いずれの場合も、ドイツへの強い反感、戦況の重視、ペタンに対する根強い敬意がまさり、ヴィシー体制の問題に批判の鋭い矛先が向けられることはなかった。ドイツの前に嬉々として膝を折るであろうとみなされたピエール・ラヴァルが首相として政権の座に返り咲き（一九四二年四月）、北アフリカに米英軍が上陸した（一九四二年一一月）後、ドイツ国防軍がフランス本土全域を占領下におさめ、ドイツに遠隔操作されているかのような徹底的な対独協力論者たちが入閣し（一九四三年一二月―一九四四年一月）、ドイツの要求への服従が色濃くなるにつれ、溝は深まった。フランス国は、じわじわと強まるドイツの束縛に身震いしながら譲歩と率先的措置で応じた。そうした対応はやっかいで危険、あるいは法にふれており、ドイツの属国と化したことを印象づける一方で、逆にフランスの主権を示すことにもなった。たとえば、一九四二年夏、フランス警察が二万人のユダヤ人を検挙し、ドイツの手にゆだねたことは、フランス国の権威を明示する手段として想定された。一九四三年二月に強制労働局が設置されたとき、若年層がドイツにおもむいて労働を強いられることに国民は憤り、ヴィシー政権とのあいだの亀裂は決定的となった。国民につめよられたペタンは、国家から課せられた義務を各自が果たすのは当然だと答えた。

ゆえにヴィシー政権は徐々に強硬な姿勢を示し、対独レジスタンス活動家となった反対派に武力を行使し、国家的テロリズムの様相をおびるようになった。そのうえ、公的権力が保有する合法的暴力の独占権は、革命運動の先兵を自任するフランス民兵団《ミリス》が奪いとった。ほとんど政府レベルの問題に高められた「治安維持」は、度を越した物理的暴力の口実となり、国家の安全と理性の名において拷問と殺人がまかりとおる世となった。恐怖をあおることが、抑圧された社会を統治する手段となった。暴政は窃盗、強奪、略奪を許し、こうした行為にはマフィアの手法の影響がはっきり表れていた。そのうえ背後からドイツ人たちが卑劣な力の行使をあおり立て、こうした手段を許すことで協力者らに報いた。この集団で暴力に訴える者たちは称号や職務をあたえられていることも多く、彼らが処罰をまぬがれていたことにより、制度と犯罪とのあいだにまさに混乱が生じ、現政権にとって代わる権力が正当性をおびたことにより、ヴィシー政権の威信はついに失われた。さらに一九四四年夏、ヴィシー政権は、連合軍のノルマンディ上陸にはじまる領土の奪還と内戦を背景に、無秩序と暴力性にまみれながら終焉を迎えた。ドイツ軍と民兵団は、もはやためらわず国家元首ペタンの協力者の一部をその執務室まで追いつめてむざむざと逮捕し、ペタンはもはや、形だけの抗議の声をあげる以上のことはしなかった。

最後の数か月、フィリップ・ペタンは無分別な立ちまわりを演じた。論理性を欠く奇妙な思考回路を示しつつ、いまだにただ一人正当性を保持していると信じるゆえにやるせないいらだちを感じながらも運命を甘受した。

歴史の裁きを受けるのはわたし一人だ

一九四四年八月、ペタン元帥は、政府機関が数週間でもぬけの殻となったヴィシーから、ドイツ軍によって連行された。ほんとうのところ、権力を失ったままヴィシーに残っていたのは、ほぼペタンただ一人だった。ドイツのジークマリンゲン城にとどめ置かれたペタンは、帰国して、みずからが起訴されている裁判に出廷したいとあくまで主張した。しかし、認知機能のおとろえた彼がようやくフランスに帰ったのは一九四五年五月であり、高等法院で裁判がはじまったのは七月二三日だった。

ペタン本人について、何が裁かれようとしたのだろうか。国家反逆罪か、独裁か。起訴状は「独裁政権」、「フランコ体制をモデルとした政権」であったとさりげなく匂わせていた。裁判では、虚栄心と野心と敗北主義に満ちたペタン元帥が陰謀をくわだて、みずからの権力掌握とひきかえに、国を売ったとの主張をめぐり、延々と審理が続けられた。ペタンの陰謀にかんする論証はなかなか決着がつかず頓挫した。ユダヤ人迫害やレジスタンス活動家の弾圧が糾弾されたが、嫌疑というよりは例証としてあげられた感があった。検察官は論告で「背信行為、政権に対する反逆、国家に対する反逆」といった罪状をあげ、「こうした基盤の上に成立した権力の保持者たちは力ずくで命脈を保ったにすぎない」と結論づけた。しかし結局、一九四五年八月一五日、フィリップ・ペタンは敵との内通のかどで死刑および反祖国罪（対独協力者の市民権剥奪）を宣告された。裁判所はペタンを独裁者というより祖国の裏切り者として後代に伝えようとしたが、ドゴール将軍がペタンに恩赦をあたえた。

しかしながら、次の世代となるにつれ、こうしたほとんど軍事的な視点はかえりみられなくなり、ヴィシー政権下において進められ容認された人種差別や迫害、ユダヤ人取締法発令といったことに焦点があてられるようになった。

フィリップ・ペタンはほんとうに独裁者だったのか？　おそらく違う。ペタンがみずからの品格についていだいていた高邁な理念だけでなく、ドイツに支配され服従した政府の状況が、皮肉にも否定の理由となる。
　ペタンはひとつの独裁政治の形態を背負って立ったのだろうか？　みずからの決断と選択と威厳によってそれを可能にしたのだろうか。「悪人」と「善人」の線引きがされるや、救済と保護と復活を約束した相手に対してさえ、手のひらを返したように暴力を向けるにいたる制度が独裁政治であるのなら、おそらくそうだろう。
　一九四四年一月、フィリップ・ペタンは、「敗北が悲惨な結果につながることはわかっていた」と女友だちに宛てて書いている。「しかし、敗北による不幸がこれほど長引くとは思わなかった」

〈参考文献〉

Michèle Cointet, *Nouvelle Histoire de Vichy*, Fayard, 2011.
Laurent Gervereau et Denis Peschanski (dir.), *La Propagande sous Vichy*, BDIC, 1990.
Renaud Meltz, *Pierre Laval, un mystère français*, Perrin, 2018.
Henry du Moulin de *Labarthète, Le Temps des illusions*, À l'enseigne du cheval ailé, 1946.
Bénédicte Vergez Chaignon, *Pétain*, Perrin, 2014 (coll. « Tempus », 2018).
—, *Les Secrets de Vichy*, Perrin, 2015.

7　東條英機

独裁者？　それともスケープゴート？

ピエール・フランソワ・スイリ

一九四三年二月六日、あなたは独裁者だろうか、とたずねた朝日新聞の記者に対して、東條英機は次のように答えた。東條という苗字をもつ者は、皆さんたちとまったく変わらない、陛下の臣民の一人にすぎない。唯一の違いは、わたしが首相の責務を賜ったことである。その意味で、わたしはほかの人間と異なる。わたしが輝くのは、陛下の光に浴しているときだけである。それがなければ、わたしは路傍の石と変わらない。

東條は独裁者だったのか？　ちょっと待ってほしい。天皇の「忠義で誠実な」臣下、とよんだほうが正確だ。東條以外の候補者の名前がとりざたされ、重臣たちが数日間躊躇《ちゅうちょ》したあげく、一九四一年一〇月一八日に首相に任命されたのだから。

首相の座につくやいなや、東條は陸軍大臣を兼任すると決め、一九四四年二月には参謀総長にも就任した。こうして東條は、国家行政と軍の作戦のすべてを直接統括することになり、ほぼ全権を担うことになった。それでは独裁者ではないか？　そうともいえないことはないが…。東條は一九四四年七月一八日に辞職する。その数日前、北海道で古着商の老人が街中で、天皇は分別のない愚か者だ、さもなければ東條を首相に任命するはずがない！、と大声で叫んだ。逮捕された老人は、天皇に対する不敬の罪で数日間拘留された。ドイツで、同じような文言でヒトラーを批判する者がいたとしたら、どのような懲罰がくだされたか、想像するだにおそろしい…

東京裁判（ニュルンベルク裁判の東洋版）で戦争犯罪人と認定された東條は、一九四八年一二月に処刑される。

じつのところ、仕事熱心な官吏で、組織家として優秀なほうであった東條には暴君らしいところは皆無だった。これに対して、彼が指揮監督することになったシステムは全体主義の臭いがプンプンする独裁そのものであった。

位人臣《くらいじんしん》をきわめた凡庸な将官

東條英機は一八八四年に東京で、地方の名士一族をルーツとする中産階級の家庭に生まれた。父親は陸軍将校であった。英機少年は陸軍士官学校で中等教育を終えた（彼はこうして、軍隊以外のなにも知らぬまま一生涯をすごすことになる）。二回入試に失敗した後、陸軍大学校への入学を果たし、一九一五年に卒業して大尉に昇進した。一九一九年に駐在武官としてスイスに赴任し、その後にドイツにも駐在する。一九二二年に帰国すると、昇進を重ね、一九二八年に陸軍省に入り、大佐となる。

一九三三年についに陸軍少将に昇進し、同じ年に兵器本廠附軍事調査委員長に就任した。東條は軍人としては無名であったが、事務管理能力の高さが評価され、これが陸軍のヒエラルキーでの順調な出世を助けた。彼のキャリアは、彼の仕事の質の高さと連動していた。東條は書類を夜遅くまで整理し、すべての報告書に目をとおし、信念をもって決定をくだす、と評価された。背は低く、禿頭で眼鏡をかけた東條は、平均的な将校、軍組織の官僚であり、これといったカリスマ性を欠いている、と思われた。しかし、一九三一年の満州事変、一九三七年の支那事変で露骨となった日本の海外膨張主義が、東條の穏当だったキャリアをゆさぶり、彼を開戦派の軍人、豪腕のリーダーへと変えることになる。

一九三五年以降、東條は任官した軍のさまざまな機構のなかで、これまでよりも政治的な役目をこなすことを余儀なくされる。一九三五年九月には、満州の関東軍憲兵隊司令官に就任した。軍直属の一種の警察である憲兵隊は戦時中、潜在的な反体制派の監視と汚れ仕事をまかされたために、ゲシュタポと比較されることが多い。このポストにおける東條は、過激な国粋主義に染まった将校たち［皇道派］が一九三六年二月二六日に起こしたクーデター未遂事件への対処で、なかなかの手腕を発揮した。彼は、関東軍内にいた数十人の皇道派将校を逮捕し、関東軍がクーデターに荷担するのではなく、合法的な政府の側につくことを担保した。このときの果敢で精力的な行動が評価され、東條は五二歳にして陸軍中将に昇進し、次いで関東軍の参謀長に就任する。一九三七年の秋、東條はまさに参謀長として、北京の北東にあたる地方の一部の占領という成果をもたらす察哈爾《チャハル》作戦において、チャハル派遣兵団の作戦を監督した。戦場の現場で東條が軍事作戦を指揮したのはこれが最初で最後である。装備がきわめて貧弱だった敵を相手に、東條は楽々と勝者となった。

翌年、東條はまたも昇進し、陸軍航空本部長となった。これ以降、東條は勇ましい開戦派である、との人物評が少しずつ定着し、本人もこの評判を活用することになる。一九四〇年七月二二日、東條は近衛文麿内閣の陸軍大臣となった。天皇につらなる非常に古い貴族の出身で、ファシズムに共感をいだいていた近衛は、中国での戦争は必要だと確信していたが、強国である英米と矛《ほこ》を交《まじ》えることには慎重だった。とはいえ、日本はアメリカに対抗して、ドイツとイタリアとの同盟を固める三国協定［三国防共協定］を結んだ。東條は、自身が一種の優柔不断とみなす動きに対抗して、戦争に勝つための「国民総動員」を組織した。そして、戦争にそなえて兵士の気持ちを引き締めるため、一九四一年一月に「戦陣訓」を示達《じたつ》した［東條自身は、戦陣訓の起草にいっさいかかわっていない］。悪名高いこの訓令は、軍人の心がまえを説くものであり、これを印刷した冊子は兵士全員にとって必携となった。戦陣訓のなかではとくに、「生きて虜囚《りょしゅう》の辱《はずかしめ》を受けず、死して罪過の汚名を残すこと勿《なか》れ」との一節が有名である。中国戦線で泥沼におちいっている将兵たちに、降伏するくらいなら戦死もしくは自殺を選ぶ、との信念を吹きこむのが目的であった。戦闘員はみずからの限界をのりこえ、一種の戦争マシーンとならねばならぬ、との教えであった（兵隊たちは訓練において、銃に残る最後の銃弾で自殺することを教わった）。東條と彼に近い者たちは、日本兵の決死の覚悟は敵兵に衝撃をあたえ、彼らの士気を低下させるにちがいない、と考えていた。これこそが、太平洋戦争中における玉砕[1]や一九四四―一九四五年の特攻にみられる、極端な戦術の原因となった。

一九四一年四月に日米交渉がはじまったが、重要な一点で膠着《こうちゃく》状態に入った。アメリカは日本軍の中国からの撤退、一九三一年以前の状態への回帰を要求した。これに対して日本軍は、東條が以下のように表明するドミノ理論をあみだした。「もしわれわれが米国に従い、中国から撤退したら、われわれにとってこの戦い［支那事変］はむだであったことになるだけでなく、満州は危険にさらされ、朝鮮も同様となるだろう。戦死した兵士たちの家族に、彼らはむだ死にしました、などと説明できようか」。日本と英米の対立はますます激しくなり、日本の軍部のなかでは、アメリカの傲慢な態度は耐えがたい、雌雄《しゆう》を決するべきだ、との思いがつのってきた。日本の参謀部にとって、理屈は単純であった（浅薄皮相《せんぱくひそう》に近いが）。すなわち、極東で日本が英米を攻撃すれば、英米の支援を頼っている中国の抵抗はなくなるだろう。アメリカの対日石油禁輸と「受け入れがたい要求」が日本の軍部に、「アジアから白人の植民地主義者たちを追い出す」ための願ってもない口実をあたえた。

東條は軍の最高司令官？

一九四一年一〇月、東條と開戦派軍人にとってアメリカと戦う機は熟していた。軍部の圧力を受けて近衛首相は辞職した。東條が後継者候補となったが、彼の猪突猛進の好戦的姿勢に懸念をおぼえる人たちもいた。そのなかには昭和天皇がふくまれていたと思われる［戦争を回避したかった昭和天皇の意をくんだ木戸幸一内大臣が、天皇への忠義心が人一倍強い東條に政権をまかせれば開戦に逸《はや》る陸軍を抑えられるのでは、と期待して東條を推挙した、といわれる］。首相に任命された東條は、戦争を回避するために最善をつくすよう、天皇から指示された、といわれる。御前から退出した東條は、「和平だ！和平だ！　聖慮《せいりょ》［天皇陛下のご意向］は和平にあらせられるぞ！」と大声で叫んだ、と伝えられる。

実際、数日のあいだ、新首相は開戦派の姿勢を放棄したように思われた。お上への忠節ではだれにも負けない東條は、天皇の意向にそおうと努めたが、強硬姿勢をくずさないアメリカの最後通牒を受け入れることは日本にとって自殺行為だ、と確信するにいたった、といわれる。一九四一年一一月二六日、東條は開戦を決定し、天皇もこれを了承した。避けがたい戦争へと導くプロセスを止めることができなかったことを、東條は涙を流しながら天皇に陳謝したそうだ…。それから数日後、真珠湾攻撃が行なわれた。

直近の段落で「といわれる」、「思われる」といった表現を用いたのには理由がある。真珠湾攻撃にいたるまでの一九四一年の一〇月—一一月に、国家のトップレベルでどのような議論がかわされたかは一度も公表されておらず、情報源は戦後に文字化された数少ない証言に限定されている。一つは当然ながら東條自身の証言であり、もう一つは天皇に近侍して補弼《ほひつ》する重臣である木戸幸一内大臣の証言である。東條は証言をとおして、心ならずもローズヴェルトのせいで開戦に追いこまれた、真の戦争責任者はローズヴェルトであった、と弁明することに努めている。木戸の証言には、天皇は最後まで戦争を回避しようと試みたと伝えることで、天皇にはいっさいの責任がない、と主張する意図がある。

交戦国の首相としての東條は、統治手法に改革をもたらした。ラジオにしばしば出演し、彼の演説は電波にのって国民の耳にとどいた。また、当時のニュース映画にも進んで登場した。彼がだれよりも先に近代的メディアの重要性を理解していたのは確実だ。東條は細部にこだわる仕事の鬼であり、すべての案件に精通しているゆえに不可欠の存在となった。ただし、どこにでも顔を出しているがゆ

1942年12月8日、太平洋戦争開戦1周年の式典で演説する東條英機陸軍大将。
© Keystone-France/Gamma-Rapho

えに、反感をかうこともあった。

アメリカ軍の空襲によってトラック島の日本軍基地が無力化されたのを受け、「陸海軍の参謀本部が統帥権の独立を盾として、重要な軍事情報を首相にさえも伝えないことをかねてより問題視していた」東條は一九四四年二月二一日、陸軍参謀総長に就任した。戦況がますます緊迫しているので、権限を一本化する必要がある、と主張しての兼任であった。むろんのこと、国家の重要機関の内部には東條への権力集中に反発するグループが一つならず存在した。そのなかには、陸軍参謀本部や海軍軍令部だけでなく、天皇の側近グループもふくまれていた。東條は能吏《のうり》として仕事をこなしていたが、つねに自分の決定を天皇の決定として提示して権威づけていたからだ。たしかに、東條はつねに天皇を巧みに説得し、自分の方針を了承するように誘導していた。

マリアナ沖海戦（一九四四年六月）とサイパンの戦い（一九四四年七月）で日本軍が惨敗すると、首相兼参謀総長である東條はその主たる責任者とみなされ、天皇の側近と海軍の支持を失い、一九四四年七月一八日に内閣総辞職を表明した。一九四一年に東條の首相就任に動いた者たちも一人残らず彼を見すて、［サイパン島の喪失によって絶対国防圏が突破された］敗北のスケープゴートとした。以降、東條は自宅に隠棲し、公《おおやけ》に姿を見せるのは元国務大臣などの要職経験者を集めた重臣会議への出席のときだけだった。アメリカとの和平交渉開始の可能性について話しあうために招集された一九四五年二月の重臣会議の席で、東條は戦争継続を主張し、大いに熱弁をふるったために、またしても天皇は説得されてしまったと思われる。その直後に東條は上奏文をしたため、このなかで、アメリカでは厭戦気分が蔓延しているし、ソ連は参戦しないだろう、との見通しを述べている。指導者ともあろう者がこれほど判断を誤ることはまれである。

一九四五年九月、アメリカ軍が東京に到着してから数日後、自分が逮捕されるとわかっていた東條は自殺を試みて失敗した。日本の世論はこのとき、東條に対して非常に厳しかった。生きたまま敵の捕虜となるよりは死を選べと兵士たちに求めていた元首相が占領軍の囚人となったのだから。東條は巣鴨プリズンに収監され、ここで裁判を待ち、一九四八年一一月一二日に「平和に対する罪」などが認定されて死刑判決を受けた後も、処刑までの日々をここで送った。最終的に、東條はほかの七人の戦犯とともに一二月二三日に刑死した。

その後、日本でもアメリカでも激しい論争が起きた。東條はほんとうに、アメリカ当局が終戦直後に好んで描写したような、人心をあやつる独裁者だったのだろうか？　それとも、天皇の身がわりとして、勝者の裁きの犠牲となったスケープゴートだったのか？　悲惨な戦争の責任を直接負う、イデオロギーにこり固まった凡庸な戦争指導者だったのか？　それとも、彼自身も構築に貢献したシステムの罪を贖《あがな》うために選ばれた生《い》け贄《にえ》なのか？

東條の人物像を、その複雑な部分や矛盾までをもふくめて把握するには、戦前と戦中の日本軍の実態、そして、一九三五年に哲学者の戸坂潤が「日本イデオロギー」とよんだものをふりかえってみるべきであろう。

数多くの党派争いにゆすぶられる軍隊

日本軍の歴史は浅かった。若き東條が陸軍大学校に入ったころ、日本軍の歴史はまだ半世紀にも達していなかった。逆説的ではあるが、戦士である武士が支配階級であった江戸時代の日本（一六〇三―一八六七年）には本物の軍隊は存在していなかった。近代日本の陸軍は、倒幕運動で中心的な役目を果たした長州藩の武士を核として構築された。一九世紀の終わり、こうした武士やその息子たちがいまだに軍の中枢を担っていた。長州閥は二〇世紀のはじめになっても国家機構の一部をあいかわらず掌握しており、代々の陸軍大臣は全員、長州出身であった。日本の海外膨張主義の出発点となった一八九五年の日清戦争で勝利をおさめたのは、長州出身のこうした将校に率いられた陸軍だったのだ。一九〇四―一九〇五年の日露戦争で、旅順攻囲戦を筆頭にロシア軍に大いに苦しめられたものの最終的に勝利を得たのも、この陸軍であった。

日本帝国には海軍も存在したが、こちらを支配していたのは、九州最南端の薩摩藩出身の元武士であった。この海軍は一九〇五年、対馬沖海戦でロシアのバルティック海隊を撃沈して日露戦争の勝利に決定的な役目を演じた。海軍と陸軍は互いをライバル視していたため、それぞれが政府内に省をもっていた。さらに、「自分たち」の大臣は仲間内から出すことを認めさせた。一般的な風潮として、海軍は陸軍を見下していた。

若き将校、東條英機は武官として欧州に赴任した。第一次世界大戦が終わったばかりのそのころ、日本は欧州で起きた大規模な戦争から教訓をぜひとも引き出さねば、と考えていた。当時、ドイツに駐在していた陸軍の若手士官たちは永田鉄山（一八八四―一九三五）をリーダーとして第一次世界大戦を研究し、ラディカルな結論を引き出した。次の国際紛争は「総力戦」となり、経済力もふくめて国力を総動員することが必要となる、という見解であった。そうなれば、全国民の結束と動員を可能とする総力体制が必要となろう。永田は、陸軍の将官の位を独占しつづけている長州閥は消えさるべきである、と考えるとともに、日本軍は日露戦争の時代からいっこうに進化していないと気づいて苦々しい思いをいだいた。ゆえに、日本軍を近代化するためにラディカルな改革が必要だ。東條英機も、一九二一年に永田のよびかけでバーデン＝バーデンに集まって「密約」を結んだほかの若手将校と同様に、永田の考えに賛同した。その後、日本に戻った永田とその仲間は「勉強会」――実態は新たな派閥――を立ち上げた。東條もくわわったこの「勉強会」の目的は二つであった。一つは、まだ陸軍に残っている長州閥を排除し、出身地をとわず、優秀な若手将校を登用することで軍の近代化のスピードを早めること。もう一つは、満州の宗主権を担保し、かつソ連をよせつけないために、中国北東への侵攻を準備して満州問題を解決すること。

陸軍幹部の漸進的《ぜんしんてき》な世代交代と、一九三〇年後に日本を襲った深刻な経済危機により、こうした将校たちはさらに急進化した。彼らは血気に逸《はや》り、歴史の風が自分たちを押していると感じた。満州は、資源が豊かで、開拓に適した広い土地がある夢の別天地、征服すべきエルドラドとして大々的に紹介、宣伝された。一九三〇年代、恐慌によって追いつめられた日本の農民層は、自分たちの子どもの社会的地位向上の希望を軍隊に求めるとともに、中国大陸への帝国主義的進出は日本の土地不足を解決する鍵であると考えるようになった。

海外膨張主義政策をもう一段おしすすめることに慎重な政界の姿勢は、膨張主義こそ恐慌の解決策だと考える過激派の激しい怒りをかった。その結果、軍隊は、腐敗や裏切り者や自由放任の民主主義政治を糾弾し、共産主義台頭の恐怖を煽《あお》りたてる極右プロパガンダの受け皿となった。

一九三三年ごろ、陸軍内の国粋主義は二つの潮流に分裂した。一つ目は「統制派」とよばれ、構成員はプラグマティックで遵法《じゅんぽう》主義の将校たちであり、戦争をはじめることが可能で、（すでにかなりふくれあがっていた）軍事予算を大幅に増やすことができる国家の構築を模索していた。この目的を達成するために彼らがとった手法は、軍隊の機構の十分な「統制」にとって鍵となるポストに自派の将官を置くことであった。東條をふくめた統制派の全員が、日本は「一等国」にならなくては、との思いにとりつかれていた。彼らのナショナリズムにとって、太平洋における英米の軍事的優位を固定化する一九二二年のワシントン海軍軍縮条約[2]によって日本が受けたさまざまな屈辱は我慢がならなかった。ゆえに、欧米の強国とソ連に対抗できる帝国をアジアに築かねばならない。合法的な手法を用いるという意味では「穏健」であったこの統制派を率いていたのは永田鉄山であったが、彼は一九三五年に暗殺された。以降、東條は統制派のリーダーの一人となった。

統制派と対立していた「皇道派」はより過激で、日本帝国の骨組みである諸機構——天皇を補弼《ほひつ》する重臣会議、新たな貴族階級［華族］、軍の派閥や財閥、政党[3]——を終わらせることを望んでいた。彼らは、こうした諸機構を一緒くたにして、社会の混乱の責任があると断じ、各界を代表する人物を暗殺することは正義にかなっていると考えていた。皇道派や、皇道派に近い過激な軍人や右翼にとって、優先順位が高い行動手段は軍事クーデターであった。一九三一年から一九三七年にかけて、何度かの軍事クーデター未遂事件が起こった。いずれも失敗に終わったが、政府や参謀本部に恐慌をひき起こし、結果として過激派にひきずられる形での政策が採用されるようになった。こうして日本は、過激派が望んでいた戦争の扉を開く独裁へとずるずると傾いていった。

一九三五年以降、皇道派系の軍人はますます攻撃的となった。一九三六年二月二六日、彼らは一五〇〇人の将兵を動員して決起し、四日間にわたって東京に歩哨線をめぐらせ、首相官邸や警視庁などを占拠した。複数の大臣が殺傷された。しかしながら、クーデターは鎮圧され、満州にいた東條は皇道派が巣くっていた関東軍の混乱を鎮めて天皇と政府の側につかせた［決起した将校らの狙いは「君側《くんそく》の奸《かん》」を倒して天皇親政を敷くことであったが、天皇は彼らの意向を一顧《いっこ》だにせず、重臣を殺されたことに怒りを抑えられなかった］。このクーデター未遂事件により、皇道派は無責任な輩《やから》とみなされて一掃され、クーデターに関係した者たちは叛乱罪を問われて処刑された。

どの国を相手に戦うのか

こうして「統制派」が陸軍を支配するようになったが、過激派の暴挙におびえる政府はまたもや過激派寄りの政策をとった。すなわち、ヒトラーとの盟約、軍事予算の大幅な引き上げ、戦争に直結する攻撃的な外交だ。

とはいえ、あいかわらず派閥対立があって意思の統一がはかれない軍は、複数の仮想敵国のどれと戦うかで迷い、重要な戦術の選択にかんして意見が分かれた。共産主義をたたかねばならないからソ連と戦うべきだ（ソ連が、日本の旧敵であるロシア帝国の後継者である、という理由もあった）。これは「北進論」とよばれ、関東軍はこれを唱えて一九三八―一九三九年に行動を起こした。満州とソ連の国境付近で何回か日ソの軍事衝突があったが、一九三九年夏にノモンハンの戦いで、赤軍は侵攻した日本軍をしりぞけた。

その一方で、ソ連よりもおそれるべきは、中国大陸における日本の権益に異を唱える抵抗運動に国民を立ち上がらせることが可能な中国のナショナリズムではないか、と唱える一派もあった。彼らは、蒋介石の国民党を倒し、親日的な政権を中国に樹立すべき、と考えた［華北を中華民国から分離するための北支自治運動が実施された］。東條もこれに賛成していた。一九三七年の盧溝橋事件を嚆矢《こうし》として、日本軍はこの方針をとったが、初期に連戦連勝したものの、中国での戦いはしだいに泥沼化する。[4]

最後は、東南アジアで攻撃に出て、欧米の植民地（フランス領インドシナ、イギリス領のマレーシアとビルマ、オランダ領インドネシア、アメリカ領フィリピン）を占領し、資源を手に入れ、アメリカに予防戦争を仕かけるべき、と説く一派である。この主張は「南進論」とよばれ、一九四〇年から、東條をふくむ陸軍幹部の一部も賛同していたが、とくに海軍幹部が声高に唱えていた。

海軍は、これまでは政府が決める［もしくは事後承認する］軍事作戦において副次的な役割しか果たしていなかっただけに、その力を温存していた。いよいよ、海軍の出番となった。一九四一年秋より、アメリカの太平洋艦隊を攻撃する準備のスピードが速まった。

一〇月二六日、東條は開戦にゴーサインを出した。ただし、統帥部《とうすい》［海軍軍令部］がたてた計画の詳細は東條に知らされなかった。彼は首相であり軍人であったのに、統帥部の秘密計画に立ち入ることができなかったのだ。統帥部は政府から独立しているうえ、政府に猜疑心をいだいていたからだ。真珠湾攻撃を実行するのは海軍であるのに対して、東條は陸軍大将であったから、なおさらであった…。東條が真珠湾攻撃を知らされたとき、攻撃はすでにはじまっていた！　その後の一九四三年にいたっても、戦況が悪化しているというのに、統帥部は政府と首相に対して情報を出ししぶった。

以上が、怒り心頭に発した東條が一九四四年二月二一日にミニクーデターを仕かけ、首相と陸相と参謀総長を兼任するにいたった理由である。天皇は介入しなかった。日本の軍隊は政府から実態的に独立していたため、東條はもはや我慢の限界に達していた。彼が掌握した権限は膨大であった…すくなくとも紙の上では。ほんとうのところ、東條は優秀であっても、国家機構の枠を超えたスケールでの思考は苦手な官僚以外のなにものでもなかった。法律上はいくつもの権限を掌中におさめた東條は、自分が出す指令は実行され、物事は予測どおりに進むものと思いこんでいた。国の機構や軍のなかにあいかわらず存在するさまざまな派閥を束ねるために、必要ならば煽動という手を使ってでも、国民のうちに自分への支持のうねりを作り出すことを、東條は一度たりとも試みなかった。彼にとって兼任は、非常事態によって必要となった非常措置であった。彼の「独裁」は数か月しか続かなかった。一九四四年春からあいついだ日本軍の敗北の責任をとらされ、七月一八日に辞任に追いこまれたからだ。彼の失墜は、政府からふたたび自由になることを欲していた統帥部による復讐とも解釈できる。

戦時中も東京にいたＡＦＰ特派員ロベール・ギランはこのころの日本を「混乱が支配する」国、「統制がとれていない集団」を指導部として戴《いただ》く国、と感じていたが、これが正しい判断であることは明白だ。決定権限をもつ機関のいずれもが、固有のロジックで機能しつつ、つねにほかの権力中枢のことも考慮に入れることを義務づけられていた。このような状況においては、政府はほんとうの意味で決定的な権限をもっているとはいえない。政府も、複数ある権力中枢の一つにすぎないからだ。各大臣は首相ではなく天皇に対して責任を負う立場にあり、首相はほんとうの意味での陸海軍の長ではないのだ。統帥部と重臣会議は政府と競合しているように思われるが、だからといって政府より優位にあるわけでもない。そうであるなら、だれからも認められる権力者として統治システムの頂点に君臨していたのは天皇ではないだろうか？　実際、天皇はそのように君臨する法的手段をもちえたが、天皇はそれを望まなかった。絶対的な専制君主としてふるまうことは、天皇の役割の精神に反していたからだ。結果として、日本の統治システムは進むべき方向を定める真の指針なしで前進していたのであり、だれが責任者であるかは不明という独裁の坂道を、知らず知らずのうちにすべり落ちていたのだ。

君主制と責任問題

このような状況下で、正確にいって、天皇はどのような役割を演じていたのだろうか？

一八七〇年代の初めに、国の統一のシンボル、駆け足で近代化に邁進《まいしん》して一流国の仲間になるという決意の象徴、として内外に提示された日本の君主制は、神を始祖《しそ》とする天皇家にとって古代より権威のもとであった宗教、神道をよりどころとしていた。日本の君主はこうして過去と未来をつなぐ役目を果たした。一八八九年の憲法［大日本帝国憲法］発布以降、日本の主権は、神聖で不可侵と宣言された天皇をとおして行使されることになった。こうしたシステムのすべては、「国体」という概念を根拠としていた。国体とは、日本という国の本質を神秘主義的なイメージでとらえたあいまいな言葉である。「大日本帝国は、万世一系の天皇がこれを統治する」という憲法の第一条がすべてを物語っている。この憲法は天皇に、議会の招集、停止、解散、秩序回復のための戒厳宣告、勅令公布、軍隊の動員、宣戦布告、和約締結などの特権をあたえている。そこには天皇による専制政治の要素すべてがそろっているが、近代日本の指導者たちは天皇を神格化する一方で天皇をあやつり、何を述べ、行なうべきかを指示した。対抗勢力、すなわち議会、ジャーナリズム、政党、社会運動が存在するかぎり、このシステムは民主主義の縮小版としてそれなりに機能することができた。しかし、一九三七―一九三八年ごろに民主主義の堤防が決壊すると、好戦的な軍人たちの先導のもとで、ただ一つ残った国家機構が独裁的なロジックにもとづいて機能しはじめた。

大臣や顧問である重臣にあやつられる天皇に付与されていたのは象徴的な権力であり、天皇個人の権威は表面的なものだった。したがって、天皇の権力は純粋に名目的であると思われてもむりもない。天皇は閣議を主宰しないだけになおさらだ。ゆえに、最高権威であるはずの天皇の機能はあいまいそのものなのだ。制度としての天皇は、すべての分野をカバーする、ほぼ絶対とよべる権利をもっていた。だが個人としての天皇がもつ権力は、ほぼゼロとよべるほど小さかった。とはいえ、一九二六年に即位した昭和天皇は先代や先々代と比べると、かなり積極的に君主の機能を果たしていた。詳しい報告を受け、自身が必要性を認めないかぎり命令に署名することはなかった。昭和天皇に反対や反駁《はんばく》するような度胸のある者はだれもいなかった、と思われる。明治憲法の解釈しだいで、天皇の権利は絶対、もしくはほぼ皆無であった。天皇は責任体系の中心に位置すると主張する者もいれば、その本質からして天皇は責任を問われないと考える者もいる。

一九四五年、マッカーサーは、昭和天皇には戦争責任がない、だから天皇の公務を続けることができる、と決定した。天皇は東條と軍人たちの囚人であった、彼らの道具にされた、というのがマッカーサーの解釈であった。この決定は一つの重大な疑問を投げかける。戦争の罪を負う者は東京裁判で裁かれた約二〇人だと信じるのであればともかく、もし天皇その人に責任がないとしたら、ふつうの日本人が自分になんらかの責任があると感じることなどありうるのだろうか?

だれも責任をもたないのか?という この疑問は問題の核心をついている。システム全体が、大勢順応と受け身的な従順へと誘導するように構築されていた。上司への忠誠、年長者の尊重、一徹、献身、身体の酷使(そして、一九四〇年代には、命を捧げるまでの自己犠牲精神も)。それでは、戦時中の日本では、だれが命令を出していたのだろう? 巨大な機械と化していた軍と国の行政制度が出していた。これは確かだ。ただ、個人としてはだれも責任を感じなかった。上層部の命令に従うものとされていた将校たちは感じなかった（さらにいえば、上層部も天皇の同意があるからこそ命令をくだしているつもりだった）。天皇の名で出された命令に従っただけの兵士たちも感じなかった。勝者の絶対的権威をおびたマッカーサーから、軍人たちにあやつられていたのだから裁判を受ける必要はない、と宣言された天皇も感じなかった。それではだれに責任があるのか？　東條と、死刑判決を受けたその他の少数の高位の軍人や文官だけに責任があるのだろうか？　ある、という解釈が現在にいたるまで優勢を誇り、これまで見たとおりに、東條は理想的なスケープゴートとされている。

　これこそが、戦前の日本における政治システムのあいまいさであり、思想史家の丸山眞男はこれを一九四六年に発表した有名な論文のなかで「無責任の体系[5]」とよんだ。東條が、アメリカ人のキーナン検事から尋問を受けた後に獄中で供述書をしたためたことで自縄自縛《じじょうじばく》におちいったのも、この無責任の体系ゆえである。東條は一九四七年一二月三一日、天皇の意に反した決定を自分がくだすことなどありえない、と説明した。これは、結局のところ、命令を出していたのは昭和天皇にほかならない、と間接的に天皇を非難したことになる。天皇が罪に問われることを避けたいと思っていた東條なのに、天皇なしでは自分はなにものでもない、という彼自身がひたりきっていたイデオロギーの罠《わな》に落ちこんでしまったのだ。これは問題になると思ったアメリカ人たちから連絡を受けた木戸幸一が東條の独房を訪れ、供述を撤回するよう説得した。自分を犠牲にしても天皇に忠誠をつくすことに異存のない東條は説得に応じ、一九四八年一月六日に戦争は天皇の意思ではなかったと証言し、これによって昭和天皇には最高責任がないこととなった。

　東條はゆえに、アメリカと天皇側近の共謀によって歴史上の悪者となった。彼が昭和天皇と国民全員を同時にだまして日本に独裁を敷いたのだ、とみなす風潮が生まれ、これが黙認された。彼は同時に、敗戦の責任者として指弾された。長い期間、最終的に敗退する日本軍の最高責任者だったからだ。東條は失敗を象徴する人物となった。これこそ一九四四年七月に彼が辞任した理由でもある。一九四一年にドイツに攻めこまれてソ連が窮地におちいってもスターリンは辞任しなかった。ヒトラーはスターリングラードの戦いで敗れても引退しなかった。東條が辞職を決意したとき、周囲の者たちは、東條をおとしいれるためにめぐらされた策略を糾弾するよう彼に勧めたが、いずれにしても自分はすでに天皇陛下の信頼を失ってしまったのだから、との答えが返ってきたといわれる。敗戦後、彼は被告席に座らされたが、開戦の責任はアメリカにある、と主張して何度もアメリカ人の検察官に反駁《はんばく》した。日本の歴史修正主義者たちは、のちに（東條英機の孫で、祖父の名誉回復のために活動した東條由布子と共闘を組み）、東條を「日本が侵略戦争を行なったという考えを否定するため、最期まで戦った人物」とみなすようになった。これにしたがえば、東條自身が主張したように、日本は自衛のためにやむなく戦争をはじめた、ということになる。この考えは現在、保守層のあいだで広まっている。

一八六八年以降、若き明治天皇が生まれ育った京都の宮廷は解体され、天皇は古都から引き離されて東京の江戸城へ移され、公《おおやけ》の場にはヨーロッパの君主のような服装で登場することが強要された…こうしたすべてが重なり、天皇陛下は孤独で、孤立し、不幸である、とのイメージが国民のあいだに広がった。天皇陛下は、国民と同じように、日本が近代化を急ぐゆえに生じる困難に黙って耐えてお

1948年1月、極東国際軍事裁判でみずからを弁護する東條。
© Keystone-France/Gamma-Rapho

られる、と思うことで人々は心の慰めを得ていた。この思いは、天皇は本質的に善であるが、周囲の人間が悪い、という理屈が育つ土壌となった。一九四五年の敗戦後、このロジックが勢いよく再燃した。天皇は平和を望んでいたが、東條が開戦をむり強いした。ゆえに、昭和天皇には起きてしまったことの責任はない。大多数の兵士や軍人も同じだ。戦争犯罪で天皇を訴追しなかったアメリカ当局のお墨つきを得たこの言説は、マッカーサーが日本のヒーロー（「青い目の将軍」）になるという結果を生み出したのみならず、意図的な健忘症ともよべる、自分たちには責任がないとの思いを日本に浸透させ、これがいまでも国際関係に影を落としている。

〈原注〉

1　絶望的な状況における死を覚悟した突撃であり、米軍はこれを「バンザイ突撃」とよんだ。上官たちは降伏を選ぶかわりに、兵士たちを米軍の戦列への捨て身の攻撃へと送り出した。兵力の損耗の観点から、日本兵が一〇〇人死んでも米兵七〇名が戦闘に参加できない状態になれば、米兵は自信を失い、彼らの士気は低下するにちがいない、という浅はかな計算にもとづいていた。なんの根拠もないこの計算は、多くの日本兵の命を奪うばかりであったが、日本の戦争プロパガンダが自軍の兵士の無意味な犠牲を「玉砕」とよぶことで美化するのには役立った。

2　ワシントン会議において、英米は五‐五‐三の原則を日本にのませた。太平洋において、アメリカの艦船五隻に対して、イギリスは同等級の艦船五隻を保有できるが、日本は三隻しか保有を許されない、という原則である。日本海軍は厳しい現実をつきつけられて失望し、これを機に海軍内の反米感情が一気に高まった。

3　一九一八年以降のほうが顕著であるが、一九一三年以降、国会に議席をもつ党が政治システムにおいて重要な役割を演じるようになった。党首が首相の座につくようになったからだ。その一方で国粋主義者たちは、議会制度のルールや手続きは不毛だと判断して反対した。

4　一九三八年以降、日中戦争がこれからも長く続くことが明らかになった。中国側の兵力を包囲することを目的としてはじめられた日本の軍事作戦は失敗に終わった。日本軍部隊は前進をさまたげられ、後方陣地はゲリラグループの攻撃に脅かされた。その結果、都市の占領と鉄道路線の支配以上のことはできなくなった。現地人に強圧的な姿勢でのぞんだため、中国民衆の侵略者である日本に対する怨嗟《えんさ》は高まるばかりだった。

5　一九四六年五月に雑誌「世界」に発表された丸山の論考は、一九六三年に英訳された（Masao Maruyama, Thought and Behavior in Modern Japanese politics, オックスフォード大学出版）が、仏訳は一九八二年まで待たなければならなかった（参考文献を参照のこと）。

〈参考文献〉

Bruno Birolli, *Ishiwara, l'homme qui déclencha la guerre*, Armand Colin, 2012.
Herbert Bix, *Hirohito and the Making of Modern Japan*, Harper Collins Publishers, 2000.（ハーバート・ビックス『昭和天皇』（上・下）、吉田裕監修、岡部牧夫／川島高峰訳、講談社、二〇〇二年／講談社学術文庫、

二〇〇五年）
John W. Dower, *Embracing Defeat, Japan in the Wake of World War II*, New York, Norton/New Press, 1999.（ジョン・ダワー『敗北を抱きしめて――第二次大戦後の日本人』（上・下）、三浦陽一／高杉忠明／田代泰子訳、岩波書店、二〇〇一年、増補版二〇〇四年）
Michael Lucken, *Les Japonais et la guerre 1937–1952*, Fayard, 2013.
Maruyama Masao, « Théorie et psychologie de l'ultranationalisme », *Le Débat* n°21, septembre 1982.（丸山眞男『超国家主義の論理と心理他八篇』、岩波文庫、二〇一五年）
Constance Sereni et Pierre François Souyri, *Kamikazes*, Flammarion, 2015.
Pierre François Souyri, *Nouvelle Histoire du Japon*, Perrin, 2010.
—, *Moderne sans être occidental, aux origines du Japon d'aujourd'hui*, Gallimard, 2016.
家永三郎（責任編集）『日本平和論大系』（全二〇巻）、日本図書センター、一九九三―一九九四年
江口圭一『大系日本の歴史（14）二つの大戦』、小学館、一九八九年／小学館ライブラリー、一九九三年
大内力『日本の歴史（24）ファシズムへの道』、中公文庫、一九七四／二〇〇六年
高橋哲哉『戦後責任論』、講談社学術文庫、二〇〇五年
筒井清忠（編）『昭和史講義【軍人篇】』、筑摩新書、二〇一八年
吉田裕『アジア・太平洋戦争』、岩波新書、二〇〇七年

8　ティトー
あるいは大いなるこけおどし

ジャン＝クリストフ・ビュイッソン

ナチズムと果敢に闘い、一九四八年にはスターリンと対立し、ユーゴスラヴィアがコミンフォルム（共産党情報局）から除名されるという結果をまねいたティトーは、生涯（一八九二―一九八〇年）、西側諸国からつきあいできる相手と思われていた。それは単純な無知による思いこみか、あるいは自覚のうえでの盲信だったのかはわからない。しかしながら、伝説と真実とのあいだには大きなへだたりがあった。一時期モスクワに滞在し教育を受けたこともあるティトーはクロアチア人を父に、スロヴェニア人を母にもつ職業革命家だった。頂点に立つためにはユーゴスラヴィア共産党の同志を死に追いやることもためらわなかった。ユーゴスラヴィアを占領したナチに対する抵抗運動に遅まきながらくわわった後、ドイツ軍と戦うだけでなく、連合国に後押しされたセルビアのチェトニックを同じくらいの熾烈さで攻撃した。さらに戦後、ティトーはユーゴスラヴィアに恐怖政治を敷いた。社会全体、国全体に危険な緊張感がただよいつづける人工的な国に政権を樹立したところで、いかにそれが脆弱か、ティトーはわかっていた。猜疑心と妄想癖に満ち、東洋の権力者風の独裁者ティトーはぜいたくと女と金を好んだ。彼が先導役となった第三世界の反帝国主義革命運動に財政支援をすると同時に、アメリカの支持を得ていた。ティトーは、彼の死後もユーゴスラヴィアは存続するという錯覚を死ぬまであたえつづけた。

「スペインで、君の仲間を死なせたのはわたしだ」。一九三九年ザグレブで、クロアチア共産党員アンカ・ビュトラクは、昼食をともにしていたティトーの口からこの言葉を聞いた。一九三七年六月六日にマドリード近郊で殺害された「仲間」ブラゴイェ・パロヴィッチのことだった。一九四五年から一九八〇年までユーゴスラヴィアを強権的に支配することになるティトーが、スペイン内戦への関与を口にするのはめったにないことだった。国際義勇軍のユーゴスラヴィア人志願兵一六五〇人の現地派遣をコミンテルンから命じられたティトーは、おそらく彼の地で、ファランヘ党やフランコ派への攻撃よりも、ＰＯＵＭ[1]（マルクス主義統一労働者党）のトロツキー派の抹殺に、より多くの時間をかけた。それはスターリンの命令だった。ティトーはまもなくそのスターリンから、ミラン・ゴルキッチの後任としてＫＰＪ（ユーゴスラヴィア共産党）書記長に任命された。一九三七年一一月、ゴルキッチはモスクワに召喚され、逮捕の後銃殺された。イギリスと内通したというのがその理由だった。数年前からゴルキッチに対しては、ユーゴスラヴィアから大量の批判の声が定期的にとどいていたが、さらにこのスパイ容疑が拍車をかけた。ゴルキッチを批判する報告には、パリやウィーンに通いつめてばかりでユーゴスラヴィアの一般大衆とのなじみがなく、労働者階級出身の同志が党内で出世するのを阻止したとあり、ベオグラードの反共産主義王権と手を結んだとまで書かれていた。こうした報告はすべて、ユーゴスラヴィア共産党内のライバル、ティトーの手によるものにほかならなかった。

一九四五年以降に広められた公式な伝記によれば、ティトーが攻撃したのは、反動勢力、王党派、ファシスト、ナチ党のみであったようだが、事実は異なる。一九三〇年代からすでに、ヨシップ・ブロズ・ティトーはあらゆる手段を使ってユーゴスラヴィア共産主義運動の指導者になろうとしていた。そのためにはほかの同志の抹殺も辞さなかった。戦前からすでに、非情な独裁者が英雄的闘士の陰にひそんでいた。

旅そして旅

ヨシップ・ブロズは一八九二年五月七日、オーストリア＝ハンガリー帝国の現クロアチアにあたるザゴリェ地方、クムロヴェツに生まれた。父はクロアチア人で札つきのアルコール依存症、母はスロヴェニア人で信心深い女性だった。一四人の子どもを産んだが、そのうち八人は死産、あるいは幼くして死んだ。ヨシップ・ブロズは母を喜ばせるために、カトリックの礼拝に足を運び、ミサ答えの少年役をつとめた。しかし、何度かしくじったために教区の司祭に殴られてから、ヨシップは教会が嫌でたまらなくなった。ヨシップ少年はいわゆるおちつきのない子どもだった。仕立屋の修業に出ようとしたのを、一日中座っていなければならないからと、教師たちが説得してやめさせたほどである。ヨシップは錠前屋見習いになった。この仕事ならじっとしていられない性質《たち》でもなんとかなった。一六歳から一九歳にかけて、彼は帝国内（クロアチア、スロヴェニア、ボヘミア）だけでなくババリアやルール地方まで転々とした。トリエステではマルクス主義に目覚めた。一文なしで無為な生活を送っていたヨシップは、トリエステの社会民主主義活動家たちの世話になった。一九一一年にザグレブに戻ると、社会主義青年同盟に加入した。

翌年、ヨシップは徴兵により戦地におもむいた。なんの矛盾も感じず恥とも思わなかった。彼の目にハプスブルク帝国がいかに社会主義から遠く映ろうとも、その確固たる統治、そして連邦と国家連合の要素をあわせもつ構造には敬意をはらっていた。ゆえに兵役のがれなど言語道断だった。ヨシップは運動神経がよく、フェンシング、乗馬、体操が得意だった。リーダーシップもあり、すぐに特務軍曹に任命された。一九一四年、第二五歩兵連隊に入隊し、ドリナ川流域のセルビア戦線で下士官として軍務に服し、さらにカルパティア地方に派遣されてロシア軍と戦った。ブコヴィナでロシア帝国軍のチェルケス人騎兵に槍でつかれて重傷を負い、一九一五年の復活祭の日に捕虜にされた。

その後三年間、ヨシップはカザン近郊、ウラル山脈、エカテリンブルク、ペルミなど、ロシアの捕虜収容所を転々と移された。一九一七年春、ロシアを襲った二月革命後の混乱にまぎれ、鉄道現場の仕事を放棄してペトログラードに行った。ヨシップはレーニンの演説を聞き、マクシム・ゴーリキーと出会った。レーニン派のうちに数百人の被害者を出した七月蜂起（反政府デモ）に関与はしなかったものの、こうしてヨシップはボリシェヴィズムに転向した。夏のあいだにヨシップは逮捕されたが、オーストリア＝ハンガリー帝国軍兵士としてであり、革命家としてではなかった。ウラルの収容所に送り返されたが、ふたたび脱走し、オムスクの赤軍にくわわった。ボリシェヴィキ革命は凱歌を上げていた。ヨシップはオムスクで、一四歳の少女ペラーギヤ・ベロウーソヴァと出会って妻とし、二人でペトログラード、そして故郷へ帰った。その故郷は、オーストリア＝ハンガリー帝国が崩壊した後、一九一八年一二月に成立したセルブ＝クロアート＝スロヴェーン王国の一部となっていた。国家元首はカラジョルジェヴィッチ家のアレクサンダル一世だった。セルビア国王だった父ペータル一世から戦時中に王位をゆずられたアレクサンダル一世は、フランス人フランシェ・デスペレー将軍率いる東方軍に支援されながら、オーストリア、ドイツ、ブルガリアに占領された地域の奪還をはかってセルビア軍を主導した。ヴェルサイユ条約（一九一九年六月）によってオーストリアとブルガリアは勢力を削がれ、（ティトーの故郷がふくまれる）大戦前の領土の一部はこのセルブ＝クロアート＝スロヴェーン王国[2]に併合されたのである。この国はセルビア王朝の支配のもと、リュブリャナからスコピエにいたるバルカン半島のスラヴ諸族の大部分を統合していたが、やがて少数派のクロアチア人がセルビア人支配に異を唱えることになる。

職業革命家

この一九二〇年、ヨシップ・ブロズは職業革命家として新たな人生の一歩をふみだした。もはや血縁者はなく（母親はスペイン風邪で他界していた）、ロシアでの経験に胸を熱くし、政治的勝利のためには暴力と決意と信念が必然的な原動力であると考え、ヨシップは成立してまもないユーゴスラヴィア共産党（ＫＰＪ）に加入し、戦いはじめた。ユーゴスラヴィア共産党は社会民主党が分裂した後に創設され、…同年一二月早くも王権によって非合法化を通告された。ヨシップはそれにも怯むことなく党員となり、やがて陰で糸を引く幹部となった。クロアチア冶金・皮なめし労働者連合の事務局長、（党員一八〇人からなる）ザグレブのユーゴスラヴィア共産党支部責任者となったゲオルギエヴィッチ同志（三〇にのぼるヨシップの偽名のひとつである）は過激な活動がたたり、何度も逮捕された。彼のアレクサンダル一世への憎悪は、社会主義者に対する軽蔑にまさるともおとらなかった。一九二八年五月一日、ザグレブの街角で「社会主義愛国者よくたばれ、資本主義者の手先よくたばれ！」とだれよりも声高に叫んでいたのはヨシップだった。

ヨシップの不穏な動きに当局はいら立った。「身長一七〇センチ、灰色の目、眼鏡あり、歯列不ぞろい」と細かく報告されているこの男のやんちゃな行動に警察はうんざりしていた。「職業」の欄には「犯罪者、共産主義者」とあった。一九二八年夏、家宅捜索が入り、マルクス主義をうたったチラシ、ピストル、弾薬が見つかった。痛い目にあうときだ。仲間の名前を吐けと言われ拷問を受けたが、ヨシップは、毅然として沈黙を守った。一一月、法廷は「共産主義プロパガンダ」のかどで、彼に懲役五年の判決をくだした。それは思わぬ幸運に転じた。ヨシップは獄中で、モシャ・ピアーデ、アンドリヤ・ヘブラング、アレクサンダル・ランコヴィッチ、ミロヴァン・ジラス、エドヴァルド・カルデリといった若い共産主義活動家たちと運命をともにし、緊密な関係を結ぶことになったからである。彼らは第二次世界大戦中、ヨシップにもっとも忠実な仲間となった。

一九三四年、ヨシップは、二度とここに戻るまいと固く誓いながらユーゴスラヴィアの監獄を出た。妻のペラーギヤは息子のザルコ[3]をつれてモスクワに帰った。いよいよ政治活動を主導し、組織し、革命への道筋をつけるときが来た。機運は高まっていた。一九三四年一〇月九日、マルセイユを訪れたアレクサンダル一世が、クロアチアの民族主義団体ウスタシャの差し金で暗殺され、建国まもない王国はこの事件でさらにゆれた。ヨシップは地下活動を続け、王室警察の監視の目をくぐりぬけるため、口髭を生やして髪を赤茶色に染めた。さらに彼は、コミンテルンで周知されていた名前、ワルターに代わってティトーという偽名を用いるようになり、この呼称が定着した。彼の故郷ではわりあいよくある名前だったが、なにより、好きな作家だったクサヴェル・シャンドル・ジャルスキ[4]の父の名前だった。

モスクワに滞在中はゲリラ戦とスパイ活動の教育をみっちり受け[5]、国際義勇軍のユーゴスラヴィア人志願兵を陣頭指揮した貫禄をそなえ、申し分ない実績を手にしたティトーは、ユーゴスラヴィア共産党書記長ミラン・ゴルキッチの職務不適格ぶりをつぶさに述べ立てることができ（その結果、ゴルキッチがどうなったかは先に述べたとおりである）、とうとう後任として党書記長の座に上りつめた。その地位を守るためには、「剛腕で」指揮し、スターリンに盲目的に従うという二つの条件が必要だった。ゆえに一九三九年三月、ティトーは、コミンテルンが「トロツキー派のスパイ」と名ざしにした数十名をユーゴスラヴィア共産党から追放させた。そのなかにはティトーの側近もいたが、彼は情け容赦ない言葉を口にした。「膿を出しきるには健康な皮膚にメスを入れねばならない」。もはやめざすは権力掌握のみとなった。弱点がひとつあった。ユーゴスラヴィア共産党員は一五〇〇名しかいなかった。一九一四年時点のロシアのボリシェヴィキ党にも欠ける人数である。弱小ボリシェヴィキがロシアの権力を掌握するには、戦争が欠かせなかった。歴史がくりかえされることになる。

条約の歴史

一九三九年八月、ヒトラーとスターリンは伝説的な独ソ不可侵条約を結んだ。一部のヨーロッパの共産主義者は動揺し頭をかかえ、あるいは怒りをおぼえたが、彼らは少数派だった。イデオロギー的には対立していながら、ともに全体主義的性格と征服への渇望をもちあわせた両政権による不自然なこの同盟を、モスクワ（コミンテルン）の無謬性にひたすらこだわる大多数の者は容認した。こうしてティトーとユーゴスラヴィア共産党のプロパガンダの非難の矢は、「植民地保有大国」と「イギリス・フランスのアジテーターによる犯罪的政策」に向けられることになった。そのいっぽう、「リトアニア、ラトヴィア、エストニアだけでなく、ベラルーシ、西ウクライナ、ベッサラビア、ブコヴィナの諸民族をもふくむ二〇〇〇万人を資本主義の軛《くびき》から解放する」赤軍が称揚された。一九四〇年六月なかば、ドイツ軍が電撃戦でオランダ、ベルギー、フランスに侵攻した際、ティトーは公式にも非公式にもいっさいコメントしようとしなかった。物言わぬは同意の印だった。

一九四一年春まで、ユーゴスラヴィアはこの紛争にかかわらずにすんだだけでなく、地政学的中立を保つことができた。ベルリンからの執拗な圧迫にあらがいながら、またナチ・ドイツと同盟を結ぶファシスト政権あるいは独裁政権と国境を接しているにもかかわらず、摂政パヴレ[6]はユーゴスラヴィアが日独伊三国軍事同盟[7]にくわわることをあくまでこばんだ。一九四一年三月、パヴレはベルクホーフのヒトラー[8]の別荘によばれ、有無をいわさぬ態度でつめよられた。パヴレは三月二五日、祖国をナチ・ドイツ側にねがえらせる条文の下に署名するよう首相に命じた。二日後にベオグラードで暴動が起きた。軍隊は「条約より戦争《ボーリエ・ラート・ネ ゴ・パクト》、奴隷より墓場《ボーリエ・グローブ・ネゴ・ローブ》」と叫んでクーデターを起こした。「裏切り者」

パヴレは国外逃亡を余儀なくされ、ペータル二世が一七歳で即位し、条約は反故になった。ユーゴスラヴィア軍の将校たちのこの思いきった行動は決死の覚悟の英雄的なものだった。ヒトラーは怒り狂い、枝の主日（カトリックの記念日）である四月六日、人々が教会から出てくるころをみはからって爆撃機をベオグラードに送りこみ、攻撃させた。一万七〇〇〇人の犠牲者が出た。そのほとんどが民間人だった。

まもなくドイツ、ハンガリー、ブルガリア、イタリアの軍隊がユーゴスラヴィアに侵攻し、四月一七日、ユーゴスラヴィアは降伏した。ペータル二世はイギリスに逃亡し、亡命政府を樹立した。ユーゴスラヴィアの国境地域のいくつかは隣接する国々に占領された。セルビアは老将軍ネディッチを首班とする、ヴィシー政権にも似た対独協力政府を成立させた。クロアチアは独立を宣言し、「クロアチアの総統《フューラー》」アンテ・パヴェリッチを首長とする親ナチ政権がうち立てられた。このウスタシャ政権下でユダヤ人、セルビア人、ロマをはじめとして数十万人が犠牲となる大虐殺が起きた。この動乱にドラジャ・ミハイロヴィッチ大佐なる人物が異を唱えた。ミハイロヴィッチは少数の将校と兵士を率い、ラヴナ・ゴーラ山頂に司令部を置き、反旗をひるがえした。まもなくペータル二世から将軍に任命され、王の名のもとに、チェトニック[9]の指導者として占領軍に対抗するゲリラ戦を展開した。

その渦中でティトーはどうしていたか？　彼はモスクワから出される青信号——赤いゴーサインというべきか——を待っていた。ヒトラーとスターリンが一九三九年八月に不可侵条約を結び、手をたずさえている以上、侵略国やその協力組織ウスタシャ（「反抗者」の意）を敵にまわすなど問題外だった。ユーゴスラヴィア共産党とみずからの立場を強化するほうが先決だった。一九四〇年一一月、

司令部で書類に署名するヨシップ・ブロズ、通称ティトー（1892–1980）。1944年ごろ。
© John Phillips/Life Magazine/The LIFE Picture Collection/Getty Imagess

ザグレブで開かれた集会で、ティトーは独断で共産党政治局長としての給与を三倍にし、政治局はさらに地域の小さなブドウ園を彼に献上することに賛同した。こうしてティトーは収入を増やし、運転手つきの車に乗り、最上等の服に身を包みながら、スラヴコ・バビッチと名のるシュコダ（自動車）の工場の金持ちエンジニアという仮面をみごとにまといつづけた。ユーゴスラヴィアが無惨に侵略されていた四月一五日、ティトーは「ユーゴスラヴィア国民への声明」を発表した。占領への批判かと思いきや、そうではなかった。「民意に反した王党派政府の裏切り」と「盲目的愛国主義の過熱」を非難するものだった。その後の日々、ティトーは党主導の会議のために書いた「武力蜂起のテクニックと戦略」なる文章を読み返した。自身のスペイン内戦覚書はもちろん、クラウゼヴィッツの戦争論や、ナポレオンのスペイン侵攻、一九二〇年代の中国における共産党の戦い、十月革命の展開についての記述を熟読した成果といえるものだった。ヒトラーとスターリンはかならず戦争をはじめる、その時党はすかさず政権奪取できるよう準備しておかねばならない、とティトーは確信していた。

一九四一年五月二三日、「クロアチア独立国」が身の毛もよだつ大量殺戮政策を開始したことに危機感をおぼえたティトーは、三番目の妻ヘルタ・ハース[10]をしばし置きざりにして、ザグレブを離れた。ベオグラードに移ったティトーは、この町に駐留したドイツ国防軍の司令官シュローダー将軍邸から目と鼻の先にある豪邸に住んだ。枕の下にピストルをしのばせ、服を着たままティトーは眠った。

抵抗運動開始

一か月後、ヒトラーは「バルバロッサ」作戦にふみきり、ソ連を侵攻した。待ち望んだときが来た。占領軍ナチは公然たる敵となった。ティトーはただちにユーゴスラヴィア共産党員に対独抵抗運動に入るよう命じ、共産党追放がはじまったベオグラードから脱出した。ギリシア正教司祭に偽装した者、ヴォイヴォディナのドイツ人、そして自分の愛人兼秘書（ダボリャンカ・パウノヴィッチ、通称ズデンカ）とともに、ティトーは列車で、ボスニアとの国境に近いセルビア中西部に到着した。クルーパニ近くの村で、ティトー書記長は幹部を集めてパルチザン活動の開始を告げ、彼が率いる最高軍事司令部が指揮すると述べた。こうしてティトーは全権を掌握し、ユーゴスラヴィア共産主義運動の政治・軍事上の指導者になった。解放された地域はすべて人民解放委員会の支配下となり、ソ連の旗に描かれたシンボル、すなわち（頂点の角は党を、ほかの四つの角は兵士、労働者、農民、知識人を表わす）赤い五光星を採用するとティトーは宣言した。さらに今後、あいさつするときは固くにぎった拳をふり上げること、と決めた。（腕を伸ばす）ファシスト式あいさつへの対抗として、一九二〇年代以来ヨーロッパの共産主義運動家のあいだで採用されたやり方である。またたくまに志願兵が殺到した。なかでも一九四一年九月二三日、ティトーの軍が、（人口一〇〇〇万人を擁する）大都市ウジッェをドイツ軍から解放したときの熱狂ぶりはすさまじかった。ウジッェは一躍「ソヴィエト共和国」[11]の中心となった。

　ミハイロヴィッチのチェトニックに対してどのような態度でのぞむべきか？　この王政主義者の将軍と二度会った後、ティトーはどちらかが倒れるまで戦うしかないと腹をくくった。イタリアとドイツという占領軍に対する戦いに、さらに内戦がくわわった。占領軍と対決するため、ティトーとミハイロヴィッチは二つの明確に異なる戦略を採用した。セルビア人市民の支持をよりどころに戦うミハイロヴィッチには、命の代償の大きい離れ業に挑むことは危険きわまりなかった（ドイツ人一人が死ぬごとにセルビア人一〇〇人の人質を処刑するようドイツ軍は命じていた）。ミハイロヴィッチはイギリスと結び、敵軍の物資輸送を妨害する作戦によって攻勢に出た（とくに、仕向地がエジプトやリビアの物資が列車でセルビアを通ってアテネへ運ばれるのを阻止した）。イギリスやアメリカ当局は、バルカン半島で戦端が開かれた場合に支援する準備をしておくようミハイロヴィッチに念を押していた。こうした戦略は、正面突破をはかるティトーのやり方と対照的だった。ティトーはドイツ人将校を狙った殺害あるいは血で血を洗う集団テロをおしすすめた。大量の犠牲者を出した国民はパルチザン側になびくだろうというのがティトーの計算だった。SOE《特殊作戦執行部》[12]にひしめく共産主義スパイたちは、ミハイロヴィッチを誹謗中傷し、彼はドイツやイタリアと協力しているとまで吹聴し、ティトーこそユーゴスラヴィアでただ一人有能な対独抵抗者となりうる、とチャーチルを説き伏せた。このスパイたちに支えられたティトーは、一九四三年から兵站、メディア、政治にわたる連合国の支援を得た。

以来、ボスニアで誕生したプロレタリア義勇軍はセルビアにおける勢力範囲を広げた。ドイツ国防軍の猛攻（「白《ヴァイス》」作戦、「黒《シュヴァルツ》」作戦）から奇跡的に生きのびたティトーは、一九四三年九月のイタリアの降伏に乗じ、地歩を固めた。元帥に昇格したティトーは一九四四年六月、ダルマチアのヴィス島でイギリスの密使たちと会談することを承諾した。イギリス側の警戒を解き、うまく引きよせるために、ティトーは服に赤い星やテープをつけないよう部下に命じ、政治計画の革命にかんする内容については一言もふれなかった。数週間後チャーチルがみずからおもむいたナポリの会談でもティトーは同じ態度でのぞんだ。チャーチルはすっかりティトーが気に入り、支援をあらためて約束し、ペータル二世との合意のもと、王党派抵抗運動の指導者ミハイロヴィッチを見すてることを確言した。満足したティトーはロシア人が操縦する飛行機で暇乞いもせずに《イギリス風に》立ちさった。モスクワへ向かったティトーは、パルチザン支援を目的とする赤軍のユーゴスラヴィア派遣の詳細についてスターリンと調整した。一九四四年一〇月、ベオグラードが解放されたとき、ソヴィエトの戦車T−34をパルチザンたちが操縦していたことはこの成果だった。

統治のためには恐怖を

ソ連とアメリカがヨーロッパとアジアで、ドイツ軍と日本軍を相手に壮絶な戦いを続けているのをよそに、ティトーはこのときとばかりに恐怖をあおることで、ユーゴスラヴィアにおけるみずからの権力を固めようとしていた。ドイツ軍の撤退、そしてセルビア、クロアチア、あるいは（戦時中「イタリア領」アルバニアに併合された）コソボにおける対独協力政権の解体によって生じた混乱を利用しない手はなかった。迅速かつ強力な手をうてば、政治・社会・精神の構造にいまなお因習が色濃く残る国に共産主義政権を樹立することは可能だった。人心に強い衝撃をあたえることが必要だった。茫然自失、身の毛もよだつ経験をさせることだ。一九四四年末、ティトーはOZNA[13]（人民保安局）の人員に、「疑わしい」地域を「洗う」よう命じた。国の北部、ドイツ人やハンガリー人が少数住んでいたバナートやヴォイヴォディナに虐殺と逮捕の手が伸び、女子どもをふくむ何千人もの人々がソ連の収容所に送られた。さらにベオグラードでは、対独協力者あるいはその疑いがかけられた者が追跡、投獄、拷問、抹殺という悲運にみまわれた。なにもかも、暴力行為もはなはだしかったが、大多数の国民にとって「許せる」形の粛清ではあった。

人々が受け入れがたく思い、かつ第二のユーゴスラヴィアの独裁的性格が表出したのは、進退窮まったドイツ軍と戦火をまじえるスレム地方の激戦地に、ティトーが数十万人の若い新兵のセルビア人を送りこんだときだった。三万七〇〇〇人が命を落とした。クロアチアとスロヴェニアの血をひいたユーゴスラヴィアの新しい指導者としてのメッセージは明快だった。戦時中にミハイロヴィッチ[14]の運動に大半が参加したセルビア人は、彼らが甘い汁を吸ったブルジョア的ユーゴスラヴィアはもはや葬りさられたことを思い知るべきだ、と。未来のユーゴスラヴィアは社会主義連邦なのだとティトーは伝えていた。一九四五年一一月一一日の憲法制定議会選挙の方式が示すとおり、民主的とはほど遠かった。一選挙区に一つしかリストがなく、一リストに一人しか候補者がのっておらず、しかもそれは人民戦線という皮をかぶったユーゴスラヴィア共産党のメンバーだった。それ以前に、何千人もの反対派が、白票を入れるのを阻止するために逮捕されたり、対独協力のかどで市民権（すなわち選挙権）を奪われたりした。対独協力という言葉は、自由業への従事から敵との内通にいたるまで思いきり拡大解釈された。選挙の結果はもくろみどおりだった。人民戦線は九九・五七パーセントの票を獲得し、選ばれた議員たちは即刻王政を廃止し、連邦人民共和国の設立を提案した。

新政権はまもなくその新たな顔をさらけ出した。騒擾・プロパガンダ担当大臣というべきミロバヴァン・ジラス[15]の旗ふりのもと、狂気に近い不寛容が牙をむき、教会が激しい攻撃にさらされた。なかでも農地改革のあおりを受けたことが大きく、教会は主要な財産を奪われた。さらにクロアチアのカトリック教会は——子ども時代のティトーに心の傷をあたえた教会である——（ザグレブのステピナツ大司教をはじめとして）親ナチのウスタシャ政権に協力した高位聖職者層が裁判にかけられた。内部にひそむ敵は徹底して追跡され、ユーゴスラヴィア共産党の影響力は政治・経済・社会・文化のあらゆる分野におよんだ。ユーゴスラヴィアの国土面積には不つりあいな大規模工業化をめざすソ連式五か年計画が可決された。その結果一九四七年、ユーゴスラヴィアは飢饉にみまわれた。

東洋の独裁者風

ベオグラード南西、デディニエの丘の上に建てられた王宮と白い宮殿[16]から、ティトーは二五年来の念願だったユーゴスラヴィアの社会主義化を見守った。第二次世界大戦後の日々、ユーゴスラヴィアのほかの王宮がことごとく徴発されるのを待ちながらすごしたのもこの丘の上だった。狩場に近い王宮はとくに待ち遠しかった。ティトーは晩年まで狩猟に熱中した。イストラ半島に近いブリユニの島では旧スポレート侯爵邸に住み、五〇〇人規模のパーティができる広大な住居を建てた（ジーナ・ロロブリジーダ、バート・ランカスター、オーソン・ウェルズ、ソフィア・ローレン、エリザベス・テイラー、ジョゼフィン・ベイカーなどが訪れた)。一部の側近は、建設工事に囚人らが使われたことに当惑していたが、ティトーはなんの頓着もなく「歴史に残る壮大な建築物はすべて奴隷の手によるものだ」と答えた。国民には禁じていながら、こうしたぜいたくに弱かったティトーは、王室の金庫から見つかった金銀をさっさと自分のために確保した。(フランスの大美術商アンブロワーズ・ヴォラールから受け継がれたスロモヴィッチ・コレクションなど)押収した絵画や芸術作品をかっさらい、自分のサロンや庁舎の壁にかけるよう側近に言いつけた。(スターリンから贈られた車のほか、パヴェリッチからのメルセデス、エリザベス女王から受けとったロールスロイスなど)高級車もコレクションしていた。ティトーはその調子でクルーザー(カモメ号)やアレクサンダル王のものだったヨットも手に入れた。総じてティトーの私生活は、完璧なボリシェヴィキに推奨された禁欲主義とは似て非なるものであり、女性関係は派手だった。ある日は有名オペラ歌手ジンカ・クンツ＝ミラノフ、翌日はソヴィエト映画女優タチヤナ・オクネフスカヤ[17](「ロシアのグレタ・ガルボ」)といった具合だった。

ティトーの暮らしぶりは東洋の独裁者さながらとなり、ヒトラーの後継者と目されていたゲーリングのそれを思わせた。ティトーはゲーリングと不思議と似ていた。ティトーがまわりにはべらせたとりまき連中は、彼がのちにペルセポリスに訪ねたイランの王《シャー》の側近さながらだった。ティトーの奇妙な習慣は、南米の独裁者たちのそれといい勝負だった(紫外線でつねに肌を焼き、元帥の軍服をふだんから着用し、大きなダイヤの指輪をいつもはめ、髪にはウエーブをかけ、歯は総入れ替えした)。実際、ティトーは中世の王のように国を支配した。彼は側近たちに封土をあたえるように地域の支配権をあたえた。カルデジにはスロヴェニアを、ランコヴィッチとジラスにはセルビアとモンテネグロを、さらに彼らの配下にはマケドニア、ボスニア＝ヘルツェゴヴィナといったさほど重要ではない共和国を託した。

スターリンと指導者同士の闘い

一九四八年、共産主義圏に最初の大きな分裂が生じた。ソ連が、トリエステ[18]の今後について、自分の頭越しに西側諸国と交渉したことにティトーは不満だった。ユーゴスラヴィアのパルチザンだけが、ファシストとナチの占領から国を解放した、とする自分自身のプロパガンダに彼は毒されていた。スターリンがティトーをモスクワに仕える配下扱いにし、ほかの人民民主主義諸国だけでなくユーゴスラヴィアに（「混合会社」経由で）経済統制を押しつけようとすることに彼は反発をおぼえた。ソ連が難色をしめしていたバルカン連邦構想において、ブルガリアと外交上の協力をする方向にティトーは傾いていた。ソ連への不信を表わす言葉（「ソ連の社会主義はもはや革命ではなく、ユーゴスラヴィアこそ真に革命的社会主義を奉じる国である」）や行為をティトーはくりかえした。腹にすえかねたスターリンは一九四八年初め、ベオグラードにいる文民・軍人のブレーンたちを引き上げた。あきらかな警告が発せられたが、ティトーはいっこうに動じなかった。それどころか、挑発もほどほどにしてはと進言した閣僚に、ティトーは容赦ない仕打ちでこたえ、アンドリヤ・ヘブラングとスレテン・ジュヨヴィッチが逮捕された。ヘブラングは「裏切り者」、「階級の敵」、「チェトニック」、ジュヨヴィッチは「国と党の敵」、「ウスタシャ」とよばれた。ヘブラングは過ちを認めることをこばみ、独房で自殺した。ジュヨヴィッチは自白し二年後に釈放され、復職した。そのあいだに、一九四八年六月二八日ブカレストでコミンフォルムの会議が開かれ、ユーゴスラヴィアは東欧ブロックのあらゆる政治・経済機関から追放された。

ソ連とユーゴスラヴィアが断絶してから数週間、党の粛清が行なわれ、ユーゴスラヴィアは内戦寸前となった。現職閣僚、上級幹部、生えぬきの党員、大軍人（ユーゴスラヴィア軍将校の三分の一はスターリン派とみられた）、対独抵抗運動の英雄たちが、ソ連との内通が疑われるや、またたくまに逮捕、投獄、拷問、収容所送りあるいは処刑となった。二〇年前の旅行、手紙のやりとり、意思表明がもっともらしい糾弾の種になることすらあったが、問題ではなかった。一九三〇年代に「トロツキー派分子」がユーゴスラヴィア共産党から一掃されたときと同じ勢いで、ティトーは「スターリン派逸脱者」を共産主義国ユーゴスラヴィアから追放した。共産主義世界のマルティン・ルターあるいはヘンリー八世が誕生したと思いこんだ西側諸国の支持を受けて。西側諸国は、ユーゴスラヴィアとソ連のあいだに走った最初の亀裂によって、さっそくヨーロッパの共産主義の拡大に歯止めがかかったものと快哉を叫んだ。そしてユーゴスラヴィアが「脱共産主義化」するものと期待をふくらませた。

内務大臣アレクサンダル・ランコヴィッチは弾圧の責任者だったが、ティトーがほんとうの仕かけ人だった。ティトーは政治局に諮りもせず、「ロシア人ども」をスヴェティ・グルグール島、ビレチャ、グラディスカといった労働キャンプに収容するよう命じたりした。とくにアドリア海クヴァルネル湾の「不毛の島」ゴリ・オトクは過酷だった。三万人以上が送りこまれたこの労働キャンプは、囚人たちから尊厳と理性をことごとく奪いさるような環境だった。水も食料もろくにあたえられず、到着するや、今後不運をともにする先輩囚人から殴られ、家族との連絡も禁じられ、朝から晩まで石をくだく作業をしなければならなかった…ほかの囚人の命令に従いながら。海に囲まれ、逃げることのできないこの島で、囚人による自主管理がはじめて実現したというわけだった。

いまやユーゴスラヴィアをおおいつくすパラノイア的雰囲気——ティトーはワルシャワ条約機構軍の侵攻をいついかなるときも想定しており、実際この仮定は一九四九年末に現実味をおびた——は、政府の全体主義的構造を強化するにはじつに好都合だった。フランス、イギリス、アメリカは、ティトーを「ヒトラー的トロツキスト」とよび、万死に値する罪人扱いをするソ連との対立ゆえに、ユーゴスラヴィアが共産主義という狂気から遠ざかるものと思ったが、まったく逆のことが起こった。ソ連は一〇月革命の理想と裏腹に、帝政時代のロシアに後戻りしたかのように帝国主義的、官僚主義的になったが、ユーゴスラヴィアはマルクスとエンゲルスという社会主義のメッセージの原点に立ち返った。ゆえにユーゴスラヴィア共産党は一八四八年の『共産党宣言』にならい、「ユーゴスラヴィア共産主義者同盟」と改称した。私有財産が全面的に廃止され、（いかに中小規模であれ）すべての企業が国有化され、一九三〇年代のソ連における富農《クラーク》撲滅計画なる暴挙に匹敵する土地の集団化が開始されたのもこの時期である。集団協同組合の数を増やすこと（一九四七年に数百だったのが一九四九年末には六五〇〇）に重点を置いた「農村社会主義化」は、ボスニア、旧セルビアで強い反発をまねき、反乱が起きた。

ユーゴスラヴィアは飢餓状態にふたたびおちいり、一九五三年には集団化をきっぱり中断せざるをえなくなった。この思いきった決断はスターリン[19]の死去と奇しくも時を同じくしてくだされ、両国の

「統治時代」終焉に近い1980年ごろのティトー元帥。
© Hulton-Deutsch Collection/Corbis/Corbis via Getty Images

関係は正常化に向かった。スターリンが死に、フルシチョフがすぐさま後を継いだが、ティトーはヨーロッパという舞台における影響力にかけてはもはや敵なしとなった。そもそも、ティトーはほんとうにスターリンをライバルだと思っていたのだろうか？　スターリンの訃報に接した彼の反応に鑑みると、疑わしいといわざるをえない。「犬のタイガーが重病だという知らせと同時にその訃報を受けとった。タイガーが可哀そうだった。立派な犬だった」。一九五三年三月九日、ティトーがモスクワの宿敵スターリンの葬儀に参列しなかったのはもちろんである。そのかわり、イギリスのエリザベス女王の招待に応じるほうを選んだことは、まさにティトーの心情を表わしている。

第三世界の先駆者

国内の問題がかたづくと、[20]ティトーは新たな挑戦を決意した。西側陣営あるいはソヴィエト陣営に属することをこばむあらゆる国々の盟主、二大陣営の強要に服することをこばむ第三世界諸国の代表となることである。さっそくインドのネルーとエジプトのナセルがティトーの提唱に共鳴した。ユーゴスラヴィアがひそかに武器を売り渡していた、（アルジェリア、チュニジア、モロッコをはじめとする）反植民地主義運動を主導する国々も同意した。西側諸国は見て見ぬふりで通した。一九五六年秋のハンガリー動乱におけるソ連軍の介入をユーゴスラヴィアが容認したことに素知らぬ風をよそおったときとまったく変わらぬ態度だった。東欧ブロック内の決裂を体現するティトーをソ連の手中に押し返すような危険は断じて避けたかった。

　西側は完全に幻惑された。三〇年間、ティトーは「西側の帝国主義」に対抗する数十か国——ガーナからインドネシアへ、ベトナムからキューバへ、スリランカからコンゴへ、エチオピアからエジプトへと——を次々訪問[21]するいっぽう、アメリカから何億ドルも受けとっていた。赤い悪魔というべきソ連は結局ユーゴスラヴィアという石に躓くだろうとアメリカは思いこみ、ティトーの異端的言説（有名な「自主管理」、「非同盟」）にまどわされていた。一九七〇年、ニクソンはベオグラードまで足を延ばし、ユーゴスラヴィアに対する無邪気な好意を表した。そのうえ、この「離脱」と思われる運動を後押しすべく、西側四四か国はユーゴスラヴィア国民にビザなしで旅行できる許可をあたえ、西ヨーロッパ人は一見人間的な表情の社会主義をうたうダルマチア地方でヴァカンスをすごすよう奨励された。パリでは、たんなる無知かあるいはわざと目をつぶっているのか、ミシェル・ロカール率いるPSU《統一社会党》がユーゴスラヴィアの経済的実験を賞賛し、反スターリン左翼運動組織は、スターリンにノーと言い、アジア・アフリカの反植民地主義運動に武器と資金を供給して支援するティトーの行為を称えた。

悲劇的な未来を告げる終末

一九七〇年代フランスの知識人は、口をきわめてティトーに敬意と称賛を表し、この巨人《ティタン》の伊達男ぶりに目をみはった。ティトーはお洒落だった。艶福家[22]で、一日一二〇本も吸うヘビースモーカーで、(実際は視力矯正用の)謎めいた黒メガネをかけ、よく似あう白い軍服にはゴテゴテした勲章を数十個もぶら下げていた。自分が受けとったユーゴスラヴィアの勲章一六個、外国の勲章九九個のうちからから選んだものだった。ティトーはみごとに人の目をあざむき、経済破綻をまねき国民を隷従させる独裁政治の現実を隠しとおした。

ティトーのユーゴスラヴィアとはなんだったのか。

牢獄は反徒であふれ、目ざわりになった幹部は暗殺の的となり(たとえば側近のスロボダン・ペネジッチ[23]は、セルビア人とクロアチア人が不和になればユーゴスラヴィアは崩壊すると公言した後、自動車事故で帰らぬ人となった)、側近は突然追放され(エドヴァルド・カルデジは一九六一年、ロンドンに亡命を余儀なくされ、政治警察UDBAの長となったアレクサンダル・ランコヴィッチはみずからティトーにスパイ行為を仕かけて退任させようとし、後釜に入ろうとしたために一九六六年に失脚した)、あちこちに労働キャンプが存在する国。

監視の目があらゆるところに光り、経済は停滞し、社会的、宗教的緊張におおわれた国(コソボではイスラム教徒のアルバニア語民と正教徒のセルビア人のあいだに軋轢があった)。

北朝鮮に匹敵する個人崇拝の色濃い国。ティトーの写真はすべてのオフィス、学校の教室、カフェに掲げられていた。山々、壁、飛行機の翼にまでティトーの名前がでかでかと書かれていた。公的な集会をはじめるときはかならずＴＩＴＯの四文字を区切って叫ぶか歌い上げるかした。どんなに小さな体制批判の声もかき消される国。一九六八年五月に、官僚主義を批判する学生たちの抵抗運動が鎮圧されたように。

ティトーは権利主張にはいっさい耳をかさなかった。そんなものは国の統一を乱すものだと考えていた。ふくらむばかりの妄想にふけり（ランコヴィッチによると「ティトーは根っからの人間不信で、これが性格にも影響していた」）、地方における不正が目にあまるほどひどくなっていることに気づかず、国内（スロヴェニアやクロアチア、セルビア共和国内コソボのアルバニア人やボスニアのイスラム教徒）の緊張が高まりつつあることを見ぬけなかった。ティトーは無為無策と思い上がりによって、徐々に、しかし確実にユーゴスラヴィアの墓穴を掘っていた。

ティトー自身の墓穴は一九八〇年五月に彼を迎え入れた。数か月にわたり、高血圧と糖尿病による動脈硬化に苦しんだ末のことだった。一九七九年末には左足が塞栓症に侵された。その後の一〇年間に進むことになるユーゴスラヴィアの解体を象徴するかのように、病にむしばまれたティトーの身体は日に日にぼろぼろになり、とうとう一九八〇年五月四日日曜一五時一五分、八八年の生涯を閉じた。ティトーの死は全世界で敬意をもって受けとめられ、葬儀は盛大に行なわれた。ティトーという偉大な政治家にふさわしいものだった。権力を奪い、恐怖をあたえることによってその地位を三五年間保つべく、いく多の暴力をみずから行使しあるいは指示した――共産主義者の同志もその対象となった――独裁者でもあったが。ティトーが一触即発の状況のまま残していったバルカン半島は、一九九一年からふたたび血で血を洗う戦乱にみまわれた。ティトーと同郷だった作家、詩人のミロスラヴ・クルレジャが見ぬいていたように、「あの老紳士はオーダーメイドのスーツを手にしたが、縫い目があちこちゆるんでいることに気がつかなかった」。

〈原注〉

1　マルクス主義統一労働者党。アンドレウ・ニン率いる、国際共産主義運動のスターリン的傾向に異を唱えるスペインの革命組織。フランコ派との戦いに参加したにもかかわらず、この組織は一九三七年にソヴィエト秘密警察（ＮＫＶＤ）の特派員らによってニンを抹殺され指導者を失った。おもな幹部も抹殺されるか国外に追放された。

2　セルブ＝クロアート＝スロヴェーン王国は一九二九年にユーゴスラヴィア（『南スラヴ』）と改称した。

3　息子ザルコは、戦後ようやくユーゴスラヴィアに戻ったが、アルコール依存症と放蕩生活に身をやつして父親を悩ませた。妻ペラーギヤはモスクワに戻るやまもなく「トロツキズム」の咎を受け、数年間国外追放されたが、ティトーは妻をかばおうとしなかった。

4　ジャルスキ（一八五四―一九三五年）はクロアチアの作家で、リアリズムの流れをくみ、ツルゲーネフの影響の濃い作品を書いた。

5　彼はまた、コミンテルンのドイツ人女性、エルザ・ヨハンナ・ケーニヒ（通称ルチア・バウアー）と出会い、一九三六年一〇月に結婚している。新婚生活ははかなく、一九三七年九月、ＮＫＶＤは彼女を逮捕し、ゲシュタポと内通した廉で処刑した。ティトーはその容疑を認めることになる…

6　一九三四年にマルセイユで暗殺された王、アレクサンダル一世の息子で正統な王位継承者だったペータル（のちのペータル二世）はまだ未成年だった。

7 一九四〇年九月二七日、ドイツ、イタリア、日本が調印した三国軍事同盟は、「ヨーロッパとアジアの若い民族の台頭」の気運の現われとして位置づけられた。ハンガリー、ルーマニア、ブルガリアはすでにこの同盟にくわわっていた。

8 ソヴィエト連邦侵略の準備を着々と進めていたヒトラーは自軍を残らず必要としていた。自軍の一つたりとも、脅威となる可能性のある国の監督に貼りつかせることなどあってはならなかった。

9 チェタ（「戦闘部隊」の意）という語から来た組織名。一四世紀から一九世紀にかけてオスマン帝国軍と戦った先達にちなんで、セルビア人抵抗者がチェトニックと名のった。

10 スロヴェニア人の学生だったヘルタは裕福なオーストリア人弁護士の娘で、共産党同志から「ブルジョアジー」とみなされた。とはいえ彼女はドイツ軍に捕われ、一九四三年に「捕虜交換」で釈放された。その後レジスタンス運動をティトーとともに展開したが、夫にはなかば公然の愛人がいることを知る。

11 二か月後、ドイツ軍の戦車は、ティトーがウジツェを死守せよと命じた何百人ものパルチザンを文字どおり押しつぶしながら侵攻に終止符を打った。

12 一九四〇年七月に設置されたイギリスの秘密情報組織で、枢軸国に占領されたヨーロッパの地域のレジスタンス活動に兵站・軍事支援を行なうことを目的とした。

13 Odjeljenje za Zaštitu Naroda「人民保安局」の頭字語。アレクサンダル・ランコヴィッチが創設し長となったパルチザンの保安局。一九四六年に共産主義国ユーゴスラヴィアの政治警察となった。

14 一九四四年末、ボスニアとの国境近くの西セルビアで抵抗運動を再開した後、ミハイロヴィッチは一九四六年三月まで反共産主義の先頭に立ちつづけたが、捕らえられ、茶番劇のような裁判にかけられ、七月にベオグラードの秘密の場所で銃殺された。

15 一九五〇年代に反体制派となったジラスは、ユーゴスラヴィアや世界の共産主義制度を全体主義的として批判し、西側諸国の知識人からもてはやされた。

16 ティトーは王宮の壁、食器、テーブルクロスに描かれた王家の大紋章を削りとらせ、かわりに赤い星がつねに目につくようにした。本館に隣接する聖アンドリヤ小教会では、ティトーのボディガードが、内部の丸天井に描かれた宇宙の支配者キリストの額に狙いを定めて銃で穴を開けた。

17 一九四八年にティトーと袂を分かった後、スターリンはティトーとの関係を理由に、オクネフスカヤに高い代償を払わせた。彼女は数年間シベリアの収容所に送られた。

18 一九四五年五月、ユーゴスラヴィアのパルチザンと連合軍が、イタリアの降伏以来ドイツに占領されていたトリエステを解放した。以降、トリエステは二つに分けられた。イタリア人が人口の大多数を占める地方は米英が統治し、おもにクロアチア人とスロヴェニア人が住む地域はユーゴスラヴィアの支配下となった。

19 スターリンは晩年、裏切り者ティトーの暗殺をくわだて、何人もの刺客をベオグラードに送りこんだ。

20 一九五四年、ジラスはティトー政権の君主制的、官僚主義的傾向を批判し、指導者層からはじかれた。その後ユーゴスラヴィア共産主義者同盟の粛清は沈静化した。

21 ベオグラードのティトー霊廟のあるユーゴスラヴィア歴史博物館には、この歴訪の写真や報告がすべて展示されている。

22 一九五二年に再婚したセルビア女性で、パルチザン部隊の大尉だったヨヴァンカは太った短気なおばさんになり、夫ティトーは若いマッサージ師のグルビッチ姉妹をはじめとする女たちの腕のなかに逃げこんだ。

23　一九四六年三月、ペネジッチはミハイロヴィッチの逮捕につながった軍事作戦を統括していた。

〈参考文献〉

Neil Barnett, *Tito*, Londres, Haus Publishers Ltd., 2006.

Dušan T. Bataković, *Yougoslavie*, L'Âge d'homme, 1994.

Jean Christophe Buisson, *Mihailović*, Perrin, coll. « Tempus », 2011.

Vladimir Dedijer, *Tito parle*, Gallimard, 1955.

Milovan Djilas, *Tito, mon ami, mon ennemi*, Gallimard, 1980.

John V. A. Fine, « Strongmen Can Be Benificial : The Exceptionnal Case of Josip Broz Tito », in *Balkan Strongmen*, Bernd J. Fischer (dir.), Londres, Hurst & Company, 2006.

Émile Guikovaty, *Tito*, Hachette Littérature, 1979.

Branko Lazitch, *Tito et la révolution yougoslave*, Fasquelle, 1957.

Jože Pirjevec, *Tito. La biographie*, CNRS Éditions, 2017.

Jasper Ridley, *Tito, A Biography*, Londres, Constable, 1996.

Geoffrey Swain, Tito : A *Biography*, Londres, I. B. Tauris, 2010.

9　三代の金《キム》

金日成《キム・イルソン》、金正日《キム・ジョンイル》、金正恩《キム・ジョンウン》の国

パスカル・ダイェズ＝ビュルジョン

北朝鮮という国はわたしたちの関心を引きつけずにはおかない。この国は、三四半世紀にわたって地球上でもっとも残忍な独裁の支配下にある。しかもこの独裁を絶対君主制国家に変貌させるという、前代未聞の離れわざをやってのけた。それればかりか、この状況に変化の兆しはみられない。なぜそんなことが可能なのか。権力を継承してきた三代の金《キム》が、いずれおとらぬ強固な決意と冷酷さをもっていたことが、その謎を解く鍵のひとつである。だが一方で、専制と一点集中型の暴力、それに激しいプロパガンダによって三人で構築したシステムが、独裁をフル回転で機能させているともいえるのだ。

一九四五年以降、世界は大きく変わった。それまで敵対していた国々は、世界平和の礎をどう築いていこうかと意気ごんだ。それがいかにもろくとも、だれもが平和を希求していたのだ。市場経済が共産主義を押しのけ、冷戦を歴史の本のなかのできごとに変えた。人類は月面を歩き、さらに仮想空間の征服にのりだした。それでもなにも変わらない国がひとつある。それが北朝鮮だ。一〇年、また一〇年と時がすぎても、世代が変わっても、この国のすべては権力の座にある王朝の決定、気まぐれ、存在そのものに要約されるのだ。たしかに、三四半世紀のあいだに専制政治の担い手は変わった。一九四五年から一九九四年までは金日成《キム・イルソン》が、次いで一九九四年から二〇一一年までは跡を継いだ息子の金正日《キム・ジョンイル》が統治し、さらに孫の金正恩《キム・ジョンウン》が権力の座についてから七年がすぎた。その間に北朝鮮は、純然たるスターリン主義の衛星国から、闇取引と核による恐喝で生き残る、ならず者国家へと変貌をとげた。しかし、この王朝はなにも変わらず、硬直したまま存続し、まるでそこだけ時が止まっているかのようだ。だから、北朝鮮のプロパガンダはいずれも競って強調するのだ、「金正日は金日成である」、「金正恩は金正日である」と。

初代皇帝、金日成《キム・イルソン》

金《キム》たち三人は、権力をにぎるまでにはどんなことでもやった。それはまちがいない。三人にはそれぞれ異なった個性、性格、妄想があった。だが、共通していたのは権力への抑えきれない渇望だ。すべては金日成からはじまった。北朝鮮のプロパガンダは彼を建国英雄叙事詩の主人公、すなわちブッダとキリスト、さらに古代朝鮮の王だったとされる檀君を合体した化身に仕立て上げた。数千年にわたってこの国の国民が熱望している自由と進歩と幸福をあたえてやれるのは、金日成ただひとりなのだ。だが、現実はまったく異なる。のちに日成《イルソン》（「太陽」）というもっと輝かしい名に改名する金成柱《キム・ソンジュ》は、プロテスタントの中産階級の血を引いた、成金の農民の子に生まれ、約束された将来は平凡なものだった。当時の朝鮮は一九一〇年以来日本の支配下にあり、成功を望むためには日本に協力的な貴族階級の出身でなければならなかったのだ。

金日成は、当時同じような境遇にあった若者の多くがそうしたように、一九〇八年の清の弱体化を受けて軍閥や外国勢力の支配下にあった、中国東北部の満州で運だめしをすることにした。密輸はうまくいかなかったが、人を束ねる才能があることがわかった。手柄は相当に誇張されているとはいえ、若いころのスターリンのように拳銃を発砲することもあった。だが、なによりも策略家だった。作戦を立て、組織網をあやつり、人々の忠誠心をよびおこしてみずからの権威を高めることにかけては、右に出るものはなかった。朝鮮北部で抗日レジスタンスを組織していた中国共産党にスカウトされると、出世の階段を一足飛びに駆け上がり、自分を脅かしそうな者はそれとなく失脚させていった。

一九四〇年に日本が抗日ゲリラに対して優勢になると、金日成はソ連にのがれ、実戦のかわりに策動に専念した。ソ連の赤軍に編入され、そこでモスクワに自身を売りこむのに必要な人脈を築いた。うまいやり方だ。一九四五年二月に、連合軍はヤルタで朝鮮の独立の回復を約束した。しかし、旧宗主国の日本とこれまで深くかかわっていたエリート層を警戒した連合軍は、朝鮮を共同管理することを決めた。そして一九四五年八月、日本の敗戦直後に設立されたソヴィエト地域の管理を託す相手として、金日成の名前が上がった。スターリンはこの男を軽蔑していたが、かといってほかに信頼できる人間はいない。そして、意気さかんで口達者な金日成は、さらに如才なさも発揮した。一九四五年九月末、ソ連は自国政治局員の厳しい監視下にある、臨時人民委員会の委員長に金日成を抜擢する。こうして三三歳で彼は権力の座につき、以降、手放すことはなかった。

権力の座を守るために手段は選ばなかった。まず、一九四八年九月に、北朝鮮を衛星共和国にしたスターリンに対して誠実な服従の意志を示した。さらに、毛沢東が一九四九年一〇月に権力の座についた中国には、秋波を送った。しかし、金日成はそのままおとなしくしてはいなかった。部下のパルチザンをひそかに武装させ、軍隊とよぶにふさわしい組織に仕立て上げた。一九五〇年六月、始動のときが来たと思った。アメリカが半島の南側に作った傀儡国家など簡単にたたきつぶせる、とソ連と中国を説得し、再統一への戦いにふみだした。作戦は大失敗に終わった。アメリカと国連軍が反撃し、そこへ中国が参入、あわや第三次世界大戦の勃発かと思われた。三年続いた戦闘で多くの人命が失われたにもかかわらず、決着がつかないまま、一九五三年七月、朝鮮は分断された状態に戻るしかなかった。この紛争によって朝鮮半島は荒廃し、死者は三〇〇万人に上った。

だが、金日成は動じない。この悲劇はこの男を弱体化するどころか、むしろ強化した。なぜなら、世界一の大国を服従させたと自慢できるのだから。またもレジスタンス活動家を気どり、北朝鮮を進歩の模範にしようと考えた。その結果は衝撃的だった。ソヴィエトの労働者スタハノフをモデルとする、大衆的生産性向上をめざすスタハノフ運動を大々的に行ない、工業化を着実に進めた。食料と教育と健康は幹部だけの特権ではなくなった。だがその代償とはどんなものだったのか。すべてが金日成とその側近たちの意のままとなった。異を唱える者は、不正な裁判の犠牲となって投獄されたのち、行方不明になった。一九五六年夏のクーデター未遂以降は、今度は配下たちが定期的な粛清の対象となった。これにより、わずかな批判を匂わすことさえ許されなくなった。このころ金日成は、哲学やマルクス主義の用語「主体」から、「自主独立」や「自立精神」を意味する主体（チュチェ）をとりいれ、北朝鮮モデルの独自性と成功を強調する思想を教えこむ再教育を行なった。金日成の独裁はまさに恐怖政治だったのだ。

権力の頂点に立った金日成には、目標はいまやひとつしかなかった。その権力を維持しつづけることだ。世界に通用する器量を身につけるために、毛沢東に言いより、チェ・ゲバラのような偉大な革命指導者たちをピョンヤン（平壌）にまねき、非植民地化運動を支持し、非同盟国との関係を密にした。それればかりか、再統一を穏健に進めるよう、韓国政府にひそかに働きかけることさえした。しかし金日成の体制は、実際にはソ連と中国に依存しており、自分の利益しだいで両国のいがみあいを焚きつけた。自国で生産したものを売りさばいたり、逆に軍備や体制の存続に不可欠な石油を入手したりするのに二国の援助が必要だったからだ。ベトナム戦争に世界の注目が集まるなか、気をとめる者はなかったが、北朝鮮は大きく停滞した。一九七五年以降、韓国経済の業績は北朝鮮のそれを上まわっていく。もう逆転しそうにはなかった。社会主義圏に亀裂が入るにつれ、韓国の優位はきわだっていく。一九七六年の毛沢東の死後、市場経済に移行した中国に続き、ソ連そのものが一九九一年の完全な崩壊に向かって転換の道を歩みはじめていた。中国もソ連も自国のさしせまった状況をかかえて、北朝鮮の支援どころではなくなった。

しかし、金日成は、うまくやりすごすことができればそれでよい、とばかりになにも手をうたなかった。六〇歳をすぎ、活力もおとろえていた。体力、気力を使う権力行使を息子にゆずることにし、

1980年ごろ、朝鮮労働党第6回大会での金日成（1912–1994）と長男の金正日（1941/1942–2011）。
© AFP/Files-Korea News Service

軍事パレード、地方への巡回訪問、みずからの栄光を誇示する催しといった虚飾のほうを好むようになった。そのひとつが、一九八九年七月の第一三回世界青年学生祭典で、これは、前年のソウルオリンピックが韓国のなしとげた進歩を強調したのに対抗して、開催されたものだ。アメリカとの対話を願いつづけてきた金日成の最後の成功は、このころすでに北朝鮮の交渉の武器だった核開発計画放棄の話しあいのため、一九九四年六月にカーター元大統領をピョンヤンに迎えたことだった。それから一か月とたたないうちに、心臓発作が金日成の命を奪った。その葬儀は国全体を集団ヒステリー状態におとしいれ、世界を呆然とさせた。北朝鮮の人々がこの悪夢から醒めるのは、いったいいつのことだろうか。

核に異常な愛情をそそいだ二代目、金正日《キム・ジョンイル》

ピョンヤンでは、一人の権力者が死ぬと、絶対王政《アンシャンレジーム》時代のヴェルサイユと同じことが起きる。フランス国王が亡くなると「国王陛下崩御！　新国王、万歳！」と唱えられたように、ひとりの金《キム》が亡くなると、次の金《キム》が玉座につくのだ。

こうして権力は金正日の手にわたった。この跡継ぎの「即位」

は諸外国を唖然とさせた。共産主義国を名のる国で、世襲の後継者が選ばれるなどありえないことだ。しかも、金正日は父親とはなんら共通点がない。戦闘経験はなく、ただ跡を継いだだけだ。首に醜い腫瘤はあっても、晩年でさえ威厳があった金日成とは逆に、背が低く、陰険で臆病なうえに好色だった。葬儀を終えると、儒教の教えによる三年の服喪期間が明けるまで、権力の完全な行使はしないと発表した。つまり、彼は中継ぎをするだけで、国にはやがて変化が訪れる、という意味なのだろうか？　そう考えた人々は、この二代目のことをなにもわかっていなかったのだ。

なぜなら、金正日も父親と同じく権力に飢えていたからだ。生まれ落ちた場所は、玉座のごく近くだったはずだ。プロパガンダによれば、一九四二年に白頭山《ペクトゥサン》の中腹で生まれたことになっている。白頭山は中国との国境地帯にある二七〇〇メートルの火山で、金日成が抗日ゲリラを率いた場所だ。実際にはソ連で生まれ、一九四五年一一月にソ連製の有蓋トラックに乗って朝鮮に着いたらしい。だが、そんなことは問題ではない。すぐに特別な子どもとして扱われた。父が国の命運をにぎる人物だったばかりでなく、母も同じくレジスタンス活動家で、早逝の原因は結核だったとはいえ、死んでから祖国の英雄としてまつられていた。金日成が体制強化のための答えとして早くから君主制を考えていたため、息子は最高の運命を約束された、共産主義国の「赤い」王子として扱われた。

しかし青年期の終わりになると、いっとき雲ゆきが怪しくなった。女好きな金日成は、魅力的でぬけ目のないある女性と恋に落ちた。この女性は金日成とのあいだに二人の息子をもうけ、ことあるごとに息子たちを引き立てさせようとした。とくに、威厳があり、レジスタンスの闘士だった金日成に似てきた、長男の平一《ピョンイル》を立てた。結局、後継者は金平一《キム・ピョンイル》になるのか、と思われた。しかし、金正日は戦術にたけた父の才能を受け継いでいた。彼は派手な言動を避け、孝行息子に徹した。そして、個人秘書、執事、ときには手下となって、しだいになくてはならない存在になっていった。とりわけ、一九六九年にプロパガンダをつかさどる部署のトップに任命されると、この体制構築のトレードマークとなる、恒常的な個人崇拝の土台を築き上げていった。祖国の父であるとともに自身の父でもある、金日成の最高の栄誉を称えるものなら、彫像、壁画、マスゲーム、オペラ、映画などなんでも利用した。そして、夜を日に継いでの献身は実を結ぶ。一〇年間の躊躇の期間をへて、一九八〇年一〇月の第六回労働党大会で、ついに金正日は正式に金日成の後継者に指名された。

影の男は、ついにその本性を表わした。かたくなで、残酷で、容赦のない男なのだ。軍、党、国の主要なポストに自分の支持者を配置した金正日は、もう既得権の管理だけで満足するつもりはなかった。状況が悪化し、方向転換が必要だった。中国もソ連ももうあてにできず、自国のみで切りぬけるしかなかった。諸外国に相手にしてもらうため、韓国の動揺を狙って一連のテロを命じた（一九八三年一〇月のラングーン爆破テロ事件と、一九八八年一一月の大韓航空機爆破事件）。そして、自国を外敵から守るために、ソ連の旧衛星国の高官や、パキスタンの原子爆弾の父といわれる危険人物、アブドゥル・カーンに、賄賂を贈ることまでした。すべては父がずっと夢見ていたこと、すなわち、体制を核武装するためだったのだ。

一九九五年から一九九七年にかけてこの国を襲い、二〇〇万人以上の死者を出したすさまじい飢饉にも、金正日はゆるがなかった。プロパガンダはこの惨事をアメリカの支援を受けた敵の国々のせいにし、金正日は朝鮮戦争中の父のように、新しい形のレジスタンスの陣頭に立った。そのレジスタンスとは、卓越した舵とりに導かれた、国民の生き残りを賭けた戦いというものだ。そして危機的状況のなか、厳しいしめつけを行なった。一九九八年一〇月、軍を体制の要《かなめ》とする、先軍政治があらためて打ち出された。飢饉のために各地で頻発する暴動は、流血とともに鎮圧された。しかし、国際援助のおかげで状況が回復に向かうと、譲歩するしかなかった。二〇〇〇年六月、初の南北首脳会談で、韓国が提案した経済援助の受け入れを決めた。そして、二〇〇二年から、ピョンヤンと港町にかぎられてはいたものの、少しずつ市場経済に門戸を開き、この国はふたたび発展への道を歩みはじめた。

だが、金正日は核保有をあきらめたわけではなかった。二〇〇六年一〇月、体制は初となる核実験を行なった。一〇年のあいだに発射技術を身につけており、北朝鮮の脅威は突如として深刻なものになった。晩年の金日成はすぎさった時代からやってきためずらしい恐竜だと思われたが、金正日は世界中を恐怖におとしいれる鬼となったのだ。密輸入、偽造通貨、薬物。彼はすべての不正取引に手を染めている、といわれた。その人となりについては、乱痴気騒ぎ、乱れた生活、偏執狂といったとんでもない噂の数々が流れた。根拠のないうわさもあったが、火のないところに煙は立たない。彼はたった一人の権力者としてしだいに孤立し、体

2010年10月にピョンヤンで行なわれた、朝鮮労働党創建65周年を記念する軍事パレードを観閲する、金正日と息子で後継者となる金正恩（1984-）。
© Kyodo News via Getty Images

むまもなく働き、暴飲をはじめとして無茶をすることが増えていった。そして、実年齢より早く疲弊した結果、二〇一一年一二月に、正式な後継者を用意することなく息を引きとった。とはいえ、今回は、権力が身内のいずれかに引き継がれることを疑うものはだれひとりいなかった。

威嚇を切り札とする三代目、金正恩《キム・ジョンウン》

三年かかった金日成のときとは異なり、金正日の後継者はすぐに玉座についた。一夜のうちに遺産を受け継いだのは、末の息子の金正恩だった。三〇歳未満だった彼のために、父は妹の金敬姫《キム・ギョンヒ》と、とくにその夫である張成沢《チャン・ソンテク》が重要な役割を演じる摂政体制を、そうとは公言されなかったものの、用意していた。二代目のいわば養父母となったこの二人は、金正日の忠臣だったが、蓄財や贈収賄というかんばしくない噂がつきまとっていた。だが、彼らは中国寄りなので、北朝鮮を中国のような開かれた体制へと向かわせるだろうと予測された。また、緊張緩和のメッセージ、大衆とのふれあいの機会、外国メディア向けのにこやかな会見など、金正恩自身もそのようなそぶりを何度か見せた。楽観的な人々の多くは雪解けを予想し、北朝鮮の春を期待した。だが、その幻想をすてることになるのに時間はかからなかった。

じつは、金正恩は、父がそうだったように、みずからの権威を認めさせるために戦わなければならなかった。金正日はもともと、一九七一年に当時人気女優だった愛人、成恵琳《ソン・ヘリム》とのあいだに生まれた長男の金正男《キム・ジョンナム》以外は後継者に考えていなかった。はじめての息子にはどんな高価なものでもあたえ、「この国をやろう」という約束さえしたようだ。そして、一〇年後、うつ病になった成恵琳に代わって愛人となった、高英姫《コ・ヨンヒ》が二人の息子を産んでも、その考えは変わらなかった。それをじゅうぶん承知していた金正日の妹夫妻は、自分たちの策略を守るための隠し札として金正男に賭《か》け、なにかと世話をしてきた。金正恩と兄の金正哲《キム・ジョンチョル》は、王位とは無縁だったため、陰の存在でありつづけた。王朝一族の長男以外の子どもたちに用意されたキャリアである、外交官になる準備のため、一九九二年から二〇〇〇年まで、二人はスイス留学に送り出された。

しかし、筋書きどおりにはいかなかった。金正男は、祖父の貫禄も、父の狡猾さももちあわせていなかった。甘やかされた支離滅裂な肥満児で、他人を簡単に信用し、分別のない行動ばかりくりかえしていた。二〇〇一年五月には、ディズニーランドを訪れるために偽造旅券で日本に入国しようとして、体制を物笑いの種にした。さらにひどかったのは、権力が約束されているのをいいことに金正日との意見の違いを公にし、自由主義改革の支持を表明して、現状維持に執着する軍から大ひんしゅくをかったことだ。二〇〇三年、人々の我慢も限界を超えた。金正男はマカオに移住し、たいして気のりしないままいかがわしい密売取引に手を染めたが、うまくゆかずに細々と暮らすようになった。このことがあってから、金正日はほかの二人の息子を候補に考えるようになったが、それでも放蕩息子が考えをあらためて帰還するのを完全にあきらめたわけではなかった。

この不確実さが金正恩に味方した。開けっぴろげな性格ではなく表には出さなかったが、相当な野心家だった。母が父の愛人となったのがほかの愛人より遅かったうえ、同母の兄がいたが、切り札には事欠かなかった。大食漢らしい外見の下に隠された真の姿は、部下をひきつれて難路を行軍するスポーツマンなのだ。祖父ゆずりの風貌で、軍の人気は高い。この王位継承者は行動する男でもあり、必要となれば攻撃も辞さない。二〇〇九年六月には金正男の暗殺を謀った。そして、二〇一〇年一一月には韓国が統治する延坪島《ヨンピョンド》を砲撃させた。この挑発は大事にはいたらなかったものの、この男の大胆さは明らかになった。兄の金正哲にはこの強靭さはない。彼には軍とのつながりはいっさいなく、ただ共産主義国の「赤い」王子として特権をあたえられた人生を、大事にしているだけだった。だから、金正日には選択の余地がなかったのだ。一連の昇進ののち、それははっきりした。次期最高指導者は金正恩だ。

だが、まだ勝負は決まっていなかった。準備に二〇年をついやせた父親とは異なり、金正恩は自分から進めていく必要があった。とりまきたちは君臨させてくれていたが、彼の望みは実際に支配することだった。その資質があることを証明するために、まわりくどいことはしなかった。邪魔者はすべて排除された。一〇〇人もの幹部や将校が解任や流刑で粛清された。金正日が全幅の信頼をよせていた総参謀長の李英浩《リ・ヨンホ》も容赦されなかった。だれも安泰ではないと示すために、金正恩は自身の家族さえ標的にした。二〇一三年一二月には叔父の張成沢を、性急な手続きだけで銃殺させた。そして、二〇一七年二月には、ほかでもない、失脚した元後継者の金正男が、クアラルンプールの空港で暗殺された。メッセージは明らかだった。国家の新しい舵とりは、ただ一人の絶対的支配者なのだ。

国外の人々にとって、金正恩といえば、肥満体型や滑稽な髪型の印象のほうがよっぽど強く、わがままな暴君の坊ちゃんにちがいないと思われがちだ。おつきの廷臣たちや、二〇一二年七月に結婚した愛らしい妻で、先ごろ北朝鮮のファーストレディとよばれるようになった李雪主《リ・ソルジュ》にかしずかれて、王族のような暮らしを送っているのだろう、と。しかし実際には、金正恩は父や祖父と同じく、妥協しない男でもある。任務に厳しく、とても頑固で、さらに警戒心が強く、なにしろ柔軟性に欠ける。就任時に期待された雪解けにはほど遠く、倫理的な秩序引き締めが強化され、弾圧はいよいよ本格化した。ピョンヤンでも地方でも、軽微な犯罪ですら死刑となる。国際政治面でも同じことがいえる。発射実験を何度かくりかえしたあと、核開発は加速し、北朝鮮経済に制裁を課す国連の厳しい非難決議にもかかわらず、三年間に四回（二〇一三年二月、二〇一六年一月と同年九月、二〇一七年九月）の実験が行なわれた。二〇一四年一二月には、金正恩を滑稽に描いたコメディ映画を配信したソニー・グループを攻撃したことで、サイバーテロ支援を行なっていることが明らかになった。その四年後には、彼を「リトルロケットマン」よばわりした、ドナルド・トランプ大統領と侮辱合戦をはじめた。ジェームズ・ボンドの映画で嫌われ者として人気だった超悪役の座を、金正日に次いで金正恩が継ぐのに、一〇年もかからなかった。

しかし、金正恩は父や祖父の後継者にふさわしい策士であり、意表をつくことも心得ている。生産設備の老朽化と国際社会の厳しいボイコットにもかかわらず、北朝鮮経済は立ち直りをみせている。ピョンヤンは建設ラッシュで、店はにぎわい、道路交通量が増えた、と訪れた人々は口をそろえる。体制はどのようにして、この回復を実現したのだろうか。たしかに、金正恩は二〇一三年三月に核戦力と経済発展を両立させる、二本柱の戦略を打ち出した。しかし、その野心を実現する手立てがなかった。そこへ、二〇一八年一月、目をみはるような急展開が起こる。金正恩は、もしアメリカと国連が少しでも経済封鎖を縮小するつもりがあるなら、自国の核と発射にかんする政策を見なおす用意があると言い出したのだ。さらに、この新たな好意的態度を証明するために、中国、韓国、それにアメリカとさえ首脳会談（二〇一八年六月のシンガポール会談と二〇一九年二月のハノイ会談）を行なった。虚勢を張っているのか。その言い分が通るのか。その答えは時間がたてばわかるだろう。しかし、民主主義と人権にかんしては、もはや疑問の余地はない。言い換えれば、金正恩が核の脅しに固執するにせよ、市場経済への道を開くにせよ、その体制はまだまだゆるぎそうもない。

金《キム》たちの王朝システム

不謹慎が許されるのなら、デカルトの名言「良識はこの世でもっとも平等に分配されているものである」をもじって、「独裁はこの世でもっとも平等に分配されているものである」とでもいいたくなる。残酷な暴君、血に染まった専制君主、狂信的な独裁者の数は多い。どの時代にも、どの大陸にも、どのイデオロギーにも独裁者はいる。だが、三人の金《キム》はけたはずれなのだ。その動じない態度、執拗さ、強烈な絶対主義は、どれをとっても尋常ではない。北朝鮮の人々はなぜそれを認めることができたのか、その状態を保っていられるのか、そして今後も続けていけるのだろうか。三人の金《キム》の戦術の巧妙さ、躊躇のなさ、そして臆面もない日和見主義が、三人の成功の理由だ。だが、それだけではない。三人の権力はさらに、三つの論理を根本的に結合した、複雑なシステムにもとづいている。三つの論理とは、国家的レジスタンスの称揚、朝鮮の歴史への崇拝、そして弾圧機構の精密化だ。

朝鮮の歴史は叙事詩だ。中国と、そのあとのロシアにとっては南方の海への船積地、日本と、そのあとのアメリカにとってはアジア全体からの荷揚げ場として、半島は隣接する強国の欲望をつねにかきたててきた。つねに侵略され、併合されることも多く、ときに解放され、朝鮮の人々はそのような脅威をみずからの内に抑えこみ、ついにはそれが存在理由となった。つまり、その宿命は、被害者であると同時にレジスタンスであることなのだろう。そして、実際に二〇世紀には、彼らのそうした見方が正しいと裏づける出来事ばかりがあいついだ。西洋の帝国主義に容赦なく直面させられ、日本には植民地にされ（一九一〇―一九四五年）、冷戦に破壊された（一九五〇―一九五三年）。だがそれにもかかわらず、北朝鮮と韓国はたがいに異なる二つの体制を築きながらも、どちらも立ちなおった。それは彼らはこれを少なからず誇りにしているし、それが朝鮮の民族主義に独自性をあたえている。それはなによりもまず、逆境にめげないことだ。

三人の金《キム》はそれをよく理解したうえで、自身を後にも先にもない国の大義の英雄に仕立てた。まず金日成だ。抗日闘争に身を捧げたのちにその栄光を独り占めし、レジスタンス闘士としての正当性と、人民から永遠に感謝される権利にもとづいて、自身の治世を創設した。この正当性を定着させるためのプロパガンダは、この正当性が遺伝的なものであると主張するにいたった。一八六六年の夏にピョンヤン付近の港を開港するよう要求したアメリカの蒸気船、ジェネラル・シャーマン号で起こった火事は、金《キム》一族の先祖たちが火を放ったおかげ、というプロパガンダが行なわれたのだ。金正日と金正恩はその戦略を守った。二人とも植民地の宗主国だった日本を糾弾しつづけ、レジスタンスの対象を広げた。倒すべき敵は諸外国となった。一九五三年に一度休戦協定が結ばれただけで、厳密にいえば現在も戦争中の相手国である、アメリカはもちろんのこと、国連で北朝鮮を非難し、経済制裁を強化している国々も敵だ。彼らは自分たちの妄想を、国民の精神的高揚の誘因に変えたのだ。

核保有への野望はこのように理解すべきだ。われわれはこれを、周辺地域の平和に対する脅威、およびたんなる暴君の気まぐれ、ととらえがちだ。しかし、金日成の子と孫は愛国の火が燃えるトーチを華々しく引き継いだのだ、と北朝鮮の人々は考えている。依然として閉ざされた国で、このテーマは人々の心をとらえる。金《キム》体制は独裁的で、状況は悪化し、飢饉が待ち受けているではないか？　おそらくそのとおりだ。しかし、北朝鮮の人々はそれを独立を守るために支払わなければならない代償、ととらえている。そうでもなければ、何十万人という北朝鮮の人々が、ミサイル発射や核実験のたびに外の通りに出て、自分たちの指導者を称えるのを、どう理解すればよいのだろう。強要されているのだろうか。いや、あれだけ多くの人々をむりやり動員するのはむりだろう。人々を駆りたてているのは、国家に対する誇りだ。金《キム》たちはそれを利用している。この三四半世紀のあいだに、ナショナリズムが絶対主義を肥え太らせてきたのだ。

永遠の朝鮮

同じ民族への帰属意識がなみはずれて高くても、朝鮮半島に住む人々は分裂している。農民、職人と近年では工場労働者、貴族と文人、商人と企業家、民間人と軍人、北方の山岳地帯に住む人々と穀物を育てる人々、それに対する南方の温暖な地方に住む稲作農家、そういう人々がみなそれぞれに利益と野心をもち、互いに対立したり結びついたりしてきた。朝鮮は、同盟関係に左右され、軍人が高い地位を占めた戦闘の時代、職人たちがアジアじゅうに広がっていった商業の時代、土地をもち、儒教精神を身につけた貴族階級に支配された、長い農本主義時代を通りぬけてきた。変化が起こるたびに新しい王朝が権力を奪い、国を新たな方向へと導いた。新羅《シルラ》（西暦一〇〇〇年以前）の金氏に続いて高麗（一〇世紀から一四世紀）の王氏が支配し、その後、朝鮮王朝の李氏が一三九二年から日本に併合されるまで統治した。

金日成はこの系統につらなる。出生時には朝鮮はもはや存在していなかった。変化に対応できず、農民一揆と外国の干渉に翻弄され、李王朝は全信頼を失っていた。それにつけこんだ日本が、朝鮮の支配権をにぎった。権力を奪取した金日成は、新しい時代のはじまりには王朝を入れ替えるという伝統に従ったのだ。そして、その時代なりの理屈もとりいれた。すなわち、北朝鮮は共和国を宣言して、革命的社会主義をとりいれた。しかし、この革命は実際には復元だった。金日成は世襲の君主制を復活させ、土地を所有する貴族階級を一部の高官とテクノクラートに置き換え、そして人民を以前の服従の状態に戻した。北朝鮮の人々は、そのほかの体制をまったく知らないため、旧体制によく似たこの新体制に簡単に賛同した。そしてもっと明確にするため、一九四八年、「韓（朝鮮民族の別名）の国」という意味の国名を新たに採用した南側に対して、北側は古いよび名である朝鮮、つまり王朝が使っていた「晴れた朝の国」を残すことに執着した。今も昔も変わらぬ朝鮮、それが北朝鮮なのだ。

現体制が歴代王朝の最後の化身であり、最終的な変貌であり、朝鮮史上もっとも成功した変容であることを証明するために、金正恩は一九九七年七月に躊躇なく新しい時代を宣言した。金日成をたたえて、新時代を金日成独自の社会主義思想である「主体《チュチェ》」と名づけた。当然ながら、そのはじまりは金日成が生まれた一九一二年だ。すなわち朝鮮の歴史は二つに分けることができる。すなわち、金日成以前と金日成以降、その二つだけだ。過去と未来を固く結びつけるために、体制は何度も白頭山を引きあいに出している。伝説によれば、朝鮮民族の祖、壇君が生まれた場所だ。プロパガンダによれば、そこで戦った金日成、そこで生まれたとされる金正日、そして新たな活力を得るためにここを訪れる金正恩、この三人には「白頭山の栄光の血」が流れているという。二〇一二年に体制は柳京《リュギョン》ホテルの建設を完成させた。「山」という漢字を模した、三三三メートルの高さを誇るピラミッドのような建築物で、その偉容はピョンヤン全体を圧倒している。金《キム》たちは象徴としての新しい白頭山を建造した。三人は壇君の再来だ。こうしてループは閉じた。

独裁機関

しかし、統治するためには洗脳だけではじゅうぶんではない。身体と精神も統制する必要がある。金《キム》たちの独裁はまるで独裁の手本だ。その統制の方法は多様だ。第一に、人民軍。住民二五〇〇万人に対して二〇〇万人を擁し、自分たちの特権の死守に努めながら、秩序の維持にあたっている。次に、警察とその裏組織。すべてのものと人を監視している。さらに、強制収容所。一五万人から二〇万人のあらゆる犯罪者と不祥事を起こした役人が、恐怖と不名誉のうちに囚われている。そのうえ、国家と、なかでも労働党とその三〇〇万人の党員。不可解な官僚主義の迷宮で、そこでは優遇措置と贈収賄と運だけが、成功につながる魔法の呪文だ。くわえて、プロパガンダ担当部局。マスメディア、ラジオ、テレビ、映画を管理し、分列行進や、国民が、任意あるいは強制的に参加するマスゲームを組織し、万寿台《マンスデ》創作社を運営する。ここのアトリエでスローガンとキャンペーンを発信し、体制の栄光を称える大壁画を描き、三万以上ともいわれる、おびただしい数の金《キム》一族の彫像を制作しているのだ。

きわめて献身的に王朝のために働く、この独裁機関には、百年のノウハウが蓄積されている。製紙職人、金銀細工師、陶工が何世紀にもわたって名をはせてきた朝鮮では、昔から調達・生産・供給の流通が整っており、また職人や技術者の育成が進んでいた。良王として名高いフランスのアンリ四世のように人気のある朝鮮王、世宗《セジョン》が一五世紀に、漢字という表意文字が広く浸透している地域ではめずらしく、独自の文字まで創製したのは、技術革新の普及を容易にするためだった。そのため、時機の到来とともに工業化が容易に進んだ。しかも、植民地時代に日本の資本によって、その動きは加速した。石炭と鉱石が豊富な北側ではとくに顕著だった。権力の座についた金《キム》たちは、工業化された真の独裁をうちたてるため、自分たちの利益になるようにシステムの方向転換を行なった。それは、並行して同じ方法で、生産の統制とイデオロギーの統制を進めることで行なわれたのだ。たしかに、金日成は重工業を優遇したために北朝鮮を窮地に追いこんだ。だが、後継者たちは品質向上に方向を変えることと、農産物加工、化学、航空学、デジタル技術、そしてもちろん、核開発を発展させることで、窮地から脱した。言い換えれば、原子爆弾は周辺地域の平和を脅かす恐喝のための兵器であるだけでなく、内部では独裁機関を強化する手段でもあるのだ。

北朝鮮の体制の柔軟性も、やはりこの工業の論理のおかげでもある。朝鮮半島はつねにるつぼだった。儒教の教え、中国の発明、西洋の科学、日本の技術、これらは好奇心をもって受け入れられ、細密に徹底分析され、調整された結果、朝鮮独自のノウハウとなった。一〇年もたたないうちに世界のスマートフォン市場を席巻したサムスンをはじめ、韓国の財閥にしばしばその証拠を見ることができる。金《キム》たちのやりかたも同じだった。その独裁は、日本の軍国主義、ソ連のスターリン主義、毛沢東の権威主義、そしてオリエントの専制の影響を同時に受け、そして大胆にもそれぞれの要素を結合させたものだ。金正恩の場合は、前の二人が閉じこもっていた象牙の塔を出て、デジタルメディアが支える新しいスタイルの専制政治にうまく適応したのだった。

要するに、北朝鮮の独裁機関はフル回転で稼働しているのだ。しかし、よくある破綻と無縁ではないだろう。なぜなら、どんな精密機械も故障と無縁ではいられないからだ。実際、金正恩は悪天候のなかで舵とりをする心がまえをしておかなければならない。国連の封鎖は北朝鮮の経済を圧迫している。韓国との話しあいは進展がない。アメリカとの交渉はいきづまったようだ。だが、この独裁はこれまでにも困難はさんざん経験している。耐えしのぶのはお手のものだし、国内に懸念すべき敵はいない。最近「北朝鮮亡命政府」を名のる、正体がはっきりしない弱小団体があって、金王朝の内部の人間を除いては選択肢が存在しないかのように、金正恩の甥［金正男の長男、金漢卒《キム・ハンソル》］をおしいただいているが、この団体も脅威にはなっていない。北朝鮮の人々が、自分たちは「金日成の国」に住んでいると言うようになってから、もう多くの年月がすぎた。国民がそれを信じているかぎり、共産主義国の「赤い」王朝は君臨しつづけることだろう。

〈参考文献〉

Antoine Bondaz, *Corée du Nord : Plongée au cœur d'un État totalitaire*, Chêne, 2016.

Pascal Dayez-Burgeon, *La Dynastie rouge*, Perrin, 2015, rééd. 2017.

Bradley K. Martin, *Under the Loving Care of the Fatherly Leader : North Korea and the Kim Dynasty*, New York, Thomas Dunne Books, 2004.（ブラッドレー・マーティン『北朝鮮「偉大な愛」の幻』（上・下）、朝倉和子訳、青灯社、二〇〇七年）

Patrick Maurus, *La Corée dans ses fables : essai*, Actes Sud, 2011.

Bryan Reynolds Myers, *La Race des purs : comment les Nord-Coréens se voient*, Saint-Simon, 2011.

Philippe Pons, *Corée du Nord. Un État-guérilla en mutation*, Gallimard, 2017.

10 毛沢東
狂気の暴君

レミ・コフェール

《突然、機関車の汽笛が非常に遠くから、いっそう鈍く響いてきた。新来者のひとりが、腹ばいになって、耳をおさえた手を痙攣させながら、わめいた。他の者はどならなかった。だが、ふたたび恐怖が、そこの、床とすれすれのところに漂っていた。…》《「…銃殺なんかじゃない。やつらは人間を生身《なまみ》のまま汽車の罐にぶちこむんだ…」》《「焼かれるんだ」と孫が言った。「生きながら、火あぶりにされるんだ。目も焼かれる。目もだ。分るかい…」》［新潮世界文学45『マルロー』「人間の条件」（小松清・新庄嘉章訳、一九七二年、新潮社）より訳文引用］

ひとつひとつの言葉の重み、そしてイメージの衝撃性。一九三三年、ゴンクール賞受賞の、アンドレ・マルローの小説『人間の条件』は、フランスの読者のみならず全世界の読者のなかに「中国での出来事」に対する懸念をひき起こす、重大な鍵となった。

完全にマルロー一流の創作なのだが、上海の共産主義者が蒸気機関車のボイラーで焼き殺されることの描写は、国民党に極悪な処刑人のレッテルを、そして革命側に英雄と犠牲者の二枚のラベルを貼りつけることに、大いに寄与した。

今日のわれわれが手にしている、二〇世紀の中国の大悲劇についての知識は、公平な目で見なければならないことを教えている。たしかに、蔣介石とその一党は、多数の同国人たちを虐待した。だが、その後に四分の一世紀も続く毛沢東独裁は、もっと残虐だったということは、明らかであり、認めざるをえない。いや、もっとどころか、はるかに残虐だった！　暴動、虐殺、抑圧、破壊、崩壊、分裂、苦悩…。一九六〇年代から七〇年代にかけてのフランスで、あれほどに賞賛された毛沢東の時代というのは、実際はいかに暗黒であったか。そうして、いまではあたかもそんなものは存在しなかったかのように、話題にもしないのがコンセンサスとなっている。

すべては一九二七年、かつての同盟者たる共産党相手に「第一次国共合作のこと」、蔣介石がだしぬけに攻撃したときにさかのぼる「上海クーデターによる第一次国共合作の瓦解」。これが、『人間の条件』の背景をなす事件であった。だがこれは、文学というよりは、むしろ政治的・イデオロギー的観点の問題であったことが、確実に明らかである。まず上海で、ついで広東、桂林、寧波《ニンポー》、厦門《アモイ》、その他多くの都市で、一万人にのぼる共産主義者が虐殺された。ところがこの殺戮が逆説的に、毛沢東が自分の考えを力ずくで受け入れさせるのに欠かすことのできない地理的な空間がどこにあるかを教えてくれたのだ。中国では、一九一七年一〇月「ロシア革命」のような都市蜂起を模範としても、意味がないのではないだろうか？　それよりもねらい目は、「農村から都市を包囲する」ことにあるのだ。

これは異端の概念だろうか？　たしかに一見すれば、マルクス・レーニン主義の教条《ドグマ》では、共産党に組織化された労働者階級による都市暴動という原則に優位があたえられている。だが最終的に、革新的マルクス主義者としての毛は、扇動さるべき社会勢力がなんであるか――労働者であるか、農民層であるか――は重要でない、と証明することになる。革命が「前衛《アヴァンギャルド》」である共産党の排他的占有物であればよいのだ。この点においては、この独裁者の奇妙な個性による独創性があるにもかかわらず、毛沢東主義の暴政は、レーニンおよびスターリンの教義と合致したのだった。

「毛主席」の台頭

1915年ごろ、若き日の毛沢東（1893-1976）。
© Leemage

一八九三年一二月二六日、湖南省南部の県［湘潭県韶山村］に生まれた毛沢東は、一九一一年一〇月一〇日の革命、千古の王朝を滅亡に追いやり共和国を建国した、いわゆる「双十節」［清朝を倒す発端となった武昌起義勃発の日。中華民国建国記念日ともされる］後の一連の動きには、微々たる役割しか果たしていない。また同じく、列強勢力に抗して北京の若い知識人たちが決起した、一九一九年五月四日の運動〔五四運動〕にもかかわっていない。だがそれからほどなく、一九二一年七月の決定的な日々〔毛沢東は、七月二三日、第一回中国共産党全国代表大会に出席した〕、熱心な聴衆ながら寡黙であったこの教員〔長沙で歴史教師、のちに小学校長となる〕は、中国共産党設立大会に出席したひとにぎりの代表委員の一人だった。[1]

その後、中国共産党と国民党とのあいだに、戦略的な同盟が結ばれた〔第一次国共合作〕。国民党は一九一二年に創設されたが〔のちの中国国民党の前身〕、そこではすでに、日本で教育を受けた若い将校が頭角をあらわしていた。すなわち、蔣介石である。この同盟は非常に緊密だったので、毛は共産党の活動家でありながら二重帰属のかたちで、一九二六年には広州において、国民党農民運動講習所の所長に就任した。独裁体制という母胎から出生したこの双子の組織が、この「蜜月」時期には急進主義——極度の中央集権、階級組織、抑圧、そして国民党においては軍国主義——をとくに発揮しなかったというのは、特筆しておいてよいだろう。

権力は「銃口より生ず」〔中国共産党のスローガン〕るがゆえに、主として毛の主導により、中国共産党は戦闘態勢を整える。『湖南省農民運動の視察報告』によって、まもなく三〇代になろうとするこの男が頭角を現わしたのは、一九二七年三月のことだった。国民党による鎮圧の標的となった共産運動の都市における崩壊により、毛はやがて、故郷である湖南省に隣接する江西省のゲリラ隊長になった。一九三一年七月、一〇月革命の記念日には、かれは中華ソヴィエト共和国主席になった。[2] このリーダーは、いきなり赤色テロに手を染めて権力を確立しはじめた。七〇〇〇人にのぼる、いわゆる「潜入国民党工作員」が、最初の血なまぐさい粛清によって殺された。これが、のちに彼が実行する多数の粛清のひな形ともなったのである。

当時まさに国民党軍の「囲剿戦」による殲滅戦術の脅威を受けて、農村の「ソヴィエト」各根拠地は、上海や広州、その他大都市から逃避せざるをえない中国共産党指導者たちに、せめてもの避難所を提供していた。そのなかには、将来総理大臣となる、周恩来もいた。一九三四年の秋になると、勝手に動く「毛主席」は、あやうく更迭の憂き目にあいかけた。屈辱的であった自己批判によって、ようよう彼は「長征」（一九三四年一〇月―一九三五年一〇月）への参加切符を手に入れたのだった。まさに、この軍事・政治機構の北方への大移動がなかったならば、中国共産党はおろか、毛沢東自身すら生きてはいられなかったろう。

この時期に、このかけひきにたけた男はふたたび、そしてその後は二度と手放すことのなかった指導力を掌握したのである。実際、根本思想にも、また指導方針にも紆余曲折はあったが、日本軍の攻撃のなか、ついで国共内戦のなか、毛は共産党を権力の座に導いていったのだった[3]。それは、「整風運動」の、曲がりくねった歴程だった。延安の「紅軍根拠地」におちつき、日本の侵略に対抗して蒋介石との臨時協定［第二次国共合作、一九三七年九月］が結ばれたことを利用して、一九四二年二月から、イデオロギー設定が大々的にくりひろげられはじめた［整風運動］。二年間に、この粛清は四万人の活動家の排除と、そのなかの何百名もの処刑に発展した。それは、北京での権力掌握に先だって、その後も絶えることのない暴政行為を実施したことなのである。五〇代となった毛は、一九四九年一〇月一日の午後二時、天安門広場において、中華人民共和国の成立を宣言した。このときの毛は、完璧な共産主義生誕の序曲である「寄生階級」除去計画を実施しようと決意を固めていた。「プロレタリアート独裁」が中国共産党による中国社会全体の包括的占有と不可分であるにしても、その独裁はまた、毛個人の強権に依存していた。毛主席は、それからも長いあいだ権力の座にとどまることになるし、お飾りの名誉職で満足するつもりなど毛頭なかった。

長期の不眠症による強迫的喫煙のせいで、この元気いっぱいの男の声は甲高《かんだか》くかすれていた。新体制のすべての高官同様、彼は中南海に居を定めた。そこは、故宮紫禁城の西隣に位置する、北京中心部の広大な国有地だった。ただし、ひとところに腰をおちつけるのができない質《たち》なので、たくさんの居宅を好き勝手に往き来することになる。女にも目のなかった（公式には四人、その他あまた）毛は、性的不能の兆候があらわれた一九五〇年代には、ますます年若の娘たちと床をともにすることで、安心感を得ようとするのだった。頑丈な体格に恵まれた毛沢東は、水泳を熱愛するあまり、原則として共有だった中南海のプールを、しだいに独占するようになった。スターリンとは対照的に、毛は勤勉ではなく、日々の国家運営は彼にとって退屈なものだった。囲碁《ウェイチー》、すなわち日本で「碁」とよばれる［フランスでは日本の「碁」が定着している］あの戦略的ゲームの達人だった毛は、政治的な行動をはるか以前から準備し、そしてつねに厳重に秘匿しておくのだった。大量の睡眠薬をのみくだしてぐったりと眠りに落ちる前に、毛は何夜も徹夜して、だれをも、なかんずく彼以外のほかの政府高官を驚愕させる突然の政策変更について、考えをめぐらすのであった。その手法は、権力闘争の領域に、ゲリラ戦術をまぎれこませるものだった。それは予想不能であり、毛は酷薄で、同志の苦悩などには冷然として無関心であった。中国のその後の実態が、それをありありと示すように…

権力は恐怖の果てにある

秘密警察長官と秘密情報部長だった康生が音頭をとった「整風運動」が魁《さきがけ》となった。人を公衆の面前にさらし者にし、ついで暗殺した。[4] 延安［長征後の共産党根拠地］においては、処刑者は数百人であったが、こののち、この一国の四五〇〇万から四八〇〇万にのぼる人々から思考力を奪い、毛沢東主義者たちが体よく支配するためには、何百何千という犠牲者が必要だった。一九四九年から一九五一年までに、最初の恐怖政治の波で、一〇〇万人もの「反革命主義者」が処刑された。その内訳は、地主、小企業主、工場主、商業主、元国民党員、ありとあらゆる「反動派」だった。これが、毛の名づけるところの「人民民主独裁」局面のはじまりであった。

一九四九年一〇月一九日に創設された「公安部」（内務省、いわゆる毛沢東式KGB）の網が、ほどなく全国に張りめぐらされた。その目的はすなわち、弾圧をひき起こし、これを指揮し、合理化することだった。ひき続く一〇年間、康生の厳しい監督のもと［康生は中央総学習委員会副主任（毛沢東が主任）として権力をふるった］、江西ソヴィエト共和国以来の古参である羅瑞卿［毛の腹心で、公安部長］は、「公開批判大会」につぐ「公開批判大会」［中国語で「批闘会」］の開催に尽力した。容疑者（言い換えれば「大衆」の公訴によってあらかじめ有罪と定められている犯罪者同然の存在）は怒号によって「裁かれ」、ほとんどは即決の死刑に処された。そうでなければ、強制収容所である「労改《ラオガイ》」［労働改造処］、つまり中国式グラーグ［ソ連の強制労働収容所］に入れられることとなった。

「同志たちよ、われらは、この犯罪者ども、盗賊ども、特務ども、極悪地主ども、反動的道教セクトの指導者や幹部どもに、何をなすべきか？」。たとえばこれは、一九五一年三月二五日における、北京市長の彭真の怒号である。

「銃殺だ！」と、統率され熱狂した群衆は叫ぶ。

「情けは？」

「──だめだ！　だめだ！」

四月になると、公安部は教育的観点から、党幹部用に手引書を配布した。「批判大会をいかに掌握するか」という題目だった。群衆が憎しみをぶつけることのできるこうした人民裁判は、警察による厳格な監視のもとに、あらゆるところで行なわれた。町だろうが農村だろうが、逃れるすべはなかった。九か月間で、北京だけで三万件にも上るこの手の集会が、通りから通り、街角から街角にかけて、人々を扇動した。

毛沢東は、権力掌握の最初の時期を回顧し、躊躇も後悔もなく前進し、犠牲者の数は八〇万にも達した、という数字をあげている。いまを去ること四半世紀前、『湖南省農民運動の視察報告』で予告されていたことを考えれば、それは驚くにはあたらなかった。「革命は、客を招いてごちそうすることでもなければ、文章をねったり、絵をかいたり、刺しゅうしたりすることでもない（…）。革命は暴動であり、一つの階級が他の階級をうちたおす激烈な行動である」［『ワイド版世界の大思想　第3期〈14〉毛沢東』（毛沢東著、浅川謙次／安藤彦太郎訳、河出書房新社）より訳文引用］

こうした洗脳は、「三反」（反汚職、反浪費、反官僚主義）とそれに続く「五反」（反行賄、反偸税漏税、反偸工減料、反盗騙国家財産、反盗窃国家経済情報）運動を通してひき続いた。「民衆」を毛沢東のかけ声のもとに動員することは、ただの一瞬たりともかれらをわれに返らせてはならない、ということを意味した。共産党とその最高指導者、人民共和国の「偉大的領導人《ウェイターダリンダオレン》」［つまり毛沢東］が、中国国民になり代わっていろいろ考えてくれるのだから、自分の頭で考える必要はない、というわけだ。

無数の花を血でおおえ

日々の権力行使につらなる役所仕事は、すぐに毛沢東をあきあきさせた。彼は強迫的行動者であり、人間の本性を根本から変えうる完璧な共産主義のみが、毛に意欲を起こさせるのだった。先人であるレーニンやスターリンの教えを踏襲しなかったものの、二人の遺産の主要部分を引き継いで、中国の全体的集産化を推進することにした。その手法は、ソヴィエト連邦とは一線を画すものだった。そのソ連は、ニキータ・フルシチョフ［一八九四年四月一七日―一九七一年九月一一日。ソヴィエト連邦共産党中央委員会第一書記（最高権力指導者）としての任期は一九五三年三月一四日―一九六四年一〇月一四日。スターリン批判を行ない、アメリカとの平和共存政策をとったが、キューバ危機を生じさせ、また中国とも路線対立した］による一九五六年二月の第二〇回党大会の演説の後［スターリン批判を行なう］、国内的には体制永続を目的とした「非スターリン化」を選択し、対外的にはアメリカとの核戦争を避けるのに適した「平和共存」政策をとっていた。

毛にしてみれば、モスクワは、共産主義をますますおしすすめるべきなのに、スターリンを否定したことで、共産主義を放棄したのであった。この裏切り行為を前にして、いまや世界革命の赤い旗を掲げるのは、北京の役割だ。中国共産党が権力をにぎって数年がたったことにより、主席は、この体制が批判に十分に耐えうる大衆的人気を博していると信じていただけに、意気ごんでいた。権力を奪取するやいなや彼がただちに解決――その際にどのような手法をとったかは、すでに説明したとおりである――した対立のように、「人民とその敵とのあいだの」対立ではなく、「人民内部の」対立が噴き出すのなら、そうした不平不満の表明は許容できるし、むしろ望ましい、と毛は考えた。

一九五七年には、この独裁者が布告したのは、一定の枠内ではあるが、社会の「健全なる」分子との対話という「小さな民主主義」の開始であった。それは「百花斉放、百家争鳴」というものだった。この計画と標語は、むろん、毛が考えたものだった。人々の口が十分にほぐれてくると、そこからは非難と不平の波が吐き出されてきた。文学者、科学者、教育者、報道関係者らが党の独裁を槍玉にあげ、真の民主を真摯に求めた。労働者たちも同様の反応を示した。彼らは共産党のパイプ役でしかないお手盛りの労働組合活動に憤激し、またそれに呼応するがごとく、地方では農民が、この二年というもの強化されるばかりの徴発に反対しはじめた。

最初のうちは、このナンバー・ワン男［つまり毛］は、この異議申し立ての炎上をにんまりと楽しんでいた。中国共産党の機構の「合法的」構造をひっくり返すこうした炎上は、党国家の官僚制を疑いながらも「偉大なる指導者」を崇めるという、自分が思い描く国民像には、ぴったりではないか？スターリンとは逆に、毛は実際のところ、中華皇帝の合法的後継者になることに対して、自制心のかけらすらもっていなかった。

問題は、議論が自由になるにつれて、調子がより強硬さを増してきたことだった。主席の面前では、だれひとりとして思いきったことは言えなかった。とはいえ、党が招集した討議集会の場では、大勢が大胆な発言にふみこんだ。それがあまりひどくなってきたので、毛自身も少々心配になってきた。「有為な才能のかたわらに、有害な才能が頭をもたげてきた」と、毛は、一九五七年五月における中国共産党の内部回覧文書［中国語で「批示」「档案」という］に書いている。これは、「お遊びの終わり」を意味した。そして毛は、「百花斉放、百家争鳴」にはすくなくとも粛清の新たなターゲットをあぶりだす、というメリットはあった、とのべた。

たしかに、毛がこのようなことばで意見を表明するときは、かならずや教鞭のうなりに近いものがあった。彼はまず、批判した者たちを「右派」という名でひとくくりに指弾した。これは不名誉なレッテルで、「労改《ラオガイ》」への強制収容送りはおろか、処刑にも値する可能性のあるものだった。

一九五七年六月八日に発動された「反右派闘争」の主たる責任は、三名の忠臣に帰せられる。ひとりは康生で、延安時代における「整風運動」の設計者だった。ふたり目は鄧小平で、中国共産党執行部を牛耳る党中央委員会書記長、そして三人目は公安部の変わらぬボスである羅瑞卿だった。これらの高官たちには、党の地方幹部が一九五一年から一九五二年にかけて行なわれた公開批闘大会を模範とした告発大会を、必要な回数分開いているかどうかを確認する使命が課せられた。

張本人と名ざしされ、命じられるままに「大衆」が浴びせる罵声にさらされる「右派分子」は、ひとたび、ふたたび、いや十たびも、もう十分だと判断されるまで自己批判をくりかえさなければならなかった。こうした公衆の面前での恥辱の仕上げとなったのが体罰、さらにはそれを越える残虐な拷問だった。多くの者にとって、拷問はすなわち死であったが、毛はそんなことにはいささかも頓着しなかった。彼は、四〇年前に北京図書館のぺいぺいの司書補［毛のこと］を見くだした科《とが》のある知識階級に対して、根深い憎しみをもっていたのだった。

復讐にはたっぷり時間をかけた偉大な指導者は、知識人の「一〇パーセント」が忌むべき右派である、と決めつけた。党中枢にも、また公安部にもノルマが押しつけられた結果、血ぬられた粛清は「知識人一〇人につき一人」にまで広がった。一〇〇人につき一〇人ということは、五〇万人が抹殺されることになるのだ…

毛は失敗を犯したのだろうか? とんでもない。自分は絶対に失敗しないというテーゼにもとづき、彼は言論解放運動［百家争鳴］の失敗を、すぐに得点に変えたのだ。中国のようにイデオロギーにこり固まった国家では、「百花斉放」などは社会闘争上の奇策でしかなく、「蛇を穴からおびき出す」ことが目的の作戦だったのだと強弁すればそれでよかったのである。

猿も木から落ちるというべきか、追従屋の林彪元帥が一九五八年五月八日に、うっかりと、反右派闘争を紀元前三世紀の秦帝国の創始者、始皇帝が焚書して多数の知識人を殺した故事と比較した。これに対して、毛は悪びれもせずに、次のように言い返したものだった。「秦の皇帝がなんだというのだね。たった四六〇人の儒者を生き埋めにしただけじゃないか［坑儒］。われわれは、四万六〇〇〇人だぜ。反革命のやつらを鎮圧したときに、われわれが知識人どもをいくらかでも殺さなかったとでもいうのかね? わしはそのところを、民主人士と話しあったよ。それで、こう言ってやった。あんたらはわれわれを始皇帝同然のことをしたととがめだてるが、われわれはその百倍をやってのけたとな。みんなはわれわれを始皇帝同然の独裁だと非難するが、われわれはまったくそのとおりですと認めるよ…」

毛は、自分の独裁と知識人の大量殺害については、このように完全にみとめていたが、彼の新たなユートピアが生み出す何百万もの犠牲者に関しては、さてどうだったことか…

殺害のユートピア

政治局によって一九五八年五月二三日に決定された「大躍進」政策は、なにからなにまで共産主義的なものによる、数年にわたって押しつけられた狂気のプロジェクト以外のなにものでもなかった。その震源は「人民公社」、すなわちすべてが集団化された総合施設［中国語で「単位《ダンウェイ》」］であった。農産品と工業製品の集産化、そして児童への共通教育と共同給食がおこなわれた。これは中国全土の大部分をなす農村の解体への、前代未聞の試みであった。たとえ猫の額ほどであれその私有地をなみし、私生活も家族の団欒も、また竈《かまど》の前でとる楽しい食事まで否定された。これ以後、中国人はなにものもさておいて、だだっ広い食堂で食べ、そのためには自宅の椅子や食卓まで供出して、しかも偏執的なほどにまで統一性を気にして同じ色をぬりたくった。この集団的マグマのなかでは、かつて自分が所有していた品物がどれであるかを識別することすら不可能だった。これこそまさに、毛が追及した成果だった。子どもらといえば、男女の別なく共同大宿舎に寝起きし、最高指導者の栄光の頌歌を唱えながら、生き方を習得するのだった…

この洗脳は、この国をかつて達したことがなかったほどの経済的な高みに持ちあげるものとみなされた「大躍進」の第一段階にすぎなかった。製鉄業は世界のマルクス・レーニン主義に関するソ連と中国との覇権争奪戦の焦眉の最前線となっており、そのため各人民公社はそれぞれ高炉を設置しなければならなかった。工業的生産性など地獄の犬にくわれろとばかりに、「資本主義的」と「修正主義的」を見くびり、中国農村の全体主義的結集ばかりが重視された。一家のもっとも貴重な財産、とりわけ宝石、食器、あらゆる種類の金属製品が、この常軌を逸した錬金術的探求において、(文字どおりの意味で、および比喩的な意味で)溶かされた「土法高炉」という原始的製鉄」。

いまや、まるでわりの合わない千ものきらめきが、夜を徹してあかあかと輝いた。さらに悪いことには、上層部のおぼえをめでたくしようと考えたり、かつ、自分たちよりも豊かな他の省から大量に食料が届けられると信じこんで、地方幹部は貯蔵していた米や穀物や肉を、気前よく供出した。この破壊的な試みにより、ほんの数か月で、国中が飢餓におちいった。人々はいたるところで凄惨に苦しみながら死んでいった。生き残った者にしても、運命はしばしばはるかに苛酷だった。疲れきった若い母たちは、体力の欠乏から、子を産むことすらできなくなった。しかし西側世界では、まさにそのとき産声を上げた毛沢東びいきが、この革命の大首領の功績をこんなふうに誉めそやし追従しはじめたところだった。「中国人一人一人に一椀の米をあたえた」…

ところが現地では、話がまったく逆であることは、とうにわかっていた。都市住民に供給するための徴発が、地方の同志から、生活に必要な食糧の大部分を奪っていた。すべては集団化に向けられていた。農民が人民公社から抜けること、自分の家で火をおこすこと、野菜や野生の果実を採集することなどは、いずれも禁じられた。検査班が家と倉庫を捜索した。どんなものでも代用食料とされた。家畜にあたえたり屋根を葺くための稲わらがみじん切りにされ、はては鳥の糞までが供された。

そう、まさに鳥までもだった。農民問題のいんちき専門家である偉大な指導者が耕地を保護するためというふれこみで推奨した非常識な措置によって、事態はますます悪化した。鳥類が農地の害虫の多くを食べてくれるなどという昔からの知恵などはそれこそ「反動的」だとして意にも介さず、鳥を大量に駆除し［雀を駆逐する「消滅麻雀運動」］、その仕事は子どもたちにまかされた。その結果はどうだったか。山ほど増えた害虫は、畑のみならずサイロのなかの穀物までも食い荒らした。人々の腹はふくらみ、足はおとろえ、明白な栄養失調状態をもたらした。街道や路地に横たわる死骸をひろい集めるのは茶飯事となった。

ほかの政治システムならば、こんな致命的プロセスには、どこかで歯止めがかかるものだ。だが毛沢東主義のもとでは、中止の同義語は、批判の意味でしかなかった。どの職階においても、統計は「驚異的な成功」や「生産性の飛躍的向上」や「前例のない」収穫高などの言のもと水増しされた。自分の予測が実現したことを確認して満足した毛沢東は、いつわりの情報にとっぷりとつかっていたのだった。

偉大な指導者の望みとはうらはらに、その政治的熱狂が生み出した何百万という死者を前に、この大失敗には落としまえをつけなければならなくなった。大厄災の責任を問われることをおそれた毛は［すでに一部責任をとる形で国家主席の地位をしりぞいて劉少奇に譲っていた］、一九五九年七月二日から八月二日にかけて、廬山［江西省九江市にある奇山名勝のリゾート地］近郊の牯嶺鎮で拡大政治局会議を招集した［廬山会議］。彼の戦術はすでに決まっていた。会議の場で、いのいちばんに異議を唱えた者に大飢饉の責任をかぶせて打ち倒す、と。国防部長［防衛大臣］の彭徳懐元帥が、まさにその危険をおかすことになった。七月三日からそれに続く数日間［彭徳懐が毛沢東に私信を送付したのは一四日」、大指導者の古き同志たるこの湖南人が率直に異論を述べたのは、無邪気にすぎるというものだった。だが批判は、劉少奇よりも出た。劉少奇は毛沢東の求めに応じて、四月二七日以来、中華人民共和国国家主席となっていた（毛が責任をのがれるために名誉職的な主席の座を降りたのであり、中国共産党中央委員会主席と中央軍事委員会主席の全権は保持していた）。次いで国務院総理兼外交部長［外務大臣のこと。任は一九五八年まで］の周恩来も批判にまわった。中央書記処総書記になってはいたが実権派の仲間入りをしたばかりの鄧小平も批判を共有していたが、足の骨折のために会議には欠席していたので、意見を述べることはなかった（疑いなく彼にとっては幸運だった。というのも鄧は直言居士の傾向があったので）。

国防部長との見解の一致という罪過をつぐなうために、劉少奇と周恩来はなにがどうでも名誉回復をはからなければならなかった。だれよりも最初に、元帥を攻撃するのが、彼らの務めとなった。それが組織の論理であった。七月二三日、毛もみずから反撃の口火を切った。彭徳懐は二心《ふたごころ》などないと弁解したが、毛は一蹴した。八月一六日、元帥は国防部長の職務を解かれた。このころの勢力図の反映というべきか、前の公安部長の羅瑞卿が中国人民解放軍総参謀長に任命された。

つねに再出発の準備のできている偉大な指導者は、彭徳懐の更迭を、新たなる反右派粛清に利用した。鄧小平が後日告白したところによれば、その数はすくなくとも一〇〇〇万人の中国人におよび、まちがいなくそれ以上であったということだ。この話を信ずるのであれば、上記にもとづけば、全面的集団化の試みは一九六一年まで続き、三五〇〇万人から四〇〇〇万人の死者が出た。

そんなに軽くあげていい数字だろうか…

天下擾乱《じょうらん》

この殺戮が終わると、劉少奇を筆頭とする実権派はようやく毛沢東を経済上の責任者から、そしてある程度までは政治的責任者としての立場からも排除することに成功した。劉は、一九六二年一月に北京で開催された指導的幹部による「七千人大会」を、公式に「ナンバー・ワン」に反論するために利用したのである――毛にとっては、許しがたい罪にほかならない。毛とくらべると古典的な官僚といった風情の劉少奇は、「大躍進」は議論の余地なく失敗であったという総括をおこない、じつに巧妙に毛を壁際に追いこんだ。しかしこの手に負えぬ「偉大なる指導者」はすでに、どうすれば劇的復活を果たせるかについて考えをめぐらし、熟考のすえ、カードの全面的切りなおしを利用することとなしには、いかなる復活も、権威ある地位への最終的復帰ということにはならないという結論になった。この「天下擾乱」が、俗にいう「文化大革命」だったのである。呼び水の口実とされたのは、うわべには毒にも薬にもならぬ京劇『海瑞罷官』――その作者は、劉少奇とともに実権派の大黒柱である北京市長の彭真に保護されているとされた――で、この上を下への大騒動は、まずは若き熱狂的偶像崇拝者たち、すなわち紅衛兵をそそのかして、党幹部を批判させることからはじまったのである。

この場合、毛沢東の傀儡は「四人組」だった。ほかの三人の脇役に比べ、猛威をふるったのは、毛の記録上の最後の妻であったが、別居していた江青だった。「天下大動乱」の水面下の実力者は康生で、またもや水面下で動いていた。恐怖に震えた同志たちは、彼を「闇の支配者」と呼んだものだった。

他方、寵を失うことをおそれた周恩来が屈辱に次ぐ屈辱にも耐えているあいだ、毛は彭徳懐の失脚

1970年ごろの毛沢東。おそらく天安門の檀上にて。
© The Print Collector/Print Collector/Getty Images

を利用して昇進した林彪元帥［国防部長兼党中央軍事委員会第一副主席］を介して、軍の忠誠を確保していた。その林彪は、ちょうど旧公安部を解体したところで、次いで矛先は総参謀長で国防部副部長の羅瑞卿に向かった。彼は、正しい毛沢東主義者の部隊よりも、軍事的に有能な部隊を好むという、忌むべき罪を犯したとして告発されたのだ。狂っていながらも合理主義者だった毛は、体制の柱の一つである党を自分の利益のためにぐらつかせることは可能だが、警察と軍隊には手をつけてはならないということを知っていた。そうすれば、国は崩壊していただろうからであった。

一九六六年一〇月に名目上の中央文革小組組長に昇格した、かつての毛沢東の特別秘書だった陳伯達［中国共産党機関紙『紅旗』の編集主幹であり、毛沢東思想の宣伝者。のちに林彪側について失脚する］は、紅衛兵と社会全体にとってもっとも効果的媒体としての入門書を構想した。それは、赤い小さな『毛主席語録』という本で、偉大なる指導者があらゆる折にふれて短く語った寸言の選集だった。

「われわれがなすことはすべて人民への奉仕である」

「労働とはなにか？　それは闘争である」

「共産主義者はみな、『権力は銃口より生ずる』というこの真理を体得せねばならない」

たえまない自己批判大会［批闘会］の場に置かれた――実際には肉体的暴力をともなった公然たる侮辱のくりかえしだった――失脚した高官たちは、堕ちた偶像だった。「中国のフルシチョフ」劉少奇、紅衛兵からのがれるためにはかった自殺からかろうじて生きのびた羅瑞卿、いまだ北京市長の座にはあったが先は見えていた彭真、国家経済委員会主任の薄一波、かつては「中国のレーニン」とも称された李立三…。鄧小平もまた毛沢東主義者の陥穽にはまって工場の単純労働者として下放されたが、彼をおしんだ毛は、もしもの場合のために復帰できるように生かしておくことにした。

この悲劇的な事態のなかでも、毛の暴虐と死んだスターリンのそれとでは、あきらかな違いがあった。中国の文化大革命では、失脚した指導者たちは、たとえば劉少奇のように、それぞれの残酷なやりかたで、じわじわといじめ殺されたのであって、なにか名目的にも裁判を受けて死刑を宣告されたのでも、また公式に処刑されたのでもなかった。裁判や処刑を行なえば、この体制の建国神話との矛盾があまりにも見え見えとなってしまうからだろう。だが、偉大な指導者への度を越した崇拝ということでは、ソヴィエトと中国のこの二つの全体主義には、一面ではそれぞれきわめて近いものもあった。

国中がふたたび恐怖政治につき落とされるなかで、中華千古の歴史をもつ偉大な文化遺産の多くが全面的に破壊され、一九六七年の夏に武漢で起きた紅衛兵側［造反派］の工人総部と反紅衛兵側［実権派］の百万雄師による殺戮闘争のような武力衝突があり、経済的混乱は生じ、一九六九年三月にはウスリー川でのソヴィエト連邦との軍事対立さえ勃発し［アムール川（黒竜江）の支流、ウスリー川の中の島であるダマンスキー島（珍宝島）における中ソ両軍の衝突。双方に死傷者が出た］、飢饉もまたはじまった。[5] いくつかの省では、飢饉に人肉食までが加わった。同じころ、〈動乱のなかで中国民衆を率いる大指導者〉への崇拝が西欧で頂点に達していたことは、知ってのとおりだ…

この「大暴乱」の第一章は、こうしてなしとげられた。党執行部に対する電撃戦《ブリッツクリーク》において、独裁者の毛は、勝利を叫んだ。とはいえ、第二章、すなわち共産主義秩序回復の仕事が残っていた。林彪が毛の「もっとも近しい戦友」にまで登りつめた一九六九年四月の第九回党大会では、解放軍がその任務を引き受けた。何人かの優秀な指導者を処刑され、圧力をかけられて無理強いされた紅衛兵は、ただちに降伏した。その直後、毛と林彪の仲にひびが入った。百パーセント毛沢東主導による党の再建というこの時期に、自分の存在価値が低下するのを感じた林彪は、いまや身の危険を感じるようになった。絶望にとらわれた元帥はソヴィエトへの逃亡をはかったと思われるが、（毛にとっては都合よくも）その使用機は一九七一年九月一三日に墜落した［党の政治方針で対立した林彪は毛への忠誠を疑われ、彼の周辺では毛沢東暗殺とクーデターを画策したが、その計画は漏洩し、林彪は亡命を試みたが、その搭乗機はモンゴル領内で墜落した。これを林彪事件と呼ぶ］。

毛は、活力のおとろえた中国を、ふたたび手中におさめた。そして、ソ連の脅威に対しては十分に対抗できる、アメリカカードを切ったのだった。そしてそれは、あのあまりにも有名な、一九七二年二月の、アメリカ大統領リチャード・ニクソンと偉大なる指導者との対面で、最高潮に達した。その毛は、八〇歳になんなんとし、神経退行の疾患が筋肉と、とくに呼吸を侵し、発声をしだいに混乱させていく、ＡＬＳ（筋萎縮性側索硬化症）の初期症状に襲われていた。一九七六年八月には、周恩来が逝去した。次いで発生した民衆の大集会は、中国人が毛沢東主義者の独裁をどれほどまでに嫌悪しているかを示していた［これを第一次天安門事件という］。さらにまたひとたび、抑圧が襲いかかった。復帰したばかりの鄧小平が、広東省の友人の将軍［広州軍区司令員である許世友］のもとに避難せざるをえなくなった。とはいうものの、決着のときはせまっていた。

一九七六年九月九日の毛沢東の死去にひき続く、党親衛隊である八三四一部隊［中国共産党中央弁公庁警衛局中央警衛団］による江青と「四人組」の逮捕によって、三〇〇〇万の中国人の死に責任のある文化大革命の死の連鎖は終わった。

「大躍進」の二二分の一の数であるとはいえ、起きたことには変わりなかった。偉大な指導者のことばはあたっていた。「革命は、お客を招いてごちそうすることではない」のだった。

小さな指導者から中国皇帝へ

〈目ききの主席〉華国鋒の短い幕間劇の後、政治闘争の場で三度も死にかけてそのつどよみがえった不倒翁の鄧小平が、その後の二〇年間、中華人民共和国の実権をにぎった。この弱りきった国を、彼は中国共産党が許すかぎりの経済開放によって世界的大国の列に復帰させようと望んだ。西側外交世界の人気者として、彼は「小さな指導者」とよばれ［彼が小柄だったことと、「偉大なる指導者」毛沢東の二つをかけた皮肉］たが、とはいえなおも正統派の共産主義者であり、戦闘的なナショナリストでもあった。極端な官僚主義のために生産性の低い中国経済を圧迫する軛をゆるめる、それはよいことだ。国の創造的飛躍を麻痺させている万力の抑圧性を小さくする、それもまたよいだろう。だが、「五つ目の近代化」［中国の近代化（現代化）目標は「工業、農業、国防、科学技術」の四分野である］、すなわち「民主化」を求めるような無分別者にまでは、譲歩してはならない。なかんずく体制の大黒柱である唯一党の独裁にたてついたり、もう一方の背骨である軍に反対したりすることである（そもそも鄧小平は唯一の公的肩書として、党中央軍事委員会主席の職を保持していた）[6]。

まったく、この「天下大動乱」は中国民衆のみならず、しばしば犠牲に供された指導者たちにもトラウマを植えつけた。どうかこんな暴乱だけは、二度と起きませんように！ それが鄧小平に、「一九八九年北京の春」〔いわゆる六・四天安門事件。四月の胡耀邦死去追悼の学生デモからはじまり、民衆をまきこんだ首都および各都市での大動乱となり、六月三日未明から四日にかけて、学生と民衆が占拠していた天安門広場に人民解放軍が突入した。全域での死傷者数には諸説あり、真相はいまだ明らかではない〕を、二五〇〇人の犠牲者とともに残酷にもふみにじらせた遠因でもあっただろう。たとえ鄧が毛のように血に飢えていたわけではなくとも、この「小さな指導者」は、いかなる逸脱も認めなかった。

鄧小平は、一九九七年二月一九日に亡くなったが、そのはたらきが生み出した新しい中国は、彼を越えて生きのびた。それは、自由主義経済（とはいえ新たなる国家管理の進捗のもと、しだいにあいまいになりつつある）、および今日的スーパー・ビッグ・ブラザー支配による超デジタル化の途上にある、極度の警察集権化体制の混合の産物である。それは「社会信用システム」といって、ひとりひとりの中国人が、その行動の正否の評点に応じて、国家規模の巨大ファイルに記載され評価されるものなのだ。

今日の中国は、その脆弱さにもかかわらず、確信にあふれて、居丈高でもある。懸念される成長率の鈍化、アメリカとの摩擦、きわめて危険な綱わたり状態の金融で、環境破壊、人口減少。ときとして鄧の忠実な後継者とはいえないが、鄧より強固な民族主義である習近平は、こうした中国を、二〇四九年をめどに世界一の強国にすることをめざしている。それはちょうど、毛と共産主義者たちが権力を奪取してから一〇〇年となるときである。

毛沢東《オーラ》神話をくつがえしてしまえば、独裁の基盤がくずれて脆弱化するかもしれないことを自覚している現体制は、彼の建国の父たるイメージを維持するために、すべてを注力している。いまの北京では、脱毛沢東化などは、目下の話題にすらのぼされてはいないのである…

〈原注〉

1　一九一九年五月四日日曜日、一三の高等中学および大学の学生たちが北京に集合し、山東省を日本に委託するヴェルサイユ条約の付帯条項に抗議した。ついで列強の中国占領に対する大学ストライキが起こった。中国共産党設立大会の代表委員はわずかに一五名であり、そのなかの二名はモスクワからの密使だった。

2　七つの省に切れぎれに薄く広がった共産主義者の支配地域は、ソ連もふくめて、いかなる国からも承認されていなかった。毛は東方の江西省と福建省にまたがる「中央根拠地」を個人的に統率していた。

3　一九三一年、満州の一部の争奪戦にはじまった日本の中国侵略は、一九三七年から一九四五年のあいだには、大規模な戦争に発展した。共産党と国民党との内戦は二年間続き（一九四七—一九四九年）、一九四九年一〇月一日の中華人民共和国成立宣言によって終結した。

4　康生（一八九八—一九七五）は秘密警察長官で毛の秘密の片腕であり、文化大革命の陰の演出者であった。［文革の後には四人組とともに批判され、その墓もあばかれたが、他方教養ある画家、書家としての一面をもった複雑な人物でもあった。］

5　一九六七年夏には、中国は、毛がのちに言ったところの「全面的内戦」におちいりかけていた。七月には、周恩来が毛の武漢からの空路による脱出を組織せざるをえなかった。武漢は湖北省の省都で、毛はそこで軍と民兵との対決の犠牲にあやうくなりかけていたのだった。

6　唯一公式に認められている「四つの近代化（現代化）」とは、農業、工業、国防、科学にかかわるものである。民主と人権はその構想中にはふくまれていない。

〈参考文献〉

Jean-Luc Domenach, *Chine : l'archipel oublié*, Fayard, 1992.
—, *Mao, sa cour et ses complots. Derrière les murs rouges*, Fayard, 2012.
Roger Faligot et Rémi Kauffer, *Kang Sheng, le maître espion de Mao*, Perrin, coll. « Tempus », 2014.
Chang Jung et Jon Halliday, *Mao*, Gallimard, 2005.
Rémi Kauffer, *Le Siècle des quatre empereurs, Sun Yat-sen, Chiang Kai-shek, Mao Zedong et Deng Xiaoping*, Perrin, 2014.
Roderick MacFarquahr et Michael Schoenhals, *La Dernière Révolution de Mao, histoire de la Révolution culturelle*, Gallimard, 2009.
Yang Jisheng, *Stèles, la Grande Famine en Chine, 1958–1961*, Seuil, 2012.

11　エンヴェル・ホッジャ

最後のスターリン主義者

フランソワ＝ギヨーム・ロラン

一九四四年から一九八五年の四五年間、彼が絶対的権力者として君臨したアルバニアという国と同じく、エンヴェル・ホッジャ（一九〇八―一九八五）はいまだに謎めいていて、さまざまな証言をつきあわせないと彼の実像にせまることはできない。著述家でもあったこの独裁者が自身の来歴を大幅に脚色していることもあり、彼がほんとうはどのような生涯をたどったかについての情報源はごくわずかであり、バルカンの妖怪ともよぶべきこの人物の秘密を解明するのにほとんど役立たない。歳月がたつにつれてホッジャは、アルバニアとは異なり修正主義に走ったとの理由で、ユーゴスラヴィア、ソ連、中国をはじめとする隣国や同盟国と断交し、本人はマルクス・レーニン主義の化石となった。日和見主義者で、国際情勢のさまざまな暗礁をかわしながら権力を掌握したホッジャは、何を考えるにもアルバニアを基準とする民族主義的な共産主義をうち立てるにいたった。フランス語使い、ダンディーな政治活動家、共産党専従、人の命を奪うことをなんとも思わぬプラグマティズムの持ち主、といったさまざまな顔をもっていたホッジャは、師であるスターリンをお手本として、親しみやすいと同時につかみどころがない人物、というイメージを国民に植えつけた。このように矛盾した人物像は、人を魅了する力と、自分の周囲に他人をよせつけない恐るべき能力の奇妙な融合によって強化された。几帳面な独裁者ホッジャの統治下で硬直化し、恐怖に支配され、変容したアルバニアは、ホッジャが死ぬや否や、健忘症の雷に打たれたかのように彼を忘れたが、いずれは、彼の亡霊と対決せざるをえない日がやってくるだろう。

フランスで刊行されたホッジャ伝記の表紙を飾る主人公は、ハリウッド映画の年老いた俳優さながらだ。銀髪、健康そうに日に焼けた肌、にこやかな表情、染み一つない白いシャツ、グレーのフランネルのスーツ…。彼の魅力的な目から伝わるのは善意と健康だ。まやかしのイメージだ。これは一九八一年一一月一日のアルバニア共産党第七回大会のさいの写真だが、このときのホッジャは糖尿病と心臓発作のために衰弱しており、人前で話すことはできなかった。長大な演説を座ったまま読むふりをすることもせず、録音された彼の声がマルクス・レーニン主義の終着点、天国であるアルバニアを例によってひたすら称えていた。この大会には、最後に残った友好国であるベトナムの代表のみが招待されていた（ホッジャは、鄧小平を「汚らわしいファシスト」とよんで仲違《なかたが》いし、中国は西側に買収された、と非難していた）。いつ終わるとも知れない録音ずみ演説は、アルバニアの津々浦々に放送で流された。電池の不具合に起因する何回かの中断はあったが、すべては順調に進行した。アルババニア人以外のジャーナリストは一人も姿を見せていなかったが、外国語での出版のためにエンヴェル・ホッジャの演説原稿を翻訳する準備はすでに整っていた。この膨大な作業を担当する翻訳者たちの大半は、ブレルやスパチの収容者からつれてこられた知識人であった。このときの演説は、必読テキストとして既刊のホッジャ全集七〇巻にくわえられ、準備中であった「エンヴェル同志の理論的思考」をテーマにかかげる学会にとって歓迎すべき新資料となった。この日、死にかかっていた独裁者による緘黙《かんもく》のパフォーマンスが終わると、拍手が起きて、一〇分間も鳴りやまなかった。ホッジャに忠実なナンバーツーで、首相のポストに長年貼りついたままのメフメット・シェフーも拍手に余念がなかった。若いころにともに闘った同志であるホッジャの郎党から責められ、この年のクリスマス前に自死する運命が自分を待っているとは、夢にも思っていないシェフーであった。一九四五年からKGB、CIA、OZNA（ユーゴスラヴィアの秘密警察）、イギリスの情報機関に協力していた、それ以前はゲシュタポとムッソリーニ時代のSIM（軍情報機関［一九三九年にイタリアはアルバニアに侵攻し、同国を保護領とした］）と接触をもっていた、というのがシェフーにかけられる容疑である。ホッジャは別として、一九四四年の第一次政治局のメンバーのうち粛清をのがれて唯一生き残っていたシェフーはこうして世を去り、ミイラのように干からびた民族主義的共産主義イデオロギーを日焼けした肌で糊塗《こと》する専制君主は、自国を道づれにしての狂気の歩みを一人で終えることになる。道づれにされた国は、その孤立と国際社会からの隔離ゆえに「ヨーロッパの北朝鮮」や「西洋のチベット」のあだ名でよばれた。

ロベスピエールの名において

フランスは、どこからも異論の出ない独裁者を輩出した実績を欠いているが、そのかわりにといっては語弊《ごへい》があるが、ホッジャがもっともフランス的な独裁者として、ひとり気を吐いている。彼は死ぬ少し前に「わたしはフランス語で思考し、夢を見る」と、フランス人医師ポール・ミリエに打ち明けている。ホッジャの侍医であり、ついでにメッセンジャーであったミリエ医師をとおして伝えられた彼の言葉はまことに謙虚なので、ここで披露しないわけにはゆかない。「わたしは労働党のメンバーにすぎず、自国民に仕えるのがわたしの唯一の仕事である。アルバニアの敵は、わたしが独裁者と言っているが」。しかし、彼がここでよぶところの「敵」が数多かったのは、よく知られているとおりだ。ホッジャの発言の多くについて、真偽を疑うことは道理にかなっているが、彼がフランス語使いであったことには疑いの余地はない。「マルキシズムの古典を、彼はフランス語で読んだ（…）ヴィニー、ユーゴー、サンシモン、ミシュレ、モンテスキュー、ディドロ、ヴォルテール…彼に焦点をあてたごく少数のドキュメンタリーは、彼がフランスの著作の愛読者である、と伝えている。彼はたいへんな教養人であり、彼はその教養をフランスをとおして培《つちか》った、と示すことが重視された」と述べるのは、一九八〇年代にティラナ大学でフランス文学を教えたジャン＝ポール・シャンセだ。ソ連や中国をはじめ、ほぼすべての国と敵対していたホッジャだが、彼が反フランスであったことは一度もない。彼が生涯をとおしてフランスを愛したのは、生まれ故郷のジロカストラ、およびコルチャのリセ・フランセで学んだためである。第一次世界大戦の東部戦線［フランス軍も戦闘に参加した］の名残りとして、一九一八年からはジロカストラやコルチャといったアルバニア南部にはフランス語による教育が根づいており、高校生たちは地中海に面したフランスやその植民地の高校生のようだった。一九〇八年生まれのホッジャは、革命の国フランスの教育を受けることが許される環境を享受していた。彼は、ギリシアとイタリアに近い南アルバニア出身で、アルバニア語トスク方言を話すイスラム教徒の家庭に生まれた。トスク方言話者たちと、アルバニアのもう一つの方言ゲグの話者たちとのあいだに共通点はなかった。アルバニア北部の山地に住んでいることが多いゲグ方言話者たちは無骨で、氏族文化の伝統をいまだに守っており、その一部はシュコドラの住民のようにカトリック教徒であった。ホッジャは、本人がそのように信じこませようとしていたように、そして、本人の存命中に記念館に模様替えされた彼の生家のガイドがジャン＝ポール・シャンセに信じこませようとしたように――堂々たるかまえの家は、どう見ても労働者の住まいではなかったが――、労働者の息子だったのだろうか？　シャンセは次のように述べている。「金には困らない一家だった。父親は商売のためにアメリカに渡っている。叔父は市の重責を担う役人であった。ホッジャと同じ地区で生まれ育ったアルバニアの有名な作家、イスマイル・カダレによると、ホッジャ家は裕福だが、市の代々続く名家のうちには入っていなかったために、やや田舎者扱いされていた」。リセ・フランセで学ぶことで、ホッジャはダントンの大胆さや、尊敬するロベスピエールの巧妙な手腕を知ることができた。ホッジャはロベスピエールについて次のように書いているが、これは一種の理想化された自画像にほかならない。「清廉潔白で、祖国を深く愛し、王制と封建制を仮借なく糾弾し、台頭しつつあるブルジョワジーの反動的党派には厳しくのぞみ、国内の敵のみならず連合を組んでフランスを攻囲する国々に立ち向かうために革命軍と革命政治を組織する卓越した技能の持ち主」。ここに彼のすべてが凝縮されている。民族主義的な社会主義、パラノイア、攻囲妄想、そして行間から透けて見える粛清濫用の傾向。

ホッジャの生涯は、本人が長大な回想録のなかで練り上げた嘘が里程標のようにならんでいる長い道である。本人によると、はじめてマルクス主義の必読書に接したのは、コルチャの高校で学んでいたころであった。少々早すぎる。それから約一〇年後に、アルバニア共産党（ティラナ郊外の野中の一軒家で一九四一年一一月八日に設立）の諸組織のコーディネーターになるまでの経緯とは？　彼の歩みはひかえめにいっても混沌としていた。フランスもその混沌の一部だ。一九三〇年、自然科学の奨学生としてホッジャはモンペリエ大学に入学した。三年たってもなんの免状も取得できなかったので、奨学金は打ち切られた。このような場合、受けとった奨学金は返還しなくてはならないが、彼は一銭も政府に返していない。それどころか、彼の奨学金を打ち切った当時の文部大臣、ミラシュ・イヴァナジを投獄して死にいたらしめることになる！　本人の言葉を信じるのであれば、フランス滞在はホッジャにとってむだではなかった。周恩来、ホー・チ・ミン、ポル・ポトなど、将来のアジアのリーダーたちと同様、ホッジャはフランスで労働者の闘争に開眼《かいげん》したらしい。マルセルという名の当地の共産党員が彼の蒙《もう》を啓《ひら》いてマルクス主義の真実に目覚めされてくれたそうだ。しかしながら、このころに彼がほんとうに活動家として共産主義闘争に身を投じていたとは、一度も証明されていない……。パリでホッジャは何人かの同国人と知りあいになったが、その全員が奇妙なことに大戦後に悲劇的な死を迎えている。洒落た服装、酒、美味しい料理を愛好する西欧かぶれのダンディーという形容がぴったりのこのころのホッジャを憶えている者は邪魔だったようだ。一九三三年にパリに移り住んだホッジャは、ソルボンヌ近くのムッシュー＝ル＝プランス通りにある安宿に部屋を借り、男娼として暮らしていた、という話がある。ジャン＝ポール・シャンセは「これはアルバニア国内でもっぱらの噂だった。アメリカに亡命していたアルバニア人批評家が、カダレの小説『石の年代記』に出てくる同性愛者のモデルはホッジャである、と主張すると、カダレは〈完全な活動停止〉を余儀なくされた。最低でも二〇年は刑務所暮らしとなってもおかしくなかった…。じつは、ジロカストラはアルバニア国内で同性愛がさかんな町として定評があったのだ。ティラナにある彼の大きな銅像のこともよく話題になった。髪を風になびかせ、片手を背中にまわした姿の像だが、これがくめどもつきぬ笑い話の種《たね》となった。むろん、信頼できるごく少数の仲間うちでないと口にすることができない笑い話であったが」と説明する。

1944年のエンヴェル・ホッジャ（1908–1985）。
© Coll. Michel Lefebvre/adoc-photos

他国で暮らす同国人たちのあいだに連帯感が生まれるのは当然だ。ホッジャの場合も、コネによって、ブリュッセルに開設されることになったアルバニア領事館の秘書のポストにつくことになった。ホッジャの就職に協力したアルバニア人の政治家は一九四四年、国外亡命を余儀なくされる。ホッジャは、ブリュッセルに行く前に、フランス共産党の新聞「ユマニテ」の編集長、ポール・ヴァイヤン＝クチュリエに紹介され、自分の共産主義者としての熱意を伝えることができた、と主張している。真偽は定かではない。ブリュッセルに赴任したホッジャは、「ユマニテ」にアルバニア王制を批判する掲載する論考を書き送っていた、といわれる。むろん匿名である。公務員となった以上、彼が憎むアルバニア国王ゾグに忠誠を誓う必要があったからだ。だが、そうした記事は一つも見つかっていない…。ホッジャによると、この面従腹背の生活が終わりとなったのは、パリのアルバニア公使館の広報官が予告もなくやってきて、ホッジャはレーニンの著作を読んでいるところを不意打ちされたためであった。この信じられないような状況の出来《しゅったい》により、ホッジャは辞職するほかなく、一九三六年に帰国した。ホッジャは共産主義を奉じるがゆえに仕事を失ったことになるが、現実は違った。彼が管理をまかされていた領事館の公金が盗まれ、彼が犯人ではないかと疑われたのだ…。将来の独裁者はすでに二八歳だが免状のたぐいは一つももっていなかった。それでも、自身も学んだコルチャのリセ・フランセで非正規教員のポストを強引にもぎとることができた。教えることになった教科は…倫理であった！　彼がマルキシストになったのはいつなのだろう？　ホッジャ本人が高校生のときだと主張しているのは、王国時代の領事館で働いたという過去を帳消しにするためである。彼の人生が岐路を迎えたのは、共産主義者グループの卵をすでに形成していた旧友たちにコルチャで再会した一九三六年以降、というのが本当だと思われる。ホッジャの伝記を著わしたトマ・シュレベールは「こうして彼はアジテーターとなった、ただし、運動仲間のうちでもっともお洒落な服装のアジテーターであった」と書いている。

消去法による出世

アルバニアにとって第二次世界大戦は、ムッソリーニのイタリアが独立国アルバニアという偽善を終わらせ〔実態からいって、アルバニアはイタリアの経済植民地であった〕、ブルターニュほどの面積しかないこの国を侵略した一九三九年四月七日にはじまった。ホッジャにいわせると、六か月後の一一月二八日（独立記念日）にコルチャで反ファシズムのデモを組織したことにより、彼の政治人生が公式にはじまった。当局はただちに反応し、彼は仕事を失ったそうだ。彼は自分のコルチャでの行状が知れわたっていないティラナに移り住み、活動を継続するためのカモフラージュとなる仕事を見つけたそうだ。かくしてホッジャは、フローラという名のビストロの経営者となった！　秘密を好み、すべてを疑う——いちばん先に疑うのは友人たち——傾向は、このころにはじまったと思われる。このころの彼をとらえた写真が一枚ある。酒の瓶がならぶ店のカウンターの前でもったいぶったポーズをとっている。あざけるようなほほえみ、りゅうとした服装、唇には葉巻。ホッジャが権力をにぎったあと、この写真は消された。一九四一年春にドイツがギリシアとユーゴスラヴィアを侵略したのち、反ナチのデモに参加したホッジャはあわや破滅という危ない橋を渡った。間一髪、逮捕をまぬがれたホッジャは潜伏し、一九四一年一一月八日に設立された新アルバニア共産党の指導者の一人となった。彼が本気で共産主義運動に取り組むようになったのはこのときからだと思われる。当時、諸国の共産党に絶大な影響力をもっていたコミンテルンから派遣されたコチャ・タシュコに感化されたのであろう。タシュコの助けでホッジャは、統合を探っていた複数の共産主義グループのヒエラルキーの階段を登りはじめた。その結果、彼は反ファシズム委員会のトップの座についた。その後、共産主義者らの策動で共産主義者でない者はこの委員会から追い出されてしまう。しかし、いくつかの謎が残る。兵役も経験したことのないホッジャがなぜ将軍に任命されたのだろうか？　ナポリの陸軍アカデミーで学び、スペイン内戦で国際旅団の一員として実戦を経験した剛毅な軍人、メフメット・シェフーこそが本物の司令官であったのに。

共産党グループを統合するためにスターリンとティトーが送りこんだ二人のユーゴスラヴィア人がホッジャを選び、アルバニア共産党のトップにすえた、というのが真実である。統合によってアルバニア共産党を形成する三つのグループの一つ、コルチャの共産主義グループの代表五人のうち、ホッジャは唯一のイスラム教徒であった。彼はこれまで政治にほとんどかかわっておらず、それまで共産主義党派間に数かぎりなく起きていた、いわば身内の争いごととは無縁であった。スターリンとティトーの代理人である二人のユーゴスラヴィア人は、ホッジャは人畜無害で、あやつるのが容易な男だと判断し、党派間の妥協として一時的にトップにすえるのに適している、とみなした。多くの者が、大戦中にホッジャは一発も銃を撃っていない、と考えている。くわえて、ホッジャのフランス文化の威を借りた西洋仕こみという見かけのよさと、なめらかな弁舌も、彼の電光石火の出世を助けたと思われる。

ホッジャが慎重でプラグマティックな政治家、バランスと力関係を察知するセンスの持ち主であったことは確かだ。イギリスには、ロジスティックス面で支援を受けるために巧妙にとりいった。好機を逃さずに会合を招集し、反ファシズム委員会が将来の政府に移行する、と決めさせ、一九四四年一〇月二二日にベラト［アルバニア中南部］で、新政府を樹立して自身が首相となった。アルバニア国民は、この新首相の任期がなんと四〇年の長きにわたるとは、夢にも知らなかった。一か月後、ホッジャは、ド・ゴールの共産主義者版として、解放されたティラナに勝者として入市した。隣国ユーゴスラヴィアとは異なり、アルバニアが外国の軍隊の力を借りることなくドイツ国防軍を追いはらったことが自慢であった。

友好国にしてライバルのユーゴスラヴィアは、危険な隣国であった。全社会主義陣営を支配しているスターリンがティトーに、「旧弊で、原始的な連中」ばかりが住んでいる小国アルバニアを併合してもよい、とゴーサインを出していたからだ。ホッジャは、野蛮国扱いされたアルバニアがユーゴスラヴィア社会主義連邦の七番目の共和国となるのを、指をくわえて眺めることになるのだろうか？

1973年の建国記念日に、アルバニア労働党の幹部とともに雛壇に立つホッジャ。
© Keystone/Getty Images

すでに実効性が証明されている革命独裁政権の戦術を踏襲し、ホッジャはまず国内の清掃に手をつけた。共産主義者でないパルチザンを排除したのち、彼は選挙を実施した。候補者は共産党員だけであり、目に一丁字もない者が大多数という有権者は、承認もしくは非承認を選ぶことになったが、そこには巧妙な罠《わな》が仕かけられていた。承認を意味する玉は布の袋のなかにすべりこませるので、音が出ない。これに対して、非承認を意味する玉はブリキの箱に投じなくてはならず、どうしても音が出る。音をたてる勇気のある有権者がどれほどいたろうか？　一九四五年には、投票者の七パーセントが勇気を見せた。二回目以降の選挙では、その割合は〇・〇二パーセントとなる。その後、非承認は二票だけとなる。アルバニア国民は、この二票を投じたのはホッジャと彼の妻である、とささやくことになる。だが、最後の危険がホッジャを脅かしていた。防衛大臣および内務大臣であるゆえに、秘密警察シグリミのトップでもあるヅォヅェであった。プロレタリア出身のヅォヅェは、ティトーと個人的にも親しく、アルバニアはユーゴスラヴィア連邦の一員となるべきと考えていた。ホッジャは、一九四八年の春までこの「裏切り者」と協調することを余儀なくされた。二人のあいだの仲介役をかって出てヅォヅェの肩をもったスターリンにつるし上げられたホッジャは、自己批判までやらされる羽目になり、大戦前の自分は政治にさして関心をいだいていなかった、とみずから認めた。しかし、ティトーのバルカン一帯を支配しようとする野心に気づいて不快になったスターリンが一九四八年六月末、ユーゴスラヴィアとの同盟関係を解消した。これはホッジャにとって、ヅォヅェを粛清する願ってもないチャンスであり、オーウェルの小説『一九八四年』に登場してもおかしくない、思いきった手に出る望外の好機であった。突然、ティトーの肖像は一つ残らずアルバニアから消え、その名前は教科書から削除された。一九四八年は決定的な意味をもっていた。アルバニア共産党第一回大会で、ホッジャは自尊心のあるすべての独裁者を狙う誘惑の一つに勝てなかった。長大な演説である。妻のネジミエが愛情をこめて目をとおしてくれたこの演説の長さはたっぷりと一六時間はあった。このなかでホッジャは、修正主義者らと彼らの「ベオグラードの王」である「変節者」を糾弾した。ホッジャは後日、彼を語るうえで欠かせない退屈な著作の一つである『ティトー主義者』のなかで、ティトー元帥の大きな犬がボートに飛びのったので元帥のご立派なユニフォームがびしょ濡れになってしまった、というティトーの威厳をそこなう一九四六年のエピソードを紹介することになる。いやはや、「クロアチアのゲーリング［ティトーはクロアチア出身］」は、つきあうべき相手ではなかったのだ。ティトー主義者らの粛清とともに、よき革命的独裁を構築するためにハンガリー共産党書記長ラーコシが練り上げた「サラミ戦術［サラミを薄切りするように反対勢力を少しずつ抹殺する戦術］」の二きれ目、すなわち政敵の粛清がアルバニアではじまった。それからの何十年のあいだに、ホッジャは三きれ目――自党の指導者の排除――もくわえることになる。一九四八年にはまた、ホッジャの死因となる糖尿病の初期症状が現われた年でもあった。

だがスターリンはいくらかの疑いをつのらせていたにちがいない。ホッジャは「ティトー主義者」を粛清することができたものの、たちまちスターリンに批判され、「民族主義に過度に傾いているプチブル」だと軽蔑された。そうはいっても、ティトーがスターリンの不興をかったお陰で、ホッジャはヴォヅェによって粛清される運命をまぬがれ、ユーゴスラヴィアに併合されかけていたアルバニアは独立を保つことができ、やがて共産主義の「恐るべき子ども」となる。

スターリン主義者

アルバニア国内に目を向けると、一九五〇年代は、ソ連の刑法にまさるともおとるところのない刑法の整備による体制固めを特徴とする。成人として責任を問われる年齢は一四歳に引き下げられ、国家に対する反逆や破壊活動の罪に問われる年齢の下限は一二歳となった。弾圧には、大戦中につくられた機構であるシグリミが活用された。シグリミは本部が木々の葉でおおわれているので「葉の家」とよばれた。二〇一七年から見学が可能となった「葉の家」には、同時に四〇もの電話を盗聴できる古い会話聞きとり機が複数保存されている。一九七〇年代のティラナでは電話機をもつ世帯はたったの一五〇〇だったことを考えると、たいへんな数だ。しかしホッジャにとっての真の目と耳は、シグリミの一万五〇〇〇人の職員であった。彼らの多くは、かつてのブルジョワや失脚した活動家といった「社会の落伍者」たちや、体制に弱みをにぎられている者たちであった。こうした迫害の被害者本人もしくは家族は、牢獄で朽ちはてるよりは体制に協力するほうを選んだのだ。人口一五〇万人の国民を一万五〇〇〇人の秘密警察職員が監視していたことになる。アルバニアが村のように小さな国であって、もともとプライバシーを保つのがむずかしいだけに、これは大がかりな監視体制である。シャンセはこれを「村の共産主義」とよび、「各地区のシグリミ職員には、何人逮捕しなくてはならない、という人数が割りあてられていた。年末までに割当数に到達できない場合、理由もなしに一斉連行が実施された」と説明する。少しでも逸脱した者の行き先は決まっていた。ブレル、スパチなどにある監獄であり、片道旅行となる可能性が大であった。シャンセは「道路沿いに、褐色の僧服のような服装の囚人を見かけることがあった。逆説的だが、彼らのほうが、アルバニアの農民の大半よりもましな服装であった」と回想する。シグリミの主要な使命は、市民や党員や政治局メンバーがイデオロギー的に逸脱していないかを監視することだった。ホッジャは毎日、ティラナ中心部のブロック地区、ムッソリーニ時代風の建築様式で建てられた議事堂や省庁に隣接している自宅でシグリミの報告書に目をとおした。学校や店舗や地下街がそなわっているブロックは、警備が万全で周囲から隔絶された地区であり、高官たちの一族にはここに住むことが義務づけられていた。国全体に適用される以前に、閉鎖的生活はまず指導者層に強要されたのだ。スターリニズムの初期のクレムリンのように。東独のＳＥＤ［ドイツ社会主義統一党］の指導層がベルリン郊外のヴァンドリッツに、中国の権力者たちが紫禁城に集められたように、ホッジャは政治局員たちを自宅のすぐ近くに住まわせ、夕方に自分の執務室兼書斎もしくは、通りの反対側にある党の「クラブ」で彼らを引見し、一杯飲みながら、もしくはビリヤード台を囲みながら、はたまた西側から輸入した映画を鑑賞しながら話しあった。ホッジャは習慣を大切にする人間だった。勤勉な独裁者だった。日中は、アルバニアやフランスの新聞雑誌を精読し、党の日刊紙ゼリ・イ・ポプリト［人民の声］に掲載して、国民に全般的な指針を示すための社説を匿名で執筆した。国民に「おじさん」とよばれるエンヴェルはスターリンに倣《なら》い、自分の私生活を厚いヴェールでおおった。アルバニアの氏族社会では、母方のおじはだれもが尊敬する賢人として、非常に重要な役割を担っていた。ホッジャの写真を彼の著作のダイジェストとならべて棚の上に飾っていたアルバニア国民が知っていたのは、「おじさん」には三人の子どもがいて、イリール（アルバニア人の先祖であるイリュリア人へのオマージュである）、ソコル（中世の英雄）、プランヴェーラ（春を意味する）というすばらしい名前をもっていること、それだけだった。姿を見せないこと、国民から遠ざかっていること、恐怖をあたえることがホッジャのトレードマークであったが、健康上の理由で不可能になるまでは、国内視察をすることもあり、そのようなときは毎回、定型となった祝賀行事が催行され、これまた定型となった演説が行なわれた。晩年になっても、ホッジャはときどき首都ティラナの市内をゆっくりと散歩することがあった。メルセデスベンツに乗っての散歩であったが。

国際関係の大きな曲がり角は一九六〇年であった。その五年前にフルシチョフがティトーを訪問したことはホッジャにとっておもしろくなかったうえ、翌年に、彼自身も出席したソ連共産党第二〇回大会でスターリンの犯罪にかんする報告書が明らかにされたことは衝撃であった。ホッジャは自分の耳が信じられなかった。驚くホッジャから「スターリンがあのような犯罪に手を染めるなんて、ありえないのでは？　スターリンが行なったといわれている犯罪だが、あなたたちはなぜ彼を止めることができなかったのか？」と問われたフルシチョフは「スターリンはいとも簡単に人の首を斬り落としたのだ。庭師がこうやるように」と答え、もっていた杖でキャベツをたたいた。この会話がかわされた場所は、植栽のある庭園であった。ホッジャはそれ以上フルシチョフにくい下がらなかったが、モスクワから距離を置くようになった中国に関心を示しはじめた。一九五九年、フルシチョフはアルバニアを訪問し、ヴローラ湾を前にして、地中海に向けてミサイルを発射する夢を滔々《とうとう》と語ったが、両国の関係は冷めたままで、ホッジャは自分でも数回会ったことがあり、卓越した人物であったと記憶しているスターリンを称賛しつづけた。「偉大なマルクス・レーニン主義者、先見の明があり、善良で有能、愛想がよく、正義漢、人々への思いやりに満ちていた」と。聖ヨシフよ、あなたの祈りで、神がアルバニアの民を憐れんでくださいますように！　くわえて、鈍重なフルシチョフときたら、アルバニアはアラブの国々にとっての「模範的な庭」になるべきだ、と述べてホッジャの気分をいちじるしく害した。よきスターリン主義者であったホッジャは、アルバニアを重工業の国にしたいと思っていたので、侮辱されたと感じた。このような頑固者に対して、ソ連は古典的な報復措置を発動した。五カ年計画においてアルバニアへの穀物や融資の供与は削除され、アルバニアに派遣されていたソ連の技術顧問は帰国し、モスクワで勉学に励むアルバニア人留学生への奨学金は打ち切られた。かんかんに怒ったホッジャは、中国が喜んで手を差しのべてくれるとすでに確証を得ていたこともあり、フルシチョフを「ぺてん師、恐喝者」とよんだ。

毛沢東信奉者

一九六〇年一一月一六日、ティラナとモスクワのあいだでの非難の応酬はエスカレートして頂点に達した。モスクワを訪問していたホッジャは、八〇か国の共産党の代表が耳をそばだてるなか、社会主義陣営の大将であるフルシチョフの面前で、否定された偶像、スターリンをほめたたえるという大胆な挙に出た。「われわれは全員、スターリンの実り豊かで朽ちることのない業績を擁護せねばならない。擁護しない者は、日和見主義者で卑怯者だ」。肝に銘じておけ！　イスマイル・カダレはその著作『大いなる孤独の冬』（一九七三年）のなかで、夜のモスクワを舞台に起きた社会主義陣営分裂劇をみごとに描いている。「エンヴェル・ホッジャは茶碗に手を伸ばしながら次のように語った。わたしが先ほどアイスキュロス［古代アテナイの悲劇詩人］に言及したのは偶然ではない…世界は悲劇に満ちているが、われわれは、共産主義は悲劇とは無縁だと信じていた。だが、そうではなかった」。ジャン＝ポール・シャンセは次のように語る。「現代を題材にとりあげないことを批判されていたカダレは、この作品を書くことを決意し、アーカイブへの出入りを許可してもらうためにホッジャに会いに行った。カダレが自分に好意をいだくことを望んだホッジャは、マルキシズムにふれることなく、生まれ故郷のジロカストラへの郷愁、粗野なソ連人に対する軽侮の念などについて語った。ほぼエロティックな語彙を駆使しての語りだった。その結果として生まれたのが、読者を惹きつけるとともにとまどわせるこの作品、『大いなる孤独の冬』である。このなかで描かれているアルバニアは八方ふさがりであるが、例外はこの国の指導者であるホッジャである。ロマンティックで傲岸なホッジャは、共産主義の未来について途方にくれたように自問している！　彼は、絶望の薄暗がりに沈む狂気の国を、最高の権威をもって支配していた」。一九六〇年一一月一六日、モスクワでは、他国の指導者たち、ホー・チ・ミン、アフリカ人一名、スカンディナヴィア人一名、赤ら顔のモーリス・トレーズ［フランス共産党書記長］さえもがホッジャのもとを次々に訪れ、妥協の道筋が見つけられないかと探った。ホッジャはだれに何をいわれても妥協を拒否した。彼はこうして、自国を東欧の他国から切り離す第一歩をふみだしたのだ。アポロニア［ギリシア時代にさかのぼるアルバニアの古都］で長期にわたって遺跡発掘調査を指揮していたピエール・カバーヌが証言するように、外国人は全員アルバニアから退去させられた。モスクワ、ソフィア、東ベルリンに留学し、外国人女性と結婚したアルバニア人の数は多かった。外国人妻たちは娘とともに国外追放され、こうした国際結婚から生まれた男児は自宅軟禁状態に置かれ、外国人と結婚するという過ちを犯したアルバニア人男性は再婚をうながされた。このときに引き裂かれた家族が体験した悲劇は、いまでも多くの人の心の傷となっている。国際社会の舞台においては、ヴローラ湾に停泊していた潜水艦四隻をソ連から奪うことでホッジャは鮮やかな勝利をあげた。事前に結ばれていた協定により、四隻は最終的にアルバニアに譲渡されることになっていたが、ソ連は回収しようと動いた。ホッジャは老朽小型艇で湾を封鎖し、潜水艦を爆撃する、と脅して要求を通した。ソ連の水兵たちは、潜水艦をアルバニアに残して帰国した。

ロシアの腕から抜け出したホッジャは、すぐさま中国の腕に飛びこんだ。スターリンが唯一神として祀られていたアルバニアのパンテオンに毛沢東がくわわった。ホッジャは毛沢東思想のスローガンのすべてに賛同したわけではなかった――くりかえし行なわれる党への攻撃はまったくもって評価できなかった――が、毛沢東が一九六六年にはじめた文化大革命の誘惑はふりきることができなかった。翌年、彼も自国の「革命化」に着手した。まず着手されたのは、完全な無神論の強制であり、宗教の実践は「国への反逆」とみなされた。ホッジャは、イスラム教のイマームを意味する名前であるが…。彼には外国の侵略者の手先としか思えない教会やモスクは破壊されるか、映画館、倉庫、店舗、文化センターに転用されるかした。伝統や風習、手工業、伝統衣装の着用、「迷信である」儀式に鉄槌《てっつい》をくだす「革命化」は、ホッジャにとって――こうした意図を明言することはなかったが――アルバニアを西欧化するための手段であった。この際にホッジャが手本としていたのはトルコのアタテュルクであり、彼の政治にアタテュルクは大きな影響をあたえていた。その点は、ホッジャの不倶《ふぐ》戴天《たいてん》の敵であるティトーも同じであった。こうした伝統根絶と並行して進められたのが、あらゆる攻撃に徹底抗戦して領土を防衛するための、比喩的な意味、および文字どおりの意味での国のトーチカ化であった。毛沢東同志は「百花斉放百家争鳴［百の花を咲かせるように多彩な文化を興して、多彩な意見を戦わせる］」と述べたが、アルバニアで雨後の竹の子のように数多く花開いたのはトーチカであった。七〇万も作られたらしい！　ソ連や中国から導入され、さまざま色の煙を吐いていたセメント工場がトーチカ製造に動員された。シャンセは次のように説明する。「大中小の三タイプがあって、工場でプレハブ工法によって製造された。原っぱに一二ほどのトーチカがならんでいることもあった。アルバニア国民は一定期間、軍事訓練に参加すること義務づけられていたので、トーチカは演習に使われた。そのほか、恋人たちの逢い引き場所にもなったし、便所の役目も果たしていた」。専門家によると、このトーチカ化はフランスのマジノ線の二倍は高くつき、三倍のコンクリートを必要とした！　ホッジャは自分用に、ティラナとその近郊、家族と水入らずで何か月もすごすこともあるヴローラ、ポグラデツ、ドゥラスの海浜別荘に、あわせて六つのトーチカを整備させた。こうした別荘にいるときのホッジャは、国民が知らぬもう一つの顔を見せていた。思いやりがある家長、次々にやってくる孫たちがアルバニア語やフランス語で暗唱する詩や口ずさむ革命歌を聴いて感動するセンチメンタルな祖父であった。彼の住居や別荘は子どもたちが家庭をもつごとに大きくなった。婿や嫁たちも、国民との不適切な接触を避けるため、同居するよう求められた。閑居を楽しむバルカンの家長という生活スタイルは、一九六六年から悪化をたどる体調のせいでもあった。一九六七年、中国との友好関係を固めるために代表団が中国に出発したが、ホッジャは参加できなかった。一九六九年には、ヴローラの別荘からアドリア海まで足をのばすこともできなかった。それならばと、政治局のお仲間たちがホッジャのためにプールをつくって海水で満たす、という非常に困難な工事を敢行した。トマ・シュレベールによると、完成したこのサプライズプレゼントを見たホッジャは「党、バンザイ！」と声も高らかに叫んだ。

鎖国

こうした鎖国の常態化は、文化のアルバニア化をもたらした。ホッジャは、一五世紀におそろしきオスマン帝国の侵攻を四半世紀近くも押し戻すという武勲で名高いアルバニアの英雄スカンデルベグに、凶暴なソ連に絶縁状をたたきつけた自分自身を重ね合せた。アルバニアの父ともよべるこの偉人の栄光を称えるために博物館が開設され、いくつもの立像がきざまれた。ロンサール［一六世紀フランスの詩人］がある作品のなかで「勇猛なアルバニア人」とよび、ヴィヴァルディがオペラを捧げたスカンデルベグと肩をならべることができるのはホッジャただ一人だ！ ホッジャはまた、アルバニア人の祖先がイリュリア人であるとの主張を裏づけるための研究および発掘調査の大々的な計画を打ち出した。ここバルカンでは、「起源が古い民族に優先権がある」だけに、これは大きな意味があった。ピエール・カバーヌは「古代ギリシアの文献にイリュリア民族への言及があるのは事実だ。だがやっかいなことに、イリュリア人は文字をもっていなかったので、イリュリア語とアルバニア語のつながりを証明することはむずかしい」と語る。いくら困難であろうと、誇大妄想とパラノイアを同程度にもちあわせ、救国者を自任していたホッジャはひるまなかった。ＩＮＡＬＣＯ［フランス国立東洋言語文化学院］でアルバニア文明を教えていたオディール・ダニエルが、一九六〇年代の終わりに顕著な変化が起きた、と回想する背景には以上の事情があったのだ。「一九六五年、わたしは奨学生でしたが、かなり自由にいろいろな場所を訪れることができました。三年後、わたしは外国人用ホテルに宿泊させられ、いつも二人か三人のガイドがわたしについてまわっていました」。ホッジャは同時に、ケマル・アタテュルクに倣《なら》って因習を一掃して近代化を促進しようと、北部でとくに顕著であったが、アルバニア社会の基本構造を形成していた氏族の伝統の打破にのりだした。復讐は禁止され、女児も学校に通わせることが義務化された。ソ連と中国が交渉のために接触するたびにホッジャが激怒していた、と知っていまさら驚く者はいるまい。すでに、コスイギン［フルシチョフ失脚後に首相に就任していた］と毛沢東が話しあう、と知っただけでも不快感を隠せなかったホッジャは、一九七二年にニクソンが北京を訪問すると、裏切られたと感じて激怒した。一九七五年に和平や軍縮をめざしてヘルシンキで開催された全欧安全保障協力会議［ソ連をふくむ欧州三三か国にくわえ、アメリカとカナダの首脳が参加した］は、ホッジャの目にはスキャンダラスで非常識だと映った。そして、ついに看過できぬ事態が起こった。一九七七年に、悪の権化《ごんげ》であるティトーが訪中して大歓迎され、中国と非同盟国のユーゴスラヴィアの仲が修復されたのだ。小国は無視してもかまわないとばかりに、アルバニアにはなんの断わりもなく。一九七八年に中国と仲違《なかたが》いしたホッジャは、修正主義の共産主義世界と資本主義の世界のどちらとも対立して孤立した。

これこそが、欧州の一部の国との関係を修復しようとホッジャが試みた理由である。彼が接触をはかったのは、忘れることができないフランス、アルバニアの海岸から五〇キロしか離れていないイタリア、歴史的にセルビアもギリシアも支援したことがないドイツ、そしてルーマニア――「カルパティアの天才」と自画自賛していたチャウシェスクのラディカルな民族主義的共産主義にホッジャが無関心でいられるはずがなかった――であった。だが、中国の大規模な援助がとぎれたいま、レクを通貨とするアルバニアは、ヨーロッパのなかでは前代未聞の貧困におちいった。識字教育の普及、急ぎ足の工業化、多くの道路や団地の建設にもかかわらず。攻囲妄想のイデオロギーが倍加され、シグリミが手足となっての恐怖政治がさらに強化された。

その治世の最後の一〇年において、ホッジャはいたるところに存在すると同時に、どこにもいなかった。国中の壁にも、山にも（頂上では、天にホッジャの傑出した思想を伝えるべく、白い石をならべて書かれた文字が躍っていた）。教科書にも（外国語の教科書では、フランス語やイタリア語の習得のために例文として使われたのはホッジャの文章であった）。しかし、ホッジャの体力が弱るにつれ、彼の指令によってアルバニアそのものも背を丸めて縮まった。外から見ると、この国は氷河期に突入したようだった。とはいえ、国境の内側では、外からはうかがい知れぬ住民の移動がさかんに行なわれていた。従業員や公務員が粛清され、田舎や労働キャンプに送りこまれていたのだ。ピエール・カバーヌは次のように説明している。「有罪判決を受けた者だけでなく、彼らの妻子もいっしょに流刑地である村々に送られた。農民たちは彼らに好意的ではなく、もっともきつい仕事を割りあてた」。これが、アルバニア国民にとって可能な唯一の移動であった。国内用のパスポートなしでの通行は許されず、各所の橋には検問所が設けられ、車を所有しているのは党員だけだった。給油所は軍の監視下にあった。「アルバニア北部を訪れたとき、現地の学生たちに『南部はどうなっていますか？』とたずねられた。南部に行くと、今度は『北部はどんなようすですか？』と聞かれた」とピエール・カバーヌは当時を回想する。首都ティラナでは、パラドックスの「生きた」例であるホッジャが君臨していた。ジロカストラの生家に自分の栄光を称える博物館を開設し、存命中にティラナの大広場に自分の立像を建立した独裁者の姿はますます見えなくなり、彼の名を口にするもはばかられるようになった。オディール・ダニエルは当時のことをよく覚えている。「彼は謎に包まれていました。

彼の名前を口にするのはタブーでしたし、だれも彼に言及したり、彼のことを話題にしたりすることをひかえていました。彼にかかわる話題は、曲解されるおそれがあったので」。人の目に見えない独裁者は、自分でもなにも見えなくなった。糖尿病の合併症で視力が落ちたホッジャは、時計職人用の拡大鏡やオーバーヘッドプロジェクターをとりそろえていたが、もはや字を読むことはできなかった。戦争時代からともに闘ってきた妻が読書係となった。だが、以前はあれほどピシッとしていた「国民のおじさん」のシルエットは、何回も起こった心臓発作のせいでくずれてしまった。人を惹きつける力で国民を虜にすることができたお洒落なダンディーは見る影もなかった。さながら幽霊となったホッジャであったが、弾圧をくわえることはやめておらず、狙いをはずすことはなかった。一九八一年、不動のナンバーツーであったメフメット・シェフーは、双頭の鷲［中世アルバニアの英雄、スカンデルベグの紋章である双頭の鷲はアルバニア国旗の意匠となった］の国ではなにひとつ不動ではない、と悟ることになる［シェフーは自殺した、と伝えられた］。唯一の例外は、周囲に人をよせつけないことで死を遠ざけているように思えるホッジャであった。病に苦しむ独裁者は、わが子をのみこんだギリシア神話のクロノスさながらに盟友を粛清することで、時間を止め、自分自身が時間と同化しようと試みた。ソ連内部で大きな変化が胎動していることを察し、不安をおぼえていたホッジャ＝クロノスは、自室に党のメンバーを集めた。ホッジャが黄昏《たそがれ》を迎えていたころ、共産主義揺籃《ようらん》の地であるソ連は新時代の夜明けを迎えようとしていた。ミハイル・ゴルバチョフがソ連共産党書記長に選ばれてから一か月後の一九八五年四月九日、家族に見守られていたホッジャが最後の重篤な心臓発作を起こしたのは、ひとつの象徴であろう。二日後、「熱愛され、栄光に満ちたわれらが党と国民の指導者、エンヴェル・ホッジャ同志の心臓が拍動を止めた」ことが発表された。このときはじめて、アルバニア国民はホッジャ同志がずいぶんと前から病人であったことを知った。

イスマイル・カダレが『くだかれた四月』でテーマに選んだように、アルバニアの古い伝説によると、この国では四月は死の危険に満ちている。議事堂の広間に置かれたホッジャの棺に哀悼の意を捧げにやってきた国民の人数はどれほどだったのか？　二キロメートルほどの順番待ちの列ができた、といわれる。シャンセは「大通りでは多くの人が泣いていた。アルバニアでは泣女《なきおんな》の伝統が廃《すた》れていないので。しかし、大通りをはずれたところでは、そのように深刻な雰囲気はなかった」と回想する。テレビカメラが近づくと、人々はあわててハンカチを目にあてた。軽挙《けいきょ》をおそれるかのように、棺の前で立ち止まることは禁止された。当局がおそれた軽挙はずっとあと、ベルリンの壁崩壊後に出現する。一九九〇年、ティラナのスカンデルベグ広場を睥睨《へいげい》していたホッジャの巨像が倒された。トーチカは、釈放された人々の仮住まいとして使われたのち、一部は軽食堂に転用されたり、壁画を描くために使われたりした。ホッジャの死から七年たった一九九二年、彼の遺骸は国家殉死者霊廟から、彼の犠牲者たちも眠るシャーラの墓地に改葬された。これが、大多数のアルバニア国民がいまとなっては名前も耳にするのはご免と考える「おじさん」を待っていた最終的な運命であった。犠牲者や投獄された人の数ははっきりしない。ブレンディ・フェヴジウによると、男性五〇三七人と女性四五〇人が処刑され、男性一万六七八八人と女性七三六七人が投獄され、七万人が流刑に処された。アルバニアの人口が約二〇〇万人であることを考えると、膨大な数だ。多くの記録は、裁かれなかった旧体制の指導者層によって破壊された、もしくはもちさられた。密告が義務とされていたこの国で、ホッジャ時代について証言する人はきわめてまれだ。アルバニアを語るうえで引用しないわけにはゆかぬシャンセが語る以下のエピソードでわかるように、アルバニアではだれしもが後ろめたい気持ちをいだいているのであろう。「わたしたちの著作、『スターリン通り五七番地』〔共著であった〕のアルバニア語訳が出版され、わたしたちがアルバニアのラジオやテレビに招かれたとき、ジャーナリストたちは『ホッジャ時代のアルバニアとは、そんな国だったんですか？』と言って驚いていた」。ノアの大洪水さながらの大量の著作を残したホッジャ。アルバニアの歴史におけるホッジャ時代のページはすでにめくられた、という表現は不正確であろう。このページはまだ一度もまともに読まれていないのだから。

〈参考文献〉

Pierre Cabanes, *Albanie, le pays des Aigles*, Edisud, 1994.

Élisabeth et Jean-Paul Champseix, *57 boulevard Staline, chroniques albanaises*, La Découverte, 1990.

Jean-Paul Champseix, *Kadaré, une dissidence littéraire*, Honoré Champion, 2019.

Blendi Fevziu, *Enver Hoxha : The Iron Fist of Albania*, Tauris, 2016.

Ismaïl Kadaré, *Le Grand Hiver*, Fayard, 1973.

—, *La Niche de la honte*, Fayard, 1984.

—, *Spiritus*, Fayard, 1996.

Thomas Schreiber, *Hodja, le sultan rouge*, JC Lattès, 1996.
Alexandre Zotos, *De Skanderbeg à Kadaré*, université de Saint Étienne, 1997.

12 アルフレド・ストロエスネル

自給自足体制の家父長

エマニュエル・エシュト

「最高指導者」は三五年間（一九五四―一九八九年）、パラグアイを組織的に搾取し、自分の政治に対する異議申し立てを間断なく弾圧した。彼は、南米のあらゆる密輸の基地となった自国を大農園のごとくに経営した。闇取引の一部の統制をゆだねることで、彼を倒そうという不とどきな考えをいだきかねない軍人らを買収した。そして反共闘争の模範生となることでアメリカから信頼を得て、腐敗ぶりに目をつぶってもらった。

ストロエスネル将軍（一九一二―二〇〇六）は、『タンタンとピカロたち』〔エルジェ作『タンタンの冒険』シリーズ最終作〕のタピオカ将軍のモデルだったのだろうか？　タンタンマニアたちは、そのように確信している。この漫画作品に出てくるタピオカ将軍の楕円形の顔はたしかに、三四年五か月一九日もの長きにわたってパラグアイに君臨した独裁者ストロエスネルを彷彿する。だが、それ以外は…。ストロエスネルは、バイエルンにルーツをもつドイツ系移民の父親（ビール醸造業者であった）の血ゆえか、赤毛に近い金髪であったので、彼の数多いあだ名の一つはエル・ルビオ（金髪男）であった。それに、彼はタピオカよりもずっと背が高く（一九〇センチ）、背が低く色黒のグラアニーインディオやメスティーノ［南米先住民と白人の混血］を見下《みお》ろしていた。なお、パラグアイが、メスティーノが圧倒的に多い南米唯一の国であったのは、スペイン系女性の数が少なかったために、白人に仕える労働力とみなされていた先住民の女たちが白人入植者の子孫を増やす役割を果たしたからである。ストロエスネルの母も、メスティーノの娘であり、彼自身も、第二公用語で、人口の九〇パーセントが話すグアラニー語を完璧に使いこなしていた。南米のカウディーリョ［統領］であるタピオカ将軍の自惚《うぬぼ》れとしくじりは、幅広い年齢層からなるエルジェのファンを笑わせるが、モデルとなったストロエスネルはその死から一三年たったいまでも多くのパラグアイ人を泣かせ、怒らせている。

エル・コンドル

マルティン・アルマダ（八二歳）は、そうしたパラグアイ人の一人だ。教育者および弁護士であったアルマダの大きな過ちは、組合活動に熱を入れたことだった。一九七四年に「知的テロリズム」の罪で逮捕されたアルマダは、同じく独裁国家であるアルゼンチンやチリから助っ人として駆けつけた軍人による拷問を受けた。サディズムのきわみとよぶべきか、アルマダの悲鳴は録音され、妻のセレスティナ・ペレスはこれを電話で聞かされた。セレスティナは、夫を拘束している当局から送られてきた小包を開け、夫の血まみれの衣類を発見すると、心臓麻痺を起こして亡くなった。だが、アルマダは死んではいなかった。アムネスティー・インターナショナルを筆頭とする人権団体の働きかけが功を奏して一九七七年に釈放されたアルマダは、その後、パナマ次いでフランスで一五年の亡命生活を送る。

一九七〇年代、パラグアイ国内での弾圧は猖獗《しょうけつ》をきわめた。ストロエスネルは、チリのアウグスト・ピノチェト、アルゼンチンのラファエル・ビデラ、ウルグアイのファン・ボルダベリー、ボリビアのウゴ・バンセル、ブラジルのエルネスト・ゲイセルとともに、アメリカに後押しされ、南米反共国際組織を完成させた。一九七五年一一月に「コンドル作戦」との名称で公式に発足したこの組織――発足セレモニーのホスト国となったのが、国章にコンドルが描かれているチリであったため――の目的は、各国の諜報機関が集めた情報を交換し、カストロ兄弟［フィデルと弟のラウル］の支援によって各地に生まれていたゲリラ組織をつぶすための作戦行動をコーディネートし、反体制派を追いつめて排除することだった。

パラグアイの指導層は、少し前にストロエスネルの暗殺をはかった一味をふくめ、武装勢力を一掃することを急務としていた。彼らがいちばんおそれていたのは、南米の極左運動組織の集まりである革命調整評議会［JCR］であった。ストロエスネルはまた、コンドル作戦の発起者であり、自分を陰日向《かげひなた》なく支持してくれるピノチェトにお返しをしたいと思っていた。コンドル作戦にとってはじめての多国間警察共同作戦はパラグアイを舞台にして実施され、地元の革命家一名と、チリ人一名の逮捕に結びついた。なお、このチリ人は自国に移送されたが、その後に彼の姿を見た者は一人もいない。

アルマダは、アスンシオン警察の熱意が生んだ初期の犠牲者の一人であった［アスンシオンはパラグアイの首都］。アルマダはこのことを肝《きも》に銘《めい》じるとともに、正義を求めることを決してあきらめなかった。クーデターによってストロエスネルが失脚——歴史の皮肉というべきか、一九五四年にストロエスネルを権力の座に押し上げたのも同じようなクーデターであったし——した直後の一九八九年春、アルマダは自分を拷問した警察関係者と彼らの「最高指導者」に対する告訴状を提出した。一八か月後、パラグアイの司法は年老いた独裁者は殺人の共犯者であると認定し、亡命先のブラジルに犯罪人引き渡しを請求した。請求は通らなかった。それでもマルティン・アルマダは一連の動きに一つの希望を見いだした。一九九二年にアルマダが亡命生活を終えて帰国したとき、新憲法の制定によってパラグアイは民主主義国家に変わったばかりだった。すぐれた法律家であるアルマダは新憲法の一つの条項（ジェノサイド、拷問、本人の意思に反した失踪、政治的理由による誘拐や殺人には時効が適用されない）を根拠として、自分の自由が剥奪されたことにかんして新たな訴えを起こした。司法は、アルマダの投獄記録の提出を求めたが、なぜか警察は当該記録を見つけることができなかった。ここで、ちょっとした奇跡が起こる。匿名の情報提供者——おそらくは警察関係者——が、アスンシオン郊外のランバレにある記録保管倉庫を調べるべきだ、とアルマダに勧めた。一九九二年一二月二二日、アルマダは、弁護士、ジャーナリスト、そして裁判官一名をともなって当該倉庫を訪れた。一行は、七〇万件もの文書や記録（総重量は二トン！）がきちんと戸棚に保管されているのを発見して驚愕した。彼らは、南米の独裁諸国が手を染めた犯罪の言いのがれようのない証拠のなかから、殺された五万人、失踪者三万人、収監者四〇万人のリスト、二〇〇〇〇人分の身元にかんする書類、一万枚の写真[1]、収監者の入獄と出獄の記録、外国の警察とのやりとりの記録、労働組合組織の弾圧や聖職者の活動にかんする報告書などを探りあてた。くわえて、ピレタ［盥《たらい》］の使用法――糞尿で満たされた盥に反体制派を浸ける、というパラグアイで多用されていた拷問――についての記録もあった。

パラグアイだけで、処刑された者もしくは失踪者の人数は約三〇〇〇人[2]、独裁が続いたあいだに亡命したパラグアイ人は一八〇万人にのぼると推測されている。パラグアイの人口は一九五四年に一六〇万人、一九八九年には四〇〇万人[3]であることを考えると、天文学的な数字である。以上の記録の総称「恐怖のアーカイブ」[4]は、パラグアイでは人口《じんこう》に膾炙《かいしゃ》している。このアーカイブだけで、欠席裁判で有罪判決をくだされることになるアルフレド・ストロエスネルが敷いた体制がいかなるものであったかは明らかである。

もっと悪いことに、ストロエスネルは、あまり知られていないもう一つの犯罪の責任も負っている。一九六七年からはじまった、パラグアイ東部の熱帯雨林で暮らす採集狩猟民、アチェ族[5]の抹殺である。男たちは犬を使った狩りで追い立てられ、女たちは性奴隷とされ、子どもたちは拉致されて召使《めしつか》いにされ、パラグアイ政府から応援によばれたブラジル人植民者がアチェ族の土地を奪った。生き残った五〇〇人のアチェ族は、七つの寒村と一個所の保護区（コロニア・ナシオナル・グアヤキ）に分散させられ、定住を強制された。

鎖国政策

ピノチェト、ビデラ、ボルダベリ、バンセル、ゲイセル、ストロエスネルは同じような闘いに挑み、同じような暴政を敷いたのだろうか？　南米のコーノ・スール［南端部］のカウディーリョ［統領］たちは似かよっているが、パラグアイのカウディーリョは他国のカウディーリョ[6]にはみられない攻囲妄想に襲われていた。南米の真ん中に位置し、南はアルゼンチン、北西はボリビア、北と東はブラジルに接している国土面積四〇万平方キロメートルのパラグアイの内陸国という地理的条件は、歴代の指導者の心理に影響したかのようだった。攻囲を意識し、これを理論化したのは、一六〇九年に当地にやってきたイエズス会士たちであった。彼らは、孤立を力に変え、自給自足を実現しようと考えた。イエズス会は、それぞれ住民二〇〇〇―八〇〇〇人からなる三〇ほどのイエズス会伝道村を開設した。その結果、共和制神権政治のコミュニティーで、キリスト教に改宗したあわせて一五万人ほどの先住民グアラニー族が自由かつ平等に暮らしていた。労働の成果を全員が分かちあったので、共産主義的なコミュニティーでもあった。ヴォルテールの『カンディード』の従者で、やがて主人公カンディードの友人となるカカンボは「理性と正義の傑作」と感歎している。しかし、いずれもスペイン副王領であるペルーとリオ・デ・ラ・プラタにはさまれたこの奇妙な共和国は、短期間のうちに、富と奴隷に近い労働力を渇望する白人入植者にとっても、スペイン王家にとっても、好ましくないモデル[7]、目の上のたんこぶとなった。一七六七年にスペイン国王がイエズス会をスペイン領から追放し、武力でイエズス会伝道村を閉鎖させてもよいとの許可を入植者にあたえたことで、歴史上まれなこのユートピアは消滅した。しかし、イエズス会伝道村が約束した自給自足の夢は残った。

独立国パラグアイの父であり、一八一四年から一八四〇年まで国家元首の座にあったロドリゲス・デ・フランシアは、最初は古代ローマ風の「臨時独裁官」であったが、やがて「終身独裁官」となり、パラグアイの門戸を完全に閉ざし、保護貿易を実践する南米唯一の国とした。フランシアは農地改革を行ない、土地を農民に分けあたえた。輸入は禁止したが、家畜やマテ[8]の輸出は奨励した。すぐれた小説家であるアウグスト・ロア・バストス（一九〇七—二〇〇五）は、ルソーとロベスピエールに魅せられたフランシアを主人公とする作品を著わしている（『至高の存在たる余は』）。フランシアに次いで二代目のパラグアイ統治者となったカルロス・アントニオ・ロペスは、フランシアと比べて開明的であって、マニアックなところは少ない政治家であり、国内産業（鉄道、テキスタイル、建設資材）の育成を優先して国の発展につくしたが、めざしたのはやはり自給自足であった。

　ストロエスネルもまた、経済発展の面での成果を誇ることになる（経済成長率は一年あたり三—四パーセントで、一九七六年から一九八一年にかけては一〇パーセント以上を達成した）。紙の上では。貧富の格差が非常に大きかったからだ。ストロエスネルとその忠臣たちは、パラグアイを自分たちの大農園だとみなしていた。彼らは公共財産を私物化し、国の財政を自分たちの財布がわりにした。彼らは闇取引において起業家精神を発揮した。ストロエスネルと、彼以前のパラグアイ統治者との共通点はもはやただ一つ、自分の小さな王国の門戸を閉ざそうという意図だけだった。しかし、時代は変化していた。パラグアイの隣国はもはや敵国ではなかった。敵は共産主義であり、冷戦は世界規模に広がっていた。一九六〇年代の初め、ラテンアメリカの共産化防止のためにJ・F・ケネディが提唱した「進歩のための同盟」の資金を断わることは不可能であった。この資金により、アルゼンチンやブラジル、ボリビアに通じる大動脈となる道路が完成し、パラグアイは鎖国状態から抜け出すことになる。ストロエスネルは次に、ブラジル政府と協定を結び、パラグアイとブラジルの国境を流れるパラナ川に、世界一のダム、イタイプダムを建設することになる。そしてついには、貿易と共同プロジェクトを推進し、国境紛争を終わらせるためのリオ・デ・ラ・プラタ流域条約（一九七三年）を周辺国と締結するにいたる。

暴力の遺産

リオ・デ・ラ・プラタ流域条約を結んだストロエスネルは、どの締結国の元首よりも、国際紛争の代償がいかに大きいかを知っていた。パラグアイ戦争ともよばれる三国同盟戦争（一八六四―一八七〇年）、そしてストロエスネル自身も下士官として参加したチャコ戦争（一九三二―一九三五年）は、力と暴力を柱とする世界観を彼に吹きこんだ。

前任者たちとは異なり、一八六二年に大統領となったフランシスコ・ソラーノ・ロペスは、パラグアイ国境内に逼塞《ひっそく》することに満足できなくなり、海に面した領土を獲得することを夢見《ゆめみ》、パラグアイの東方、アルゼンチンとウルグアイのあいだのリオ・デ・ラ・プラタ［ラプラタ川］デルタに目をつけた。そこで、八万人の軍隊を整え、ウルグアイの内戦へのブラジルの介入を口実として、パラグアイ川をさかのぼっていたブラジル船一隻を拿捕した。この不測の事態により、ブラジルとパラグアイは戦争に突入した（一八六四年）。次に、ロペスがまったく予期していなかったことだが、アルゼンチンとウルグアイも参戦した。パラグアイは気がつけば、同盟を組んだ三国を相手に孤軍奮闘していた。これは非常に高いものについた。確認することはむずかしい推定によると、パラグアイは人口の六〇パーセント（男性の人口の八〇パーセント）を失い、戦争が終結した時点での人口は三〇万人に減っていた。そのうえ、チャコ南部とミシオネスをアルゼンチンに、マト・グロッソ南部をブラジルに割譲させられた。惨敗であった。

チャコ戦争が一九三二年にはじまったとき、ストロエスネル下士官にはすでに一〇年ほどの軍歴があった。しかし、これは彼にとって最初で最後の戦争となる。チャコは、ボリビアが領有する二五万平方キロメートルの地域であったが、年月がたつにつれ、パラグアイ人が農業、林業、宣教［キリスト教メノナイト教派］のために進出し、小規模な要塞もいくつか建設した。開戦の口実とされたのは、アメリカのスタンダード・オイル社とイギリスのシェル社という二つの石油会社の採決権の争い［パラグアイはシェル社と、ボリビアはスタンダード・オイル社と結託していた］と、石油会社から将来支払われるロイヤルティーであったが、ほんとうの理由は昔からくすぶっていた国境をめぐる争いであった。

紙の上では、二五万人の兵力を有するボリビア軍がパラグアイ軍（一五万人）を圧倒する規模で、訓練もいきとどいていた。しかし、フランスの陸軍士官学校サンシールで学んだエスティガリビア将軍が率いるボリビア軍はめざましい奮闘ぶりを見せた。兵員数に対して戦死者の割合は大きく、両軍とも同数の死者を出し、あわせて一〇万人であった。一九三八年に講和条約が結ばれ、パラグアイは紛争のもととなった領土一二万平方キロメートルを取得した。今回はパラグアイの完勝であった。

平和が戻ってくると、この戦争でクルス・デル・チャコとクルス・デル・デフェンソールという二

執務中のアルフレド・ストロエスネル（1912-2006）。1959年ごろ。
© Frank Scherschel/The LIFE Picture Collection/Getty Images

つの勲章に輝いたアルフレド・ストロエスネルは心も晴れ晴れと人生の第二ステージに足をふみいれた。戦場では勇敢な兵士であったストロエスネルは、平和時には巧妙な追従者ぶりを見せた。イヒニオ・モリニゴ将軍の庇護を受け、またたくまに階級を駆けのぼった。モリニゴ将軍は一九三六年に参謀総長に就任し、一九三九年に大統領に就任したエスティガリビア将軍（チャコ戦争の真の勝者であり、死後に元帥の称号を贈られる）が飛行機事故で亡くなったあとに大統領となる。

パラグアイ国内に目を向けると、チャコ戦争によってすべてが変わった。この戦争によって将校たちは、政界入りに必要な威信と正当性を獲得した。旧戦闘員が牽引役となり、ナショナリズムと権威主義の風潮も強まった。愛国心の大きな高揚がみられた場面の一つは、無名戦士の遺灰と、パラグアイ戦争の末期にブラジル兵士によって銃殺されたフランシスコ・ソラーノ・ロペス大統領［軍人としての位は陸軍元帥］の遺骸の首都アスンシオンへの移送であった（一九三六年一〇月一二日）。パラグアイ国民にとって、そして軍人にとってはなおのこと、二つの戦争は切り離せないものであり、チャコ戦争はパラグアイ戦争の屈辱を雪《そそ》いでくれた。

しかし、国民の団結は長続きしなかった。パラグアイは進むべき道を探しあぐね、クーデターがあいついだ。ラファエル・フランコ大佐が率いる二月革命で誕生した国家社会主義的な政権「一九三六年のフェブレリスタ政権」はクーデターで倒されて短命で終わるが、一〇年後、モリニゴ大統領政権下でコロラド党[9]にフェブレリスタ[10]もくわわった内閣が成立して、短期間だがリベラルな政権運営が行なわれ、パラグアイでは前代未聞の政治活動の自由が許された。だが一九四七年一月にコロラド党の一部によるクーデター未遂事件が起きたことをきっかけに、モリニゴ大統領は自由化のお遊びを終わりとして、反対派をしめつける強硬路線に戻った。これにフェブレリスタや共産党が反発して反乱を起こし、一九四七年の三月から八月までパラグアイは内戦にゆれた。軍人の多くが反乱側につくなか、ストロエスネル大佐は軍最右派の一員としての旗幟《きし》を鮮明にし、モリニゴ大統領大統領側について反乱軍の鎮圧に辣腕《らつわん》を発揮する。モリニゴ大統領への武器供与によって反乱終結に力を貸したのが、アルゼンチン大統領のファン・ペロン将軍であった。

「ドン・アルフレド」の自由裁量権

一九四八年、三六歳のストロエスネルは南米でいちばん若い将官となった。彼はそれまでもすべてのクーデターとかかわっていたが、その後のすべてのクーデターにもかかわることになる。ストロエスネルは、やがてはじまる彼の独裁を支える柱となるコロラド党との関係を強め、六年後に権力を奪取するまで、ひたすら陰謀を練ることになる。一九五三年、彼は陸軍総司令官に任命される。ついに舞台に面した最前列に立ったので、手を伸ばせば権力はすぐそこだ。エル・ルビオ《金髪男》ことストロエスネルは、逸《はや》る気持ちを抑えかねていた。一九五四年五月四日、彼はクーデターを起こし、自分と同じくコロラド党に属するフェデリコ・チャベス大統領の政権を倒した。このクーデターを正当化するためにもちだされたのが「チャベス政権の容共の姿勢」であったが、チャベス大統領はストロエスネルと同じくコロラド党に属しており、共産主義の浸透を許容するおそれなどまったくなかった…。新たな最高権力者となったストロエスネルは巧妙にも臨時大統領の座に非軍人をすえて選挙を準備するための時間稼ぎをし…得票率九八パーセントで大統領に選ばれた。

四年後、大統領の任期が終了するはずだったが、いずれも不正が横行する七回の大統領選挙でストロエスネルは毎回勝利して、彼の独裁は三五年間続く。いずれの任期でも、三か月ごとに非常事態がひき続き宣言された。南米で二番目に長い個人独裁の記録がうち立てられた。ストロエスネルが後塵を拝したのは、彼の不倶戴天の敵であり、無差別級独裁者選手権のチャンピョンとして四九年の統治を誇るフィデル・カストロである。

ストロエスネルは、ほかの独裁者とはかなり異なっている。「恐怖のアーカイブ」をはじめて調査したフランス人大学教授であるバンジャマン・オフロワは次のように述べている。「(ストロエスネルは)民主主義体制を倒してたわけでもなく、真の意味での軍事政権をはじめたわけでもない。彼は軍人であったが、軍の代弁者ではなく、たった一人で統治した。(彼は)自由裁量で、すなわち自分の自由な判断で権力を行使した。彼は、国の諸機構の機能を規定する規範を常習的に破ってなんの咎《とが》めも受けず、一方的な決定をくだしていた」

彼は仕事の鬼だった。彼はすべての決定にかかわった。朝の四時半に執務を開始し、すべての案件を決裁《けっさい》した。声を発することはまれで、動作や視線で命令をくだした。学年の終わりに学生に賞状を渡す儀式に執心《しゅうしん》していた。いや、女子学生に、と言ったほうが正確であろう。自分好みの若い女を選ぶ機会だったからだ。選ばれた娘たちには豪華な私邸があてがわれ、執務を終えたストロエスネルが訪れるのを待った。こうした「同棲相手」と彼女たちの両親は、性的サービスの見返りとして給与を受けとった。公式に認知した三人の子ども以外に、ストロエスネルは一〇人ほどの愛人とのあいだに一五人は子どもをもうけている。

「ドン・アルフレド閣下」は、自分の時間のすべてを色恋ざたについやしていたわけではない。大統領になってからまずは大掃除に励んだ。コロラド党の諸派のリーダーたちは潜在的なライバルであったのでお払い箱にされ、亡命を余儀なくされた。コロラド党はストロエスネルの党となった。公務員、エンジニア、医師、将校になりたい者にとって、コロラド党への入党は必須であった。パラグアイの人口が三八〇万人に達した一九八六年、コロラド党の党員数は九〇万人に達した。成人人口の四分の一以上である。グアラニー語で密偵を意味する「ピラグエス」のネットワークが国中に張りめぐらされ、家が数軒あれば、そこには一人のスパイがひそんでおり、反体制派と推定される人間を監視していた。次に、自分たちもクーデターを起こそうなどという不埒《ふらち》な考えを軍人がいだくのを防ぐため、軍を麻酔でおとなしくさせた。すなわち、実入りがよく、多くは非合法の取引（タバコ、アルコール、ドラッグ）にかんする事実上の独占権をあたえることで高級将校たちを買収したのだ。時がたつにつれ、パラグアイは、リオ・デ・ラ・プラタ流域とブラジルにおける非合法物品流通のための巨大基地へと変身した。主として四輪駆動車の密輸をとりしきっていた高級将校は「メルセデス将軍」とあだ名された。これと並行して、パラグアイはラテンアメリカ最大の売春宿となり、届け出たものだけでも二八〇軒もの娼家があった。

「最高指導者」の尊顔は国中にあふれた。どの村の入り口にも、切手にも。プエルト・フロール・デ・リスはプエルト・プレシデンテ・ストロエスネルと改名された（現在の名はシウダー・デル・エステ）。空港にも彼の名が冠せられた（その後、シルビオ・ペティロシ[11]に変更された）。首都アスンシオンの英雄広場には、「パス、トラバホ、ビエネスタール（平和、労働、幸福）」というストロエスネル体制の標語が掲げられていた。彼の誕生日にあたる一一月三日は祭日となった。

「最高指導者」は、友好国アメリカが自分のちょっとした商売に口をはさむことをなんとしても避けたかっただけに、ワシントンが打ち出す政策に熱心に協力した。冷戦時代、ストロエスネルの過激な反共の姿勢はアメリカから大いに評価された。ニクソンの目には、ストロエスネル体制は「ラテンアメリカで実現可能なデモクラシーの手本」と映った。しかし、「アウシュヴィッツの死の天使」とよばれたメンゲレをふくむ、ナチの犯罪人複数の亡命を受け入れたことで、父親の母国であり彼自身も夢見ていたドイツとの仲はまことに険悪なものとなった。国際社会でペルソナ・ノン・グラータとなったストロエスネルに好意を向けるのは蔣介石の台湾、フランコのスペイン、ピノチェトのチリ、アパルトヘイトの南アフリカだけとなった。しかしほんとうのところ、ストロエスネルはこうした状態を気に病んでいたのだろうか？　自国を国際社会から切り離して孤立させることは、隆盛を誇る非合法活動を守る最良の方策ではないだろうか？

体面を保つために不断の努力を重ねていた「国家再生の輝ける星」、ストロエスネルの格言は「見られなければ、捕まらない」だったのかもしれない。軍事政権だとの非難に対しては、コロラド党を前面に押し出して文民統制が行なわれていると主張した。同党は中身が空っぽで、文民統制は幻想にすぎなかったが。一党独裁制だとの非難の声があがると、一八八七年に結党された自由党の後継者である自由急進党を合法化し、次にフェブレリスタ党も合法化し、一九六七年にはこの二党もまきこんで新憲法の起草にとりかかった。かくして、ストロエスネルが大統領選挙に出馬できる期間をさらに一〇年延ばす新憲法が発布された…。かろうじて存在が認められている状態で、完璧な統制下にあるこれらの党についてストロエスネルは「小さな荷車に押しこめられて我慢することになるな、我慢のしがいがあるかどうかはわからないがな…」と皮肉をこめて語った。我慢できなくなってもかまわない。一〇年後、ストロエスネルは偽善の仮面を脱ぎすて、憲法を修正して「終身大統領」になった。それでも、形式を重んじて五年ごとに――一九五四年から一九八八年までのあいだに全部で八回――大統領選挙を実施した。毎回、圧倒的多数で国民の信任を得たのはいうまでもない。

「独裁のティラノサウルス」の最期

しかし、一九八〇年代の終わりに「コンドルの巣」はゆらいだ。首都アスンシオン市内で、ストロエスネルが亡命を受け入れたニカラグアの独裁者アナスタシオ・ソモサが自国のゲリラ組織が放ったロケット砲で暗殺されたことは、ストロエスネルの威信を傷つけた。報復として、たまたま現場にいたチリのジャーナリスト、ラファエル・メジャ・ラトーレを逮捕して九年間も投獄したことで、反共の輝ける星、ストロエスネルの立場はますます悪くなった。彼の政治の延命にとってより深刻だったのは、「コンドル作戦」を担ってきた独裁政権がこの一〇年で次々に崩壊したことだった。「ドミノ理論[12]」が独裁体制にもあてはまるかのように。カーター大統領（在位一九七七―一九八一）とその後継者のレーガン大統領（在位一九八一―一九八八）は、南米のデモクラシーへの回帰を強く望んだ。アルゼンチン（一九八三年）、ブラジルとウルグアイ（一九八五年）があいついでデモクラシーへと移行し、チリではピノチェトが一九八八年一〇月五日の国民投票で国民から引導を渡された。この時点で、ラテンアメリカ最後の権威的体制は、つい先ごろ八八・八パーセントの得票率で再選されたばかりのアルフレド・ストロエスネルの体制だけとなった…。当人はイギリスの女性ジャーナリストのインタビューに答え、「わたしは何回も再選されたが、これはわたしが望んだからではない。国民の意向と神のご意思だったのだ」と述べた。しかしながら、この年、アスンシオンを訪問した「神の僕《しもべ》たちに仕える僕《しもべ》」、ローマ教皇ヨハネ＝パウロ二世は自由化と人権尊重が必要だと説《と》いた。ストロエスネルは、過去となった時代の最後の生き証人となるのだろうか？　アーサー・コナン・ドイル作の「失われた世界」から飛び出した恐竜？　正確にいえば、作家アウグスト・ロア・バストスがぴしゃりとよんだように、ティラノサウルスだ［学名のティラノサウルスは、「暴君の爬虫類」を意味する］。

彼の政治生命の終焉は避けがたくなった。一九八九年二月三日、彼は自分が権力を掌握したときと同じやり方――クーデター――で倒された。首謀者は、体制のナンバーツーであったアンドレス・ロドリゲス・ペドッティ将軍だった。彼の娘はストロエスネルの下の息子と結婚していたので、親戚でもあったロドリゲス将軍は、騎兵隊第一師団の司令官であった。アメリカ政府のうしろだてがあって行動を起こしたのだ、と言う人もいれば、自分の側近たちをストロエスネルが粛清するつもりだとの噂が行きかっていたので生きのびるために反射的に行動に出た、と言う人もいる。いずれにしろ、二月二日、戦車の縦隊が首都郊外の兵営を出て、パラグアイの守護聖人、聖ブラス「ラテン語ではブラシウス[13]」の日にあたる翌日の朝、クーデターに参加した軍人たちは何百人もの死者を出した厳しい闘いで勝利をおさめた。屈辱のきわみというべきか、ストロエスネルを逮捕するときに陸軍司令官リノ・オビエドは彼に銃を向け、本気であることを示すために手榴弾の安全ピンをはずすことをためらわなかった。

2001年2月17日、亡命先のブラジルにて。
© AP/SIP

数日を刑務所ですごしたあと、失墜した独裁者は、不正蓄財の成果である数百万ドルをたずさえてブラジルへ亡命することを許された。彼の後継者となったロドリゲスは、これまで密輸取引の「ゴッドファーザー」として名高かったが、突如としてデモクラシーの鑑《かがみ》となった。非常事態宣言を撤回し、死刑を廃止し、複数政党制を認めた。そして三か月後に行なわれた大統領選挙で楽勝した。ただし、その得票率は、これまで「天才的な指導者」がたたきだしていた得票率と比べればみじめなものだった。そのストロエスネルは、ブラジリアの人工湖パラノアの畔

――一帯は、ブラジルの政界や財界の大物たちの別荘地である――にたつ瀟洒な邸宅におちつき、そこで穏やかな隠退生活を一七年すごすことになる。朝六時に起床し、三階から小鳥のために種《たね》をまき、朝食をとる。その後は、日に二回の散歩に出るほかはテレビの前で時間をすごした。観るのは西部劇とサッカーの試合だった。夕暮れどきとなると、ボディガードにはさまれて椅子に座ったまま地平線を眺めた。享年九三歳。毎日、皮膚癌で体が弱りきり、体重は四五キロまで減っていた。直接の死因は、ヘルニアの手術後に起きた肺炎であった。近親者のみによる葬儀が行なわれ、彼の遺骸はブラジリアのカンパメント・ヂ・ラ・パス墓地に埋葬された。

長い生涯をこうして終えたストロエスネルは、在位記録ではパラグアイ最初の独裁者、ホセ・ガスパル・ロドリゲス・ヂ・フランシア（たった三〇年！）を抜いてレコード保持者となった。一人の「至高の独裁者」ではじまった環が、最後の「至高の独裁者」で閉じられた。

〈原注〉

1　パラグアイのアーカイブのウェブサイトwww.unesco.org/webworld/paraguay/documentos.htlmを参照のこと。社会学者アラン・トゥレーヌが二〇〇〇年五月にフランスにもち帰ったこれらの記録の一部は、ナンテールの図書館ラ・コンタンポレーヌ（旧名は、現代国際文書図書館［ＢＤＩＣ］）に保管されている。

2　他国との比較例をあげるなら、複数の人権擁護団体の報告によれば、処刑された者と失踪者の数はチリでは三二〇〇人、アルゼンチンでは三万人である。

3　現在のパラグアイの人口は七〇〇万人。
4　スペイン人判事のバルタサール・ガルソンは、この記録の鉱脈をたどることで、ピノチェト将軍告発書の大半を起草した。
5　グアヤキ族ともよばれるが、グアヤキは一部から軽蔑語だとみなされている。アチェ族にかんしては、偉大な文化人類学者ピエール・クラストルによる研究が存在する。
6　例外は、もう一つの内陸国であるボリビア。
7　彼らにとっての好ましいモデルは、スペイン国王がエンコミエンデロに利用権をあたえるエンコミエンダ制度だった。スペイン人入植者（エンコミエンデロ）は、一定の土地の治安を担保するする代償として先住民インディオを服従させ使役する権利をあたえられた。
8　「イエズス会士の茶の木」ともよばれる柊《ひいらぎ》の一種。焙煎した葉を煎じて飲料とする。強壮と毒素排出の効果がある、といわれる。
9　パラグアイの二大政治勢力は、自由党とコロラド党であり、どちらも一八八七年に設立された。
10　一九三六年二月「スペイン語で二月はフェブレロ」の「革命」に因《ちな》んだ名称。一九五一年に設立される革命フェブレリスタ党は、社会主義インターナショナルの一員である。
11　二〇世紀初頭に、曲芸飛行などで有名になったパラグアイ人のエースパイロット。
12　ディエンビエンフーのフランス軍守備隊基地がベトナム共産党「ベトミン」軍の手に落ちた（一九五四年）のち、アメリカ大統領のE・D・アイゼンハワーは、次のような比喩を用いて共産主義伝播のリスクに警鐘を鳴らし、有名になった。「立てたドミノが一列にならんでいるとして、最初のドミノを倒したら、最後のドミノまで倒れることは確実だ（…）」。この比喩から、ドミノ理論が生まれた。

13　扁桃腺に魚の骨が刺さった子どもを助けたことから、喉頭学者および喉の病をもつ者の守護聖人でもある。アルバニアの司教であった聖ブラシウスは、四世紀初頭に殉教した。

〈参考文献〉

Gérard Borras, Nicolas Richard, Isabelle Combès et Capucine Boidu, in *Guerres et Identités dans les Amériques*, Rennes, PUR, 2010.
Paola Domingo, *Naissance d'une société métisse. Aspects socioéconomiques du Paraguay de la conquête à travers les dossiers testamentaires*, Montpellier, Presses universitaires de Méditerranée, 2006.
Bruno Fuligni et Bruno Leandri, *Les Guerres stupides de l'histoire*, Les Arènes, 2019.
Olivier Guez, *La Disparition de Josef Mengele*, Grasset, 2017.
Axel Gylden, « Derniers jours tranquilles pour le “Suprême” Stroessner », in *Les Derniers Jours des dictateurs*, Perrin, 2012.（アクセル・ジルデン「ストロエスネル最期の静かな日々」（『独裁者たちの最期の日々』下巻）清水珠代訳、原書房）
Benjamin Offroy, « Le Paraguay, un nid du Condor », *Vingtième siècle*, Presses de Sciences Po, n° 105, janvier mars 2010.

◆編者略歴◆

オリヴィエ・ゲズ（Olivier Guez）

歴史研究者、著述家、ジャーナリスト。最新作の『ヨーゼフ・メンゲレの失踪』（グラセ社、2017年）はルノドー賞を獲得した。

◆訳者略歴◆

神田順子（かんだ・じゅんこ）…まえがき、1-5、7、11、12章担当

フランス語通訳・翻訳家。上智大学外国語学部フランス語学科卒業。訳書に、ピエール・ラズロ『塩の博物誌』（東京書籍）、クロディーヌ・ペルニエ＝パリエス『ダライラマ 真実の肖像』（二玄社）、ベルナール・ヴァンサン『ルイ16世』、ソフィー・ドゥデ『チャーチル』（以上、祥伝社）、共訳書に、ディアンヌ・デュクレ『女と独裁者――愛欲と権力の世界史』（柏書房）、ジャン＝クリストフ・ビュイッソンほか『王妃たちの最期の日々』、セルジュ・ラフィ『カストロ』、パトリス・ゲニフェイほか『王たちの最期の日々』、アレクシス・ブレゼほか『世界史を作ったライバルたち』、ジャン＝クリストフ・ビュイッソンほか『敗者が変えた世界史』、ジャン＝クリストフ・ビュイッソン『暗殺が変えた世界史』（以上、原書房）などがある。

清水珠代（しみず・たまよ）…6、8章担当

上智大学文学部フランス文学科卒業。訳書に、ジャン＝クリストフ・ブリザールほか『独裁者の子どもたち――スターリン、毛沢東からムバーラクまで』、ディアンヌ・デュクレほか『独裁者たちの最期の日々』、アンヌ・ダヴィスほか『フランス香水伝説物語――文化、歴史からファッションまで』（以上、原書房）、フレデリック・ルノワール『生きかたに迷った人への20章』（柏書房）、共訳書に、ヴィリジル・タナズ『チェーホフ』（祥伝社）、セルジュ・ラフィ『カストロ』、アレクシス・ブレゼほか『世界史を作ったライバルたち』、ジャン＝クリストフ・ビュイッソンほか『敗者が変えた世界史』、ジャン＝クリストフ・ビュイッソン『暗殺が変えた世界史』（以上、原書房）などがある。

松尾真奈美（まつお・まなみ）…9章担当

大阪大学文学部文学科仏文学専攻卒業。神戸女学院大学大学院文学研究科英文学専攻（通訳翻訳コース）修了。翻訳家。

濱田英作（はまだ・えいさく）…10章担当

国士舘大学21世紀アジア学部教授。早稲田大学大学院文学研究科東洋史専攻博士課程単位取得。著書に、『中国漢代人物伝』（成文堂）、訳書に、甘粛人民出版社編『シルクロードの伝説――説話で辿る二千年の旅』（サイマル出版会）、C・チャンバース『シク教』、A・ガネリー『ヒンズー教』（以上、岩崎書店）、共訳書に、ディアンヌ・デュクレ『女と独裁者――愛欲と権力の世界史』（柏書房）、ジャン＝クリストフ・ビュイッソンほか『敗者が変えた世界史』、ジャン＝クリストフ・ビュイッソン『暗殺が変えた世界史』（原書房）などがある。

Olivier Guez:"LE SIÈCLE DES DICTATEURS"
© Le Point/Perrin, un département de Place des Éditeurs, 2019
This book is published in Japan by arrangement with
Les éditions Perrin, département de Place des éditeurs, SAS,
through le Bureau des Copyrights Français, Tokyo

独裁者《どくさいしゃ》が変《か》えた世界史《せかいし》
上

●

2020年4月10日　第1刷

編者………オリヴィエ・ゲズ
訳者………神田順子《かんだじゅんこ》
清水珠代《しみずたまよ》
松尾真奈美《まつおまなみ》
濱田英作《はまだえいさく》
装幀………川島進デザイン室
本文組版・印刷………株式会社ディグ
カバー印刷………株式会社明光社
製本………小泉製本株式会社
発行者………成瀬雅人

発行所………株式会社原書房
〒160-0022　東京都新宿区新宿1-25-13
電話・代表　03(3354)0685
http://www.harashobo.co.jp
振替・00150-6-151594
ISBN978-4-562-05749-8

©Harashobo 2020, Printed in Japan

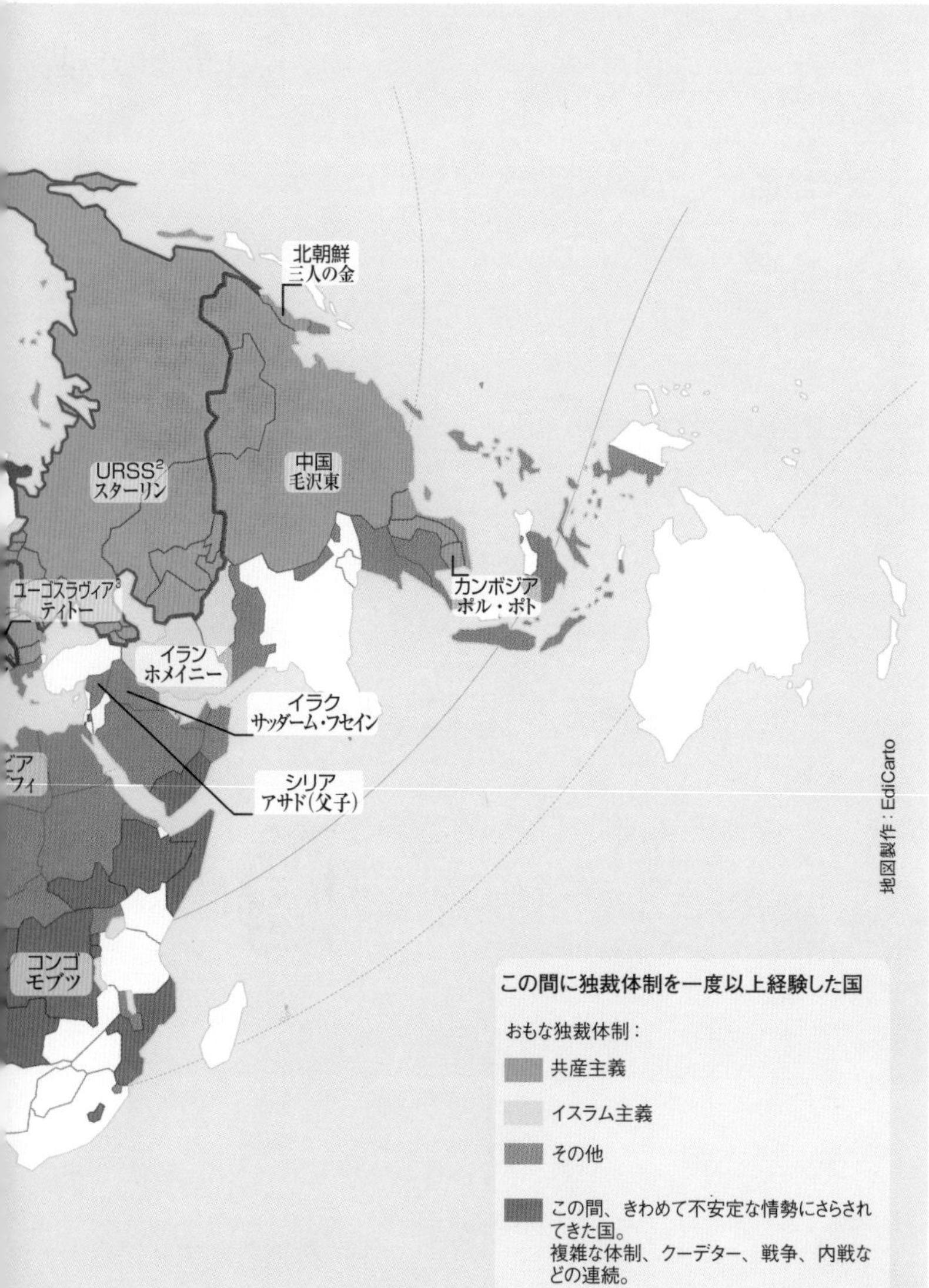

北朝鮮
三人の金
URSS[2]
スターリン
中国
毛沢東
カンボジア
ポル・ポト
ユーゴスラヴィア[3]
ティトー
イラン
ホメイニー
イラク
サッダーム・フセイン
シリア
アサド(父子)
コンゴ
モブツ
この間に独裁体制を一度以上経験した国
おもな独裁体制：
共産主義
イスラム主義
その他
この間、きわめて不安定な情勢にさらされてきた国。
複雑な体制、クーデター、戦争、内戦などの連続。
国際社会から認知されていない国
主要な地政学的大転換が起きた地域
旧URSS[2]
旧ユーゴスラヴィア[3]
再統一ドイツ[1]

地図製作：EdiCarto